특허받은
분해조립식
한자

공앤박 한자연구소 **박건호** 著

KONG & PARK

특허받은 분해조립식한자 자연篇

초판발행 2016년 1월 1일
저자 박건호 · 공앤박 한자연구소
발행인 공경용

발행처 공앤박㈜
출판등록 2008년 9월 2일 · 제300-2008-82호
주소 05116 서울시 광진구 광나루로56길 85, 프라임센터 1518호
전화 02-565-1531
팩스 02-3445-1080
전자우편 info@kongnpark.com
홈페이지 www.kongnpark.com

ISBN 978-89-966216-3-8 14700
      978-89-966216-0-7(세트)

머 리 말

'무연 휘발유'의 '무연'은 무슨 뜻인가? '개기일식'이란 正確히 무엇을 가리키는 말일까? 혜초가 인도를 다녀와 썼다는 기행문인 왕오천축국전의 '왕오천축국'은 무슨 뜻일까? '不定詞'란? 소수(素數)란 무엇인가? 이런 식으로 질문을 받으면 대답하기 困難한 語彙들이 꽤 됨을 알고 내가 이렇게도 우리말에 무지 했던가 할 것이다.

그러나 실은 우리말에 무지한 것도 맞지만 漢字語에 대한 지식 부족이기도 한 것이다.

우리말의 주요 부분인 명사의 대부분은 사실 漢字語이다.

韓國語나 日本語는 공히 언어의 대부분 특히 주요부분인 명사는 漢字語이고 助詞나 前置詞 接續詞와 같은 부분만 순수 자국어에 지나지 않는다.

한국에서는 한글 優待政策으로 1969년에 漢字가 廢止되고 말았다.

漢字를 폐지했다고 우리 한국 사람들이 더 愛國者가 된 것도 아니고 오히려 어떤 면에서는 文盲을 부추긴 꼴이 되고 말았다.

勿論 한자어를 모른다고 無識하다거나 세상을 뒤처지는 것은 아니다, 미국사람이나 서양 사람들이 漢字를 모른다고 우리보다 더 무식한 것은 결코 아니다.

蔽一言하고 漢字語는 결코 外來語로 볼 수 없고 우리말로 봐야 한다고 筆者는 생각한다.

따라서 漢字학습은 우리말 深化學習이므로 母國語를 정확히 驅使하기 위해서는 반드시 漢字語에 대한 학습이 竝行되어야 한다고 감히 主張하고 싶다.

1969년도에 한글학자들이 무슨 생각으로 漢字를 廢止했는지는 모르나 이들은 분명 漢字를 中國語나 漢文과 同一視했기 때문일 것이다. 무식함의 發露였던 것이다.

오랫동안 漢字가 庶子취급을 받아온 데는 千字文식 學習方法과 敎習방법이 一助를 했다고 본다. 가르치는 것도 엄연히 技術인데 개발 發展시켜오지 못한 우리 선배들의 責任이 크다 아니 할 수 없다.

筆者는 앞으로 漢字를 가르쳐야 될 선생님들이 먼저 제대로 된 漢字敎育을 받고 나름대로 더 유지 발전시켜 後學들을 가르쳤으면 하는 바람으로 감히 이 '組立 分解 漢字'를 세상에 내 놓기로 하였다.

不足한 부분이 적지 않음을 率直히 認定하므로 필자도 계속 努力을 기울이겠지만 이 책을 접할 先後輩 여러분들의 眞心어린 助言이나 協助를 부탁드린다.

조립분해한자의 창안자 朴 乾 晧
2009년 5월

차 례

羊 양 양

| 羊(양) | 洋(양) | 群(군) | 養(양) | 樣(양) | 着(착) |
| 祥(상) | 羞(수) | 詳(상) | 羔(고) | 鮮(선) | 羨(선) |

羊
훈음 양 양　부수 제 부수
머리 위에 둥그렇게 휜 멋진 뿔을 가진 양을 정면에서 바라본 모습을 그린 글자이다.
●●●●● 羊頭狗肉(양두구육)/羊毛(양모)/牧羊(목양)

洋
훈음 바다 양　부수 물 氵(수)　▶▶▶ 양 羊(양) + 물 氵(수) ➡ 초원을 수놓는 많은 양 떼
초원에 흩어져 풀을 뜯고 있는 양(羊)무리가 마치 푸르고 드넓은 바닷물결(氵) 같다고 하여 두 글자 모두 의미요소이며 羊(양)은 발음기호를 겸한다.
●●●●● 大洋(대양)/海洋(해양)/太平洋(태평양)

群
훈음 무리 군　부수 양 羊(양)
▶▶▶ 임금 君(군) + 羊(양) ➡ 양의 특성 떼거리 – 고을의 사람들 무리
떼를 지어 사는 무리하면 중국 사람들은 양 떼를 떠 올렸을 것이다. 따라서 양 羊(양)을 의미요소로 君(군)을 발음기호로 사용했다.
●●●●● 群舞(군무)/群鷄一鶴(군계일학)/群衆心理(군중심리)

養
훈음 기를 양　부수 먹을 食(식)　▶▶▶ 양 羊(양) + 밥 食(식) ➡ 양 먹이
羊(양)을 발음기호로 먹을 食(식)을 의미요소로 하여 겨울철에는 특히 양(羊)에게 사료(食)를 먹여 길러야 한다 하여 기르다, 부양하다, 받들어 모시다로 의미 확대된 글자다.
●●●●● 養殖(양식)/扶養(부양)/養老(양로)

樣
훈음 모양 양　부수 나무 木(목)
▶▶▶ 나무 木(목) + 양 羊(양) + 길 永(영) – 발음기호 ➡ 나무에 모양을 새김
나무(木)판에 물길(羕) 즉 수로를 새겨놓은 모습에서 '본보기, 모양, 무늬'란 뜻의 글자가 만들어졌다.
●●●●● 模樣(모양)/樣式(양식)/多樣(다양)/文樣(문양)

着
훈음 붙을 착　부수 눈 目(목)　▶▶▶ 양 羊(양) + 삐침 丿(별) + 눈 目(목) ➡ 양의 미간에 붙어 있는 눈
양(羊)의 뿔(丿) 밑에 붙어 있는 눈(目)이 앞으로 튀어나오려 해서 마치 눈알을 붙여놓은 것 같은 글자.
●●●●● 着陸(착륙)/倒着(도착)/延着(연착)/着地(착지)

祥
훈음 상서로울 상　부수 보일 示(시)　▶▶▶ 보일 示(시) + 양 羊(양) ➡ 제단에 희생물로 바쳐진 양
제단 위의 한 마리 양을 통해 신의 축복으로 좋은 일이 일어날 조짐을 가리키는 글자가 탄생됐다. 제단 示(시)가 의미요소고 양 羊(양)은 발음기호이다.　※ 詳(상) – 자세할 상
●●●●● 祥瑞(상서)/吉祥(길상)/祥雲(상운)

羞 훈음 바칠 수 부수 양 羊(양) ▶▶▶ 양 羊(양) + 둘째 지지 丑(손 우(又)의 변형) ➡ 양고기를 바침
맛있는 양고기를 손으로 바치는 장면에서 '음식을 드리다, 바치다'가 옛 사람들이 남에게 대접을 하면서도
으레 겸손치레를 하므로 '수줍어하다, 부끄러워하다'의 뜻이 파생됐다.
••••• 羞恥(수치)/羞惡之心(수오지심)/珍羞盛饌(진수성찬)

詳 훈음 자세할/자상할 상 부수 말씀 言(언) ▶▶▶ 말씀 言(언) + 양 羊(양) ➡ 양고기 먹은 소감
말을 자세하게 하는 것을 의미하므로 말씀 言(언)이 의미요소고 羊(양)은 발음기호이다.
••••• 詳細(상세)/未詳(미상)/昭詳(소상)/仔詳(자상)

羔 훈음 새끼 양 고 부수 양 羊(양) ▶▶▶ 양 羊(양) + 불 灬(화) ➡ 양고기를 불에 구워 먹음
양을 불 위에 굽고 있는 모습에서 나온 글자로 어린 새끼 양이 맛있어 즐겨 구워 먹었던 까닭인지 이 글자
가 새끼 양으로 쓰이게 되었다.

鮮 훈음 고울/깨끗할/뚜렷할 선 부수 고기 魚(어) ▶▶▶ 고기 魚(어) + 양 羊(양) ➡ 맛있는 양고기
맛이 뛰어나고 살아 있는 신선한 생선을 뜻하기 위함이어서 물고기 魚(어)와 양 羊(양) 모두 의미요소로 사용된
다.
••••• 生鮮(생선)/鮮明(선명)/新鮮(신선)

羨 훈음 부러워 할 선 부수 양 羊(양)
▶▶▶ 양 羊(양) + 침 흘릴 연(氵+欠) ➡ 토실토실한 탐나는 양
훔칠 盜(도)가 당시 고가였던 청동 제기나 그릇을 탐내어 몰래 가져간 것이라면, 부러워 할 羨(선)은 남의
羊(양)을 탐내어 침 흘리는 장면을 그린 글자다. 두 글자 모두 의미요소이며 침 흘릴 연(氵+欠)이 발음기호
이다.
••••• 羨望(선망)

善(선) 膳(선) 繕(선) 美(미) 義(의) 奎(달) 達(달) 撻(달)

善 훈음 착할 선 부수 입 口(구)
▶▶▶ 양 羊(양) + 풀 艹(초) + 입 口(구) ➡ 양의 신통한 능력
원래는 양(羊)과 말씀 언(言) 두 개로 구성된 글자로 서로 싸우는(言) 두 사람의 시시비비를 가려주는 신통
력이 있는 동물이 양(羊)이라 하여 옳고 그름을 분간하는 '곧음'이 원뜻이었으나 점차로 '착함'으로 뜻이 바
뀌게 되었다.
••••• 善惡(선악)/勸善懲惡(권선징악)/最善(최선)/善心(선심)

膳 훈음 드릴/반찬 선 부수 肉(육)달 월 ▶▶▶ 肉(육)달 月(월) + 착할 善(선) ➡ 양고기
죄(善)를 사해 주길 바라면서 뇌물(月)로 유혹하는 장면에서 뇌물이 선물(膳物)로 발전하며 드릴 선(膳)
••••• 膳物(선물)

繕 훈음 기울 선 부수 실 糸(사)
▶▶▶ 실 糸(사) + 착할 善(선) ➡ 실로 헤어진 옷을 수선함 – 전혀 무관 –
헤어진 곳을 실에 덧대어 깁는다는 의미를 가졌으므로 실 糸(사)가 의미요소고, 善(선)은 발음기호이다. 점
차로 헤어진 곳을 깁고 수리하다는 의미로 발전했다.
••••• 修繕(수선)/營繕(영선)

훈음 아름다울 미 **부수** 양 羊(양) ▶▶▶ 양 羊(양) + 큰 大(대) ➡ 새의 깃털이나 양의 뿔로 장식한 남자

양(羊)의 탈을 쓴 사람(人)이라는 설도 있으나 새끼 양을 어깨에 둘러멘 양치기의 모습에서 약자를 위한 아름다운 마음을 느끼지 않을 사람은 없을 것이다. 멋지게 굽은 양(羊)의 뿔로 장식을 한 남자(人)의 모습이 아름답다 하여 나온 말이라고도 한다.

●●●●● 眞善美(진선미)/美貌(미모)/美人(미인)/美談(미담)/美風(미풍)

 훈음 옳을 의 **부수** 양 양 ▶▶▶ 양 羊(양) + 나 我(아) ➡ 양의 가죽이나 뿔로 장식한 의장용 무기

날이 세 갈래인 톱날 모양의 날이 있는 의장용 무기(我)의 윗부분을 양 뿔이나 양 머리 가죽을 얹어 장식을 한 것으로 처음엔 '위엄'을 나타내기 위한 글자였으나, 후에 '예의나 법도' 신하와 상관간의 '의리, 도의' 등의 뜻으로 그리고 '옳다, 의롭다' 등의 뜻으로 의미 확대된 글자다.

●●●●● 義務(의무)/義人(의인)/正義(정의)/義理(의리)/義齒(의치)/義俠(의협)

 훈음 어린 양 달 **부수** 양 羊(양) ▶▶▶ 양 羊(양) + 큰 大(대) ➡ 마구 뛰어다니는 어린 양

어린 양(羊)이 크게(人) 뛰노는 장면에서 어린양 달(羍)이고 양 때 사이를 뛰어다니는(辶) 어린양(羍)의 모습에서 달성(達成)의 통달(通達)할 달(達)자가 너무 설쳐대는(達) 아이를 회초리(扌)로 다스리는 모습이 초달(楚撻)의 매질할 달(撻)자가 만들어졌다.

●●●●● 達觀(달관)/達筆(달필)/達辯(달변)/乾達(건달)四通八達(사통팔달)/指導鞭撻(지도편달)

犬(견)　　伏(복)　　狀(상)　　獸(수)　　獻(헌)　　厭(염)　　壓(압)

臭(취)　　突(돌)　　然(연)　　犮(발)　　拔(발)　　髮(발)

犬

훈음 개 견　부수 제 부수　▶▶▶ 큰 大(대) + 점 ヽ(주)

개의 모습을 최대한 단순 간결하게 정리한 모습으로 점 ヽ(주)는 귀가 변한 것으로 추정한다.

••••• 忠犬(충견)/愛犬(애견)/鬪犬(투견)/犬馬之勞(견마지로)/犬猿(견원)

伏

훈음 엎드릴 복　부수 사람 亻(인)　▶▶▶ 사람 亻(인) + 개 犬(견) → 주인 앞에 넙죽 엎드리는 개의 특성

주인이 귀가하면 대문까지 나와 주인의 발치에 발랑 누워 버리던가 최대한 자세를 낮추어 주인의 바짓가랑이를 잡아 챙기는 개의 모습에서 '엎드리다, 굴복하다, 숨다'의 뜻이 파생한 글자로 두 글자 모두 의미요소이다.

••••• 屈伏(굴복)/埋伏(매복)/伏兵(복병)/伏線(복선)/伏地不動(복지부동)

狀

훈음 형상 상/문서 장　부수 개 犬(견)

▶▶▶ 나뭇조각 爿(장) + 개 犬(견) → 침상에 벌렁 누워 있는 개 팔자

나무 판(爿)에 그림 을 새기면(犬-조각칼 모양) 형상(形狀)/모양 상(狀) 나무 판에 글을 새기면 소장(訴狀)의 문서 장(狀)

••••• 形狀(형상)/狀態(상태)/狀況(상황)/訴狀(소장)

獸

훈음 짐승 수　부수 개 犬(견)

▶▶▶ 單(단) + 개 犬(견) → 사냥개와 사냥 도구는 짐승을 잡는데 필요함

사냥 도구(單)와 사냥개를 함께 그려 짐승을 잡는다는 글자를 만들었으며, 여기서 '짐승'이라는 글자가 탄생했다. 따라서 두 글자 모두 의미요소이다.

••••• 人面獸心(인면수심)/野獸(야수)/猛獸(맹수)

獻

훈음 바칠 헌　부수 개 犬(견)

▶▶▶ 호랑이 虍(호) + 세발솥 鬲(력) + 개 犬(견) = 가마솥 鬳(권) → 제물을 요리하여 바침

솥(鬲)과 두 동물(虍+犬)이 상징하는 祭物(제물)을 합친 글자로 짐승을 잡아 요리를 하여 높은 사람이나 신에게 바친다는 사상을 전달하는 글자로 모든 글자가 의미요소이다.

••••• 獻金(헌금)/奉獻(봉헌)/貢獻(공헌)/獻身(헌신)/獻納(헌납)

厭

훈음 싫을 염　부수 언덕 厂(엄)

▶▶▶ 벼랑 厂(엄) + 日(甘(감)의 변형) + 肉(月) + 개 犬(견) → 단고기를 실컷 먹다

개고기를 이북사람들은 단고기라고 한다. 이 단고기 즉 개를 잡아 바위 아래나 언덕에 자리를 잡고 배터지도록 먹어 질린 상황을 묘사한 글자로서 모든 글자가 의미요소이다.

••••• 厭症(염증)/厭世主義(염세주의)

壓 훈음 누를 압 부수 흙 土(토) ▶▶▶ 싫을 厭(염) + 흙 土(토) ➡ 깔린 흙

단고기를 너무 먹어 배나 위가 짓눌려 숨쉬기조차 어려운 상황을 커다란 흙덩이나 돌덩이에 의해 깔아뭉개지는 그래서 땅에 가해지는 압력과 연관하여 만든 글자로 흙 土(토)가 의미요소이며 싫을 厭(염)은 발음기호라고 하는데 추측키 어렵다.

●●●●● 壓力(압력)/抑壓(억압)/壓倒(압도)/高壓(고압)

臭 훈음 냄새 취 부수 스스로 自(자) ▶▶▶ 스스로 自(자) + 개 犬(견) ➡ 개코

냄새 잘 맡는 사람을 개(犬)코(自)라고 하는 데서 나온 글자다.

●●●●● 惡臭(악취)/口尙乳臭(구상유취)/腋臭(액취)

突 훈음 갑자기 돌 부수 구멍 穴(혈) ▶▶▶ 구멍 穴(혈) + 개 犬(견) ➡ 개구멍에서 뛰쳐나오는 개

갑자기 튀어 나온다는 사상을 전달하기 위해 구멍에서 개가 뛰쳐나오는 모습을 그렸다. 개 犬(견) 및 구멍 穴(혈) 모두가 의미요소에 기여했다.

●●●●● 突進(돌진)/突擊(돌격)/突然(돌연)/衝突(충돌)

然 훈음 그러할 연 부수 불 火(화) ▶▶▶ 고기 肉(月) + 개 犬(견) + 불 灬(화) ➡ 개고기 굽는 장면

개(犬)고기(肉)를 불(灬)에 태우는 장면에서 '태우다'가 본뜻이나 가차되어 '그렇다'로 쓰이자, 불 火(화)를 더 첨가하여 원뜻을 보존한 글자가 사를 燃(연)자이다.

●●●●● 自然(자연)/然後(연후)/果然(과연)/未然(미연)/超然(초연)

犮 훈음 달릴 발 부수 개 犬(견) ▶▶▶ 꼬랑지나 발(丿) + 개 犬(견) ➡ 죽어라 달아나는 개

개(犬)가 죽어라 달아나는(丿) 모습에서 달릴 발(犮)자가, 잘 달리는(犮) 개(犬)를 선발(扌)하니 발췌(拔萃)의 뺄 발(拔)자가, 치렁치렁(镸-길 장)한 털(彡)의 모습이 발(犮)을 발음으로 장발(長髮)의 터럭 발(髮)자가 만들어진 배경이다.

●●●●● 拔群(발군)/拔擢(발탁)/拔本塞源(발본색원)/假髮(가발)/頭髮(두발)/危機一髮(위기일발)

獨(독) 　 犯(범) 　 狂(광) 　 狩(수) 　 猶(유) 　 猛(맹) 　 獄(옥)

獲(획) 　 猜(시) 　 猾(활) 　 獅(사) 　 狼(낭) 　 狽(패) 　 猿(원)

獨 훈음 홀로 독 부수 개 犬(견) ▶▶▶ 개 犭(견) + 벌레 蜀(촉) ➡ 밥 먹을 땐 말없이

눈이(目) 강조된 벌레(虫)로서 뽕잎에 붙어 있는 누에(蜀)와 개(犭)의 공통점은 먹을 게 생기면 홀로 조용히 말도 없이 먹는다는 것에서 '홀로, 외롭다'가 탄생했다. 蜀(촉)이 발음기호이다.

●●●●● 孤獨(고독)/獨立(독립)/獨身(독신)/唯我獨尊(유아독존)

犯 훈음 범할 범 부수 개 犬(견) ▶▶▶ 개 犭(견) + 병부 㔾(절) ➡ 사람을 공격하는 개

아무 곳이나 들어가 마구 파헤쳐 놓는 개 견(犭)이 의미요소고, 병부 㔾(절)이 발음요소다. '범하다'의 뜻으로 사용된다. 원형은 개와 흐트러진 모습(㔾)을 그렸다.

●●●●● 犯罪(범죄)/犯法(범법)/戰犯(전범)/侵犯(침범)/輕犯(경범)

狂 훈음 미칠 광 부수 개 犬(견) ▶▶▶ 개 犭(견) + 임금 王(왕) ➡ 개처럼 행동하는 왕

미친개를 의미하므로 개 犭(견)을 의미요소로 王(왕)을 발음기호로 했다.

●●●●● 狂犬病(광견병)/熱狂(열광)/狂亂(광란)/狂信(광신)

狩 훈음 사냥 수 부수 개 犬(견) ▸▸▸ 개 犬(견) + 지킬 守(수) ➡ 포획물을 사냥개가 물어 옴
예나 지금이나 사냥엔 사냥 犬(견)이 필수였기에 개 犭(견)을 의미요소로 守(수)를 발음요소로 사용했다.
●●●●● 狩獵(수렵)

猶 훈음 오히려/주저할 유 부수 개 犬(견) ▸▸▸ 개 犭(견) + 두목 酋(추)
개보다 못한 사람을 말한 것인가? 아니면 개와 유사한 어떤 짐승을 나타내려 한 글자였을까? 아무튼 개와
비슷비슷한 어떤 사물을 비교하려 한 글자로서 '같다'의 의미가 후에 두 개체가 너무 비슷하여 양쪽에서 갈
팡질팡하는 모습에서 '머뭇거리다'로 의미 확대됐다. 酋(추)가 발음기호이다.
※ 猷(유) - 꾀할 유/楢(유) - 졸참나무 유
●●●●● 執行猶豫(집행유예)/過猶不及(과유불급)

猛 훈음 사나울 맹 부수 개 犬(견) ▸▸▸ 개 犭(견) + 맏 孟(맹) ➡ 미친개
동물의 포학성(미친개)을 나타내는 글자로 개 犭(견)이 의미요소고 孟(맹)은 발음기호이다.
●●●●● 猛獸(맹수)/猛烈(맹렬)/勇猛(용맹)

獄 훈음 옥 옥 부수 개 犬(견) ▸▸▸ 개 犭(견) + 言(언) + 개 犬(견) ➡ 서로 마주 보며 짖어대는 개
마주 보고 짖어(言)대는 개 두 마리를 그림글자로 옮겨서 서로 옳다고 싸우는 사람들 중에 결국 잘못된 한
사람이 가는 곳인 감옥 옥(獄)이 탄생했다.
●●●●● 監獄(감옥)/脫獄(탈옥)/煉獄(연옥)/地獄(지옥)

獲 훈음 얻을 획 부수 개 犬(견) ▸▸▸ 개 犭(견) + 萑(추) + 又(우) ➡ 사냥개를 동원 새잡이를 함
손으로 새를 잡는 모습을 그렸다가 훗날 사냥의 의미를 더 분명히 하기 위해 사냥 개(犭)의 개념으로 개
犭(견)이 추가된 글자로 글자 전체가 새를 포획하는 모습임을 알려준다. 시대가 흐르면서 전쟁이나 사냥으
로 포획하는 게 아닌 일반적인 의미의 '얻다'로 널리 사용됐다.
●●●●● 捕獲(포획)/獲得(획득)/濫獲(남획)

猜 훈음 새암할 시 부수 개 犬(견) ▸▸▸ 개 犭(견) + 푸를 靑(청) ➡ 주인까지 물어뜯으려는 개
"날이 시퍼렇다"는 칼이 잘 든다는 얘기. "파랗게 질렸다"는 겁을 잔뜩 먹었다는 말이다.
　개(犭)가 파랗다(靑)는 것은 주인이 다른 개를 예뻐하자 으르렁대며 당장이라도 물고 뜯으려고 달려들
태세로 색이 변한 것이다. 왜냐하면 샘나니까?
●●●●● 猜忌(시기)

猾 훈음 교활할 활 부수 개 犬(견) ▸▸▸ 큰 개 犭(견) + 뼈 骨(골) ➡ 먹을 것에 쉽게 동하는 개의 특성
인간에게 가장 충성스러우면서 반면에 가장 교활한 특성을 지닌 동물로 개 犭(견)이 있다.
　바로 이 개 犭(견)을 의미요소로 骨(골)을 발음기호로 만든 글자가 교활할 猾(활)자이다.
　개(犭)들은 뼈(骨)를 가지고 노는(?) 경우가 많다. 아무리 주인이라도 밥 먹는 개 밥그릇을 빼앗는 것은
위험한 일이다. 자신의 이익을 위해서라면 은인(주인)도 물어버린다는 의미에서 개는 교활하기 그지없다.
●●●●● 狡猾(교활)

獅 훈음 사자 사 부수 개 犬(견) ▸▸▸ 큰 개 犭(견) + 스승 師(사)
견(犭)을 의미요소로 사(師)는 발음으로 사자(獅子)의 사자 사(獅) 마찬가지로 량(良)을 발음으로 낭패(狼狽)
를 만나다의 이리 랑(狼), 패(貝)를 발음으로 낭패(狼狽)의 이리 패(狽), 원(袁)은 발음으로 견원지간(犬猿之
間)의 원숭이 원(猿)자를 만들었다.
●●●●● 獅子吼(사자후)/虎狼(호랑)/類人猿(유인원)

豕 돼지 시

豕(시)　家(가)　豚(돈)　逐(축)　遂(수)　隊(대)　墜(추)

훈음 돼지 시　**부수** 제 부수
돼지의 모양을 그대로 옮겨 놓은 글자로 많은 새끼들이 어미젖을 빨고 있는 모습으로 연상해도 좋다.

훈음 집 가　**부수** 집 宀(면)　▶▶▶ 宀(집 면) + 豕(돼지 시) ➡ 돼지우리
예전 자녀를 많이 낳던 시절엔 보통 한 집에 부모 포함 10명 이상이 함께 사는 대가족이 많았다. 그렇다고
방이 많았는가 하면 결코 그렇지 못했다. 작은 방에 애들이 마치 돼지처럼 우글댄다고 해서 흔히들 "이게
사람 사는 집이냐 돼지우리지"라고 말하곤 했었다. 돼지우리에 지붕만 달랑 얹어 놓은 것이 집인 것이다.
●●●●● 家族(가족)/家口(가구)/親家(친가)/一家(일가)

훈음 돼지 돈　**부수** 돼지 豕(시)　▶▶▶ 肉(육)달 月(월) + 돼지 豕(시) ➡ 돼지고기
돼지고기를 나타내는 글자로 고기를 상징하는 육 달 月(월)과 돼지 豕(시) 모두 의미요소이다.
●●●●● 豚肉(돈육)/養豚(양돈)/豚舍(돈사)

훈음 쫓을 축　**부수** 갈 辶(착)　▶▶▶ 豕(돼지 시) + 辶(쉬엄쉬엄 갈 착) ➡ 돼지를 쫓아감(냄)
우리를 박차고 길로 쏟아져 나온 많은 돼지들이 어슬렁거리자 주인이 막대기를 들고 길에서 돼지를 쫓는
모습에서 쫓을 축자가 생겼다. 두 글자 모두 의미요소이다.
●●●●● 逐出(축출)/角逐(각축)/驅逐(구축)

훈음 이를 수　**부수** 갈 辶(착)　▶▶▶ 여덟 八(팔) + 쫓을 逐(축) ➡ 다 쫓아냄
漢字(한자)에서는 여덟 八(팔)이 全部(전부)나 全體(전체)를 가리키는 경우가 많다. 우리 밖으로 나온 돼지
여덟 마리 즉 전부를 다 쫓았다 해서 '완수하다, 마치다, 끝내다'라는 의미가 됐다.
●●●●● 完遂(완수)/未遂(미수)/遂行(수행)

훈음 떼/무리 대　**부수** 언덕 阝(부)　▶▶▶ 阝(언덕 부) + 八(팔) + 豕(시) ➡ 많은 돼지 떼
언덕 위의 많은 (八(팔)) 돼지들, 떼거리로 몰려다니는 돼지들, 많은 돼지들이 떼거리로 언덕 위로 몰려다닌
다 해서 떼 대, 무리 隊(대)이다. 두 글자 모두 의미요소이다.
●●●●● 部隊(부대)/隊列(대열)/軍隊(군대)/入隊(입대)

훈음 떨어질 추　**부수** 흙 土(토)
▶▶▶ 隊(떼 대) + 흙 土(토) ➡ 돼지 떼가 내달리면 언덕에서 흙이 떨어짐
돼지들이 떼거리로 언덕으로 몰려 달아나니 흙이나, 먼지나, 돌이 얼마나 많이 떨어지겠는가? 그 모습에서
떨어질, 추락할 墜(추)자가 생겼다. 두 글자 모두 의미요소이다.
●●●●● 墜落(추락)/擊墜(격추)

豕(축)　塚(총)　蒙(몽)　朦(몽)　豪(호)　濠(호)　壕(호)　毫(호)

豕
훈음 발 묶인 돼지 축　**부수** 돼지 豕(시)　▶▶▶ 돼지 豕(시) + 묶음(丶) ➡ 발을 묶인 돼지
돼지(豕)를 꼼짝하지 못하게 발을 묶어놓은(丶) 모습이 발 묶인 돼지 축(豕)자이고 죽은 사람을 상징하는
발 묶인 돼지(豕)를 땅에(土)묻으니 패총(貝塚)의 무덤 총(塚)
●●●●● 無主古冢(무주고총)

蒙
훈음 입을/덮을 몽　**부수** 풀 艹(초)　▶▶▶ 풀 艹(초) + 덮어쓸 冡(몽) ➡ 겹겹이 덮어놓은 어두운 돼지우리
어두운 곳이나 사람 눈에 잘 띄지 않는 곳에 자라는 식물을 가리키는 글자였으므로 풀 艹(초)가 의미요소
이고, 冡(몽)은 발음기호이다. 관이나 덮개(冖) 위에 또 풀(艹)로 덮여 있으니 얼마나 어둡고 답답하겠는가?
●●●●● 無知蒙昧(무지몽매)/蒙古(몽고)/啓蒙(계몽)

朦
훈음 흐릿할 몽　**부수** 달 月(월)　▶▶▶ 달 月(월) + 덮을 蒙(몽) ➡ 달빛이 흐릿함
달빛이나 사물이 분명치 않고 흐릿한 모양을 나타낸 글자로 달 月(월)이 의미요소고, 蒙(몽)은 발음 겸 의
미요소이다.
●●●●● 朦朧(몽롱)

豪
훈음 호걸 호　**부수** 돼지 豕(시)　▶▶▶ 高(고)의 생략형 + 돼지 豕(시) ➡ 많은 무리를 거느림
털이 뻣뻣하게 높이 돋아 있는 멧돼지를 일컫는 말이었으나 이후 기개가 출중하고 재능이 출중한 남자를
가리키게 되었으며 성(城)주위를 물(氵)로 두르니 호(豪)를 발음으로 호주(濠洲)의 해자 호(濠), 성(城)주위
에 구덩이(土)를 파면 호(豪)를 발음으로 참호(塹壕)의 해자 호(壕)자가 되었고, 가을이 되면서 털(毛)이 점
점 가느다랗게(高) 변하니 추호(秋毫)의 가는 털 호(毫).
●●●●● 豪傑(호걸)/豪雨(호우)/豪言(호언)/豪奢(호사)/富豪(부호)

象(상)　像(상)　豫(예)　預(예)　劇(극)　據(거)

象
훈음 코끼리 상　**부수** 돼지 豕(시)
코끼리의 긴 코가 강조된 코끼리의 모습을 단순 간결하게 그린 그림글자이다.
●●●●● 象形(상형)/象牙(상아)/象徵(상징)/氣象(기상)/現象(현상)/抽象(추상)/千態萬象(천태만상)

像
훈음 형상/모양 상　**부수** 사람 亻(인)
▶▶▶ 사람 亻(인) + 코끼리 象(상) ➡ 코끼리의 모양을 그리는 사람
'사람이 코끼리의 모양을 그리다'에서 '형상, 모양'이 탄생한 글자로 두 글자 모두 의미요소이며 象(상)이 발
음기호이다.
●●●●● 想像(상상)/現像(현상)/銅像(동상)

豫
훈음 미리 예　**부수** 돼지 豕(시)
▶▶▶ 나 予(여) + 코끼리 象(상) ➡ 지진 발생 전 사전 감지능력이 있는 동물들의 특성
'미리'라는 시간 부사를 그림글자로 나타낼 수는 없었으므로 발음요소가 비슷했는지 그 연유는 확실치 않으
나 나 予(여)를 발음기호로 하여 만든 글자로 분명 코끼리가 의미요소에 기여했을 터이나 아직 밝혀내지
못하고 있다.
●●●●● 豫言(예언)/豫報(예보)/豫感(예감)/豫防(예방)

훈음 미리/맡길 예 **부수** 머리 頁(혈) ▶▶▶ 나/줄 여(予) + 머리 頁(혈)

머리(頁)를 준다(予)는 것은 중요한 것을 맡긴다는 의미이다. 줄 予(여)가 발음요소로 '미리 혹은 맡기다'의 뜻으로 발전했다.

••••• 預金(예금)/預託(예탁)/預置(예치)

 훈음 심할 극 **부수** 칼 刂(도)방

▶▶▶ 범 虍(호) + 돼지 豕(시) + 칼 刂(도) ➡ 호랑이와 멧돼지의 격렬한 싸움

마치 오늘날 투우사가 날뛰는 황소의 심장을 향해 칼을 꽂듯이 놀이의 최종 단계에서 청중의 흥을 최대한으로 돋우기 위해서 손발이 묶인 호랑이나 돼지를 칼로 찔러 죽였을 것이다. 바로 그런 상황 배경을 가진 글자가 오늘날의 戱劇(희극), 演劇(연극)의 劇(극)자인 것이다. 호랑이 虍(호)와 돼지 豕(시)는 싸움(刂) 자체가 되지 않는다. 그러나 호랑이와 돼지가면을 쓰고 하는 놀이에서는 재미요소를 가미하기 위해 극렬하게 싸우는 것으로 묘사하였다. 여기에서 '심하다, 연극하다'의 뜻이 파생됐다. 모든 글자가 의미요소에 기여한다.

••••• 演劇(연극)/戱劇(희극)/悲劇(비극)/劇藥(극약)/京劇(경극)

 훈음 의거할 거 **부수** 손 扌(수) ▶▶▶ 손 扌(수) + 범 虍(호) + 돼지 豕(시)

손으로 잡는 지팡이를 뜻하는 글자이므로 손 扌(수)가 의미요소이고, 나머지가 발음요소임은 갑자기 遽(거)에서도 알 수 있다. '지팡이를 짚다'에서 '의지/의거하다'로 뜻이 발전됐다.

••••• 依據(의거)/據點(거점)/證據(증거)/群雄割據(군웅할거)

牛 (우)　　件 (건)　　特 (특)　　告 (고)　　物 (물)　　解 (해)
犧 (희)　　牲 (생)　　半 (반)　　牧 (목)　　牽 (견)

牛
훈음 소 우　**부수** 제 부수
농사를 짓고 희생제물을 드리고 우유를 생산하는데 없어선 안 될 아주 중요한 가축인 소의 모습을 정면에서 보고 단순 간결하게 그려놓은 모습의 대표적 그림글자다.
●●●●● 牛馬(우마)/牛耳讀經(우이독경)/牛乳(우유)/九牛一毛(구우일모)

件
훈음 사건 건　**부수** 사람 亻(인)　▶▶▶ 亻(인) + 소 牛(우) ➡ 소가 사람을 들이받다
소를 잡는 사람(亻)인 백정을 가리키는 말이었는데 사람이 소를 잡는데 있어 살과 뼈를 철저히 분해하여 도려낸다 하여 '분해하다'에서 '나누어진 하나하나'라는 의미를 갖게 되었다.
●●●●● 事件(사건)/件數(건수)/要件(요건)/先行條件(선행조건)

特
훈음 특별할/수컷 특　**부수** 소 牛(우)　▶▶▶ 소 牛(우) + 절 寺(사) ➡ 육식을 금하는 절에 웬 소
살생을 금하고 육식을 하지 않는 절(寺)에 소(牛)가 있으니 무슨 특별한 이유가 있겠지요.
●●●●● 特別(특별)/特急(특급)/特權(특권)/特異(특이)

告
훈음 고할/알릴 고　**부수** 입 口(구)　▶▶▶ 소 牛(우) + 입 口(구) ➡ 소의 울음소리
소(牛)가 크게 울음소리(口)를 내며 불편함과 배고픔을 알린다(告). 위험을 알리는 표지판이라는 설도 있다.
●●●●● 告白(고백)/告知(고지)/通告(통고)/豫告(예고)

物
훈음 만물 물　**부수** 소 牛(우)　▶▶▶ 소 牛(우) + 말 勿(물) ➡ 모두를 대신하여 소를 희생제물로
소(牛)와 소를 잡는 행위(勿)를 통해 뿔과 고기와 가죽과 피 등 많은 것을 얻었다 하여 '만물' '모두'의 뜻으로 발전됐다. 여기서 勿(물)은 발음기호 역할도 한다.
●●●●● 事物(사물)/物價(물가)/物望(물망)/物心兩面(물심양면)

解
훈음 풀 해　**부수** 뿔 角(각)　▶▶▶ 소 牛(우) + 칼 刀(도) + 뿔 角(각) ➡ 소를 도살하여 뼈와 살을 발림
소(牛)를 완전히(角) 분해하니(刀) 해부(解剖)의 풀 해(解)자이며 흠 없는(秀) 소(牛)와 양(羊)을 잡아(戈) 희생 제물로 바쳤기에 희생(犧牲) 희(犧), 산(生)채로 소(牛)를 바쳤다하여 희생(犧牲) 생(牲)
●●●●● 解釋(해석)/理解(이해)/解雇(해고)/解讀(해독)/解剖(해부)解散(해산)/解放(해방)

半
훈음 반 반　**부수** 열 十(십)　▶▶▶ 소 牛(우) + 여덟 八(팔) ➡ 소를 도살함
소(牛)를 칼로 반으로 나누는(八) 장면에서 '반쪽, 절반, 중간'의 뜻이 파생됐다.
●●●●● 折半(절반)/半年(반년)/半分(반분)/半價(반가)

牧
훈음 칠 목　**부수** 소 牛(우)　▶▶▶ 牛(우) + 攵(복) ➡ 소나 양을 치기 위해 막대기를 들고
양치기나 목동들이 막대기(攵)를 들고 소나 양을 치는 모습에서 칠 攵(복)과 소 牛(우)가 의미요소에 상호 기여하고 있다.
●●●●● 牧童(목동)/牧草(목초)/牧歌的(목가적)

牽 훈음 끌 견　부수 소 牛(우) ▶▶▶ 玄(현) + 冖(멱) + 소 牛(우) ➡ 소의 고삐를 잡아당기는 모습

검을 玄(현)은 실 糸(사)와 통하여 소(牛)의 고삐를 상징하는 밧줄이나 끈의 역할이고 冖(멱)은 굴레나 재 갈을 의미하여 소의 고삐를 잡아끄는 모습을 그대로 그린 글자로 문자적인 의미와 상징적인 의미로 '끌어 당기다, 잡아당기다, 끌다'를 나타냈다.

●●●●● 牽引車(견인차)/牽強附會(견강부회)/牽制(견제)

先(선)　　洗(세)　　贊(찬)　　讚(찬)　　犀(서)　　遲(지)

先 훈음 먼저 선　부수 사람 儿(인) ▶▶▶ 소 牛(우) + 사람 儿(인) ➡ 제사에 앞서 발을 씻다

발(牛 = 止)을 강조한 글자로 사람이 어디를 가든지 항상 먼저 앞으로 나가는 발에서 또한 제단에 들어가 기 전 발을 먼저 깨끗이 하는 풍습에서 '앞, 먼저'의 뜻으로 파생 사용됐다.

●●●●● 先生(선생)/先驅者(선구자)/優先(우선)/先輩(선배)/先頭(선두)

洗 훈음 씻을 세　부수 물 氵(수) ▶▶▶ 물 氵(수) + 먼저 先(선) ➡ 물로 발을 씻다

몸과 발을 씻는 것을 나타냄으로 물 氵(수)가 의미요소고 先(선)은 발음기호이다. 제단이나 거룩한 곳에 나 아가기에 앞서(先) 목욕재계(氵)한다 하여 씻을 洗(세)라는 글자가 만들어졌다.

●●●●● 洗禮(세례)/洗車(세차)/洗濯(세탁)/洗手(세수)/洗面(세면)

贊 훈음 도울 찬　부수 먼저 先(선) ▶▶▶ 나아갈 兟(신) + 조개 貝(패) ➡ 빨리 가서 도와줌

'남을 돕다'라는 뜻을 위하여 고안된 글자이므로 돈에 해당하는 조개 貝(패)가 의미요소인 것은 당연하고 앞선 발걸음 두 개인 나아갈 兟(신)을 통해 도움이 필요한 사람에게 지체하지 않고 신속하게 도움을 베풀 어야 한다는 사상을 강조한 글자로 兟(신)이 발음기호이다.

●●●●● 贊成(찬성)/贊同(찬동)/贊反(찬반)/協贊(협찬)/ 贊助(찬조)

讚 훈음 기릴 찬　부수 말씀 言(언) ▶▶▶ 말씀 言(언) + 도울 贊(찬) ➡ 말로 도와 줌

타인의 공적이나 업적 등을 '말로 높여 칭찬하고 기리다'의 뜻을 나타내기 위함이니 말씀 言(언)이 의미요 소이고, 贊(찬)은 발음기호이다. '남을 칭찬하고 칭송하는 데 말(言)로 돕다(贊)'.

●●●●● 讚揚(찬양)/稱讚(칭찬)/讚頌(찬송)/讚美(찬미)/禮讚(예찬)/絕讚(절찬)/自畫自讚(자화자찬)/讚頌歌(찬송가)

犀 훈음 무소 서　부수 소 牛(우) ▶▶▶ 꼬리 尾(미) + 소 牛(우)

꼬랑지(尾-꼬리 미)가 강조된 소(牛)가 무소 서(犀)자이며, 무소(犀)가 느릿하게 움직이니(辶) 지체(遲滯)의 늦을 지(遲)자이다.

●●●●● 遲刻(지각)/遲延(지연)/遲遲不進(지지부진)/陵遲處斬(능지처참)

告(고)　　浩(호)　　晧(호)　　造(조)　　酷(혹)

告 훈음 고할/알릴 고　부수 입 口(구) ▶▶▶ 소 牛(우) + 입 口(구) ➡ 소가 왜 울어댈까?(소 울음소리)

소(牛)가 크게 울음소리(口)를 낸다는 것은 불편함과 배고픔을 알리는 것(告)이다. 위험(口)을 알리는 표지 판(牛)이라는 설도 있다.

●●●●● 告白(고백)/告知(고지)/通告(통고)/豫告(예고)

浩 훈음 클/넓을 호 부수 물 氵(수) ▶▶▶ 물 氵(수) + 알릴 告(고) ➡ 넓은 호수

넓고 세찬 강물의 모습을 나타내기 위해 알릴 告(고)를 발음요소로, 물 氵(수)를 의미요소로 하여 만든 글자로 점차로 '넓다, 광대하다'로 의미 확대됐다.

●●●●● 浩然之氣(호연지기)/浩蕩(호탕)

晧 훈음 밝을 호 부수 해 日(일) ▶▶▶ 날 日(일) + 고할 告(고) ➡ 이름 등에 사용됨

해(日)가 있으라 하니(告) 해가 지구를 밝게 비치기 시작하였다. 밝음을 상징하는 해 日(일)이 의미요소고 告(고)는 발음기호이다.

造 훈음 지을 조 부수 갈 辶(착) ▶▶▶ 갈 辶(착) + 알릴 告(고) ➡ 찾아가서 알리다

찾아가서(辶) 알리다(告)가 원뜻이었으나 나중에 '이르다, 만들다'로 의미 확대됐다. 따라서 두 글자 모두 의미요소이다.

●●●●● 創造(창조)/造成(조성)/造花(조화)/改造(개조)/ 製造(제조)

酷 훈음 독할/심할 혹 부수 술 酉(유)

▶▶▶ 닭/술 酉(유) + 고할 告(고) ➡ 술 취한 사람의 주정(酒酊)은 참기 힘들다

도수가 아주 강한 술을 나타낸 글자로 술 酉(유)가 의미요소이고, 告(고)는 발음요소이다. 후에 독하다/심하다로 뜻이 확대됐다. 술(酉) 마신 사람의 주정(告)은 정말 참고 견디기 힘들다.

●●●●● 酷毒(혹독)/苟酷(가혹)/酷使(혹사)

馬(마) 驗(험) 駐(주) 驛(역) 騰(등) 騎(기) 驅(구) 篤(독)

馬
훈음 말 마 부수 제 부수
말의 휘날리는 갈기와 날렵한 네 다리를 단순 간결하게 묘사한 글자다.
••••• 馬車(마차)/馬兵(마병)/騎馬隊(기마대)/乘馬(승마)/落馬(낙마)

驗
훈음 증험할/시험할 험 부수 말 馬(마)
▶▶▶ 말 馬(마) + 다 僉(첨) ➡ 명마 여부를 여러 사람이 품평함
'명마(馬)'인지의 여부를 여러 사람(僉)이 살펴보고 한마디씩 하는 모습에서 만들어진 글자로 僉(첨)은 발음기호 겸 의미요소이며 말 馬(마)는 의미요소이다.
••••• 試驗(시험)/證驗(증험)

駐
훈음 머무를 주 부수 말 馬(마) ▶▶▶ 말 馬(마) + 주인 主(주) ➡ 옛날의 모텔 – 말과 함께 묵어감
호텔이나 모텔에 주차를 해 놓고 객실에서 하루 묵어가는 것처럼, 酒幕(주막)에 들러 한잔 걸치고 말(馬)과 함께 하루 머물다 갈 수 있는 객점이나 주점을 말하는 것으로 말 馬(마)가 의미요소고, 主(주)는 발음기호이다.
••••• 駐車場(주차장)/駐美(주미)/駐屯(주둔)/進駐(진주)

驛
훈음 역참 역 부수 말 馬(마) ▶▶▶ 말 馬(마) + 엿볼 睪(역) ➡ 말을 이용한 통신 수단
옛날의 통신기관인 驛站(역참)의 주요 수단인 말 馬(마)를 의미요소로 睪(역)을 발음기호로 하여 만든 글자로, 오늘날의 통신 수단인 전화/전보/팩스 등의 前身(전신)으로 주요 공문서를 가장 빠른 수단인 말을 이용하여 전달하던 풍습에서 생긴 글자이다.
••••• 驛站(역참)/驛長(역장)/驛前(역전)/簡易驛(간이역)

騰
훈음 오를 등 부수 말 馬(마) ▶▶▶ 나 朕(짐) + 말 馬(마) ➡ 말등에 올라타다
배 舟(주)와 불 火(화)와 두 손 廾(공)으로 이루어진 나 朕(짐)이라는 글자가 뱃(舟)길의 안전을 위해 횃불을 치켜든 모습이라면 치켜든 횃불만큼 높이 말을 올라타다가 원뜻이므로 모든 글자가 다 의미요소이다.
••••• 昻騰(앙등)/暴騰(폭등)/急騰(급등)/騰落(등락)/殺氣騰騰(살기등등)

騎
훈음 말 탈 기 부수 말 馬(마) ▶▶▶ 馬(마) + 기이할 奇(기) ➡ 말타는 일/사람
말에 올라타는 것을 나타내려고 奇(기)를 발음기호로, 馬(마)를 의미요소로 하여 만든 글자이다. 말 馬(마)가 의미요소고 奇(기)는 발음기호이다.
••••• 騎手(기수)/騎兵(기병)/騎馬兵(기마병)/騎士(기사)

驅
훈음 몰 구 부수 말 馬(마) ▶▶▶ 말 馬(마) + 지경 區(구) ➡ 말을 타고 내달림
말을 타고 달리며 짐승을 내모는 장면을 묘사한 글자로 말 馬(마)가 의미요소고, 區(구)는 발음기호로 훗날 '말을 몰다, 몰아내다' 등으로 의미 확대됐다.
••••• 驅迫(구박)/驅步(구보)/驅使(구사)/驅逐(구축)/乘勝長驅(승승장구)/先驅(선구)

篤 훈음 도타울 독　부수 대 竹(죽)　▶▶▶ 대 竹(죽) + 말 馬(마) ➡ 긴 장대타기 놀이
竹馬故友(죽마고우)란 어릴 때 함께 놀던 친한 친구를 일컫는 표현으로, 竹馬(죽마)란 대나무로 만든 장대의 적당한 곳에 발걸이를 만들어 말처럼 높이 타고 놀던 옛날의 놀이기구를 일컫는 것으로 그것을 타고 함께 놀았던 친구를 竹馬故友(죽마고우)라 한다. 따라서 돈독하다에 대 竹(죽)은 바로 거기에서 나온 글자로 두 글자 모두 의미요소이다.
●●●●● 敦篤(돈독)/篤實(독실)/篤志家(독지가)/危篤(위독)

叉(차)　蚤(조)　搔(소)　騷(소)　馭(어)　御(어)　驕(교)　驚(경)

 훈음 깍지낄/어긋날 차　부수 오른손 又(우)　▶▶▶ 손 又(우) + 丶 ➡ 깍지끼다
손가락 사이에 물건을 혹은 양손을 맞잡아 손가락을 서로 깍지낀 꼴을 본떠 '끼우다, 작살'의 뜻을 나타냈다.
●●●●● 交叉路(교차로)

 훈음 벼룩 조　부수 벌레 虫(충)　▶▶▶ 叉(차) + 丶 + 虫(충) ➡ 사람을 가렵게 하는 벌레
사람이나 동물의 몸에 붙어 피를 빨아 먹는 작은 벌레(虫) 즉 벼룩을 가리키는 말로써 벌레에 물려 가려운 곳을 손으로(又) 여기저기를 긁게 만드는 벼룩을 본뜬 글자다.
●●●●● 蚤蝨(조슬)

 훈음 긁을 소　부수 손 扌(수)　▶▶▶ 扌(수) + 벼룩 蚤(조) ➡ 벼룩에 물려 손으로 긁고 있는 모습
가려워 긁는 모습을 나타낸 글자이므로 손 扌(수)를 의미요소로 벼룩 蚤(조)를 가려움의 원인 제공자 및 발음부호로 쓰였다.
●●●●● 隔靴搔癢(격화소양)

 훈음 떠들 소　부수 말 馬(마)　▶▶▶ 말 馬(마) + 벼룩 蚤(조) ➡ 벼룩에 물려 어쩔줄 몰라 날뛰는 말
벼룩(蚤)이 말(馬)등에 붙어 피를 빨아먹거나 깨물어 될 때 말이 가려워서/괴로워서 소리를 지르며 길길이 날뛰는 모습에서 두 글자 모두 의미요소이며, 벼룩 蚤(조)가 발음기호이다.
●●●●● 騷擾(소요)/騷亂(소란)/騷動(소동)/騷音(소음)

 훈음 말 부릴 어　부수 말 馬(마)　▶▶▶ 말 馬(마) + 손 又(우) ➡ 말고삐를 잡고 있는 모습
말(馬)고삐를 잡고(又) 있는 모습에서 어거(馭車)의 말부릴 어(馭)자이고 말을 타고 가면서(彳) 채찍으로 혹은 말고삐로 말을 부리는(卸) 장면이 제어(制御)의 어거(馭車)할 어(御)
●●●●● 御衣(어의)/御殿(어전)/御駕(어가)

 훈음 교만할 교　부수 말 馬(마)　▶▶▶ 말 馬(마) + 높을 喬(교) ➡ 높이 올라갔다고 교만해진 사람
말(馬)의 높은(喬) 안장 위에 앉으니 모든 사람들이 발 밑에 있는 것으로 착각하는 사람을 가리키는 말로서 말 馬(마)가 의미요소로 높을 喬(교)가 발음 겸 의미요소로 사용되었다.
●●●●● 驕慢(교만)

驚 훈음 놀랄 경　부수 말 馬(마)　▶▶▶ 공경할 敬(경) + 말 馬(마) ➡ 말이 놀라 앞발을 치켜든 모양
동작이 큰 말(馬)이 몹시 놀라 움찔하는 장면을 그린 글자. 말 馬(마)를 의미요소로 敬(경)을 발음기호로 말이 놀라 날뛰면 대단하므로 '놀람'을 표현하기 좋은 대상이다.
●●●●● 驚愕(경악)/驚天動地(경천동지)/大驚失色(대경실색)

鹿(록)　麗(려)　塵(진)　廌(치)　薦(천)　慶(경)　能(능)

鹿

훈음 사슴 록　**부수** 제 부수

뿔과 다리(比)와 몸통이 강조된 사슴의 모습을 단순 간결하게 처리한 글자이다.

●●●●● 鹿苑(녹원)/指鹿爲馬(지록위마)/馴鹿(순록)

麗

훈음 고울 려　**부수** 사슴 鹿(록)

사슴 鹿(록)도 뿔이 강조되었으나 그보다 훨씬 더 크고 근사한 한 쌍의 뿔을 강조하여 아름다움을 나타낸 글자가 바로 고울 麗(려)자이다.

●●●●● 高句麗(고구려)/美辭麗句(미사여구)/秀麗(수려)

塵

훈음 티끌 진　**부수** 흙 土(토)　▶▶▶ 사슴 鹿(록) + 흙 土(토) ➡ 날리는 티끌

긴 다리(比)를 가진 사슴 떼가 달아나면서 일으키는 흙먼지가 바로 塵(진)에 쓰인 흙 土(토)가 상징한다.

●●●●● 塵土(진토)/微塵(미진)/粉塵(분진)/紅塵(홍진)/塵積爲山(진적위산)

廌

훈음 법/해태 치　**부수** 집 广(엄) ➡ 선악을 판단한다는 영물

현재의 꼴은 사슴 鹿(록)과 어찌 焉(언)을 합치고 빼놓은 꼴이지만, 선악을 판단한다는 상상 속의 동물의 모양을 그려 놓은 것으로 불 灬(화)발이 그 짐승의 네 발을 상징한다. 따라서 법 法(법)자의 옛 글자에도 바로 이 선악을 판단하는 짐승인 해태 廌(치)가 들어가 있었으나 오늘날 廌(치)가 생략된 형태로만 쓰이고 있다.

薦

훈음 천거할 천　**부수** 풀 艸(초)　▶▶▶ 풀 艸(초) + 해태 廌(치) ➡ 영험 있는 동물인 해태가 먹는 풀

옳고 그름을 판단하여 그릇된 것을 뿔로 받아 죽인다는 상상의 동물을 獬豸(해치) 또는 해태라고 한다. 바로 이 짐승이 먹는 풀(艸)을 薦(천)이라고 하며, 따라서 맨 처음에 나온 곡식을 조상에게 바치는 것을 薦新(천신)이라 하고 사람을 推薦(추천)하는 것을 薦擧(천거)라고 한다.

●●●●● 薦擧(천거)/推薦(추천)/自薦他薦(자천타천)/薦新(천신)

慶

훈음 경사 경　**부수** 마음 心(심)

▶▶▶ 사슴 鹿(록) + 마음 心(심) + 발걸음 夊(쇠) ➡ 사슴처럼 뛸듯이 기뻐함

심장(心)이 강조된 동물의 그림으로 현재의 글자는 사슴 鹿(록)의 모양을 하고 있으나 확실히 알 길이 없다. 다만 어느 시대인가 축하할 날에 사슴 가죽을 선물로 드렸다는 풍습이 있으며, 따라서 귀한 짐승을 잡아 심장(心)을 꺼내 바치든가 가죽을 선물로 주던 풍습에서 만들어진 글자로 빈손으로 축하나 慶賀(경하)할 수 없음을 알려준다.

●●●●● 慶事(경사)/慶賀(경하)/慶祝(경축)

能

훈음 능할 능　**부수** 고기 肉(육)　▶▶▶ 厶(사) + 고기 月(육) + 수저 匕(비) ➡ 곰의 모습

匕(비) 두 개는 곰의 다리를 상징하는 것으로 사슴 鹿(록)의 比(비)와 동일하다. 따라서 이 글자는 어슬렁거리는 곰 모양을 나타낸 글자였으나 '재능, 능하다'로 사용되자, 곰의 발 네 개를 상징하는 불 灬(화)발을 넣어 '곰'의 뜻을 살려 놓은 것이 곰 熊(웅)자이다.

●●●●● 能力(능력)/萬能(만능)/才能(재능)/能事(능사)/可能(가능)

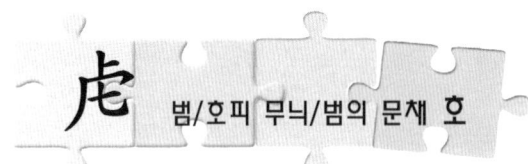
虍 범/호피 무늬/범의 문채 호

虍(호) 虎(호) 號(호) 虛(허) 戲(희) 處(처) 遞(체) 慮(려)
虜(로) 盧(로) 爐(로) 虐(학) 虔(건) 獻(헌) 劇(극)

虍
훈음 호피 무늬 호 부수 제 부수
범의 모습을 간략하게 그려 놓은 글자로 '범의 문채'나 '호피 무늬'로 일컬어지며 주로 부수자로 사용된다.

虎
훈음 범 호 부수 호피 무늬 虍(호) ➤➤➤ 호피 무늬 虍(호) + 사람 儿(인) ➡ 용맹스런 호랑이 모습
용맹스런 호랑이의 모습을 그대로 그려 놓은 글자이다.
●●●●● 猛虎(맹호)/虎死留皮(호사유피)/虎視耽耽(호시탐탐)

號
훈음 부르짖을 호 부수 호피 무늬 虍(호) ➤➤➤ 부를 号(호) + 범 虎(호) ➡ 호랑이의 포효
맹수인 호랑이의 울부짖는 소리보다 더 무서운 것이 어디 있었으랴. 두 글자 모두 의미요소이며 虎(호)가 발음기호를 겸한다.
●●●●● 番號(번호)/號角(호각)/號外(호외)/信號(신호)

虛
훈음 빌 허 부수 호피 무늬 虍(호) ➤➤➤ 호피 무늬 虍(호) + 언덕 丘(구) ➡ 허풍쟁이 호랑이
호랑이처럼 큰 언덕이 본뜻이므로 언덕 丘(구)가 의미요소다. 호피 무늬 虍(호)는 발음기호로 현대의 표현으로 고치면 '허풍쟁이호랑이'나 '종이호랑이'로 당연히 속이 비어 있거나 별 볼일 없는 것을 가리키는 말임을 쉽게 연상할 수 있다. 거짓(虛) 싸움(戈)이란 의미로 희극(戲劇)의 놀 희(戲)자도 만들어졌음을 기억하자
●●●●● 虛構(허구)/虛像(허상)/虛妄(허망)/虛送(허송)/虛弱(허약)/虛風扇(허풍선)/名不虛傳(명불허전)/
虛心坦懷(허심탄회)/戲劇(희극)

處
훈음 곳 처 부수 호피 무늬 虍(호) ➤➤➤ 호피 무늬 虍(호) + 안석 几(궤) + 뒤져 올 夂(치)
대단한 치장을 한 사람이 안석(几)을 팔걸이로 하여 걸터(夂)앉아 쉬고 있는 모습을 그린 글자로 '쉬다'가 본뜻이며 '멈추다, 머무르다, 위치하다, 분별하다'로 의미 진화했다.
●●●●● 處所(처소)/處身(처신)/處女(처녀)/處刑(처형)/處方(처방)/居處(거처)/處暑(처서)
處地(처지) - 호랑이 가죽을 깔아둔 곳.

遞
훈음 갈마들 체 부수 갈 辶(착) ➤➤➤ 갈 辶(착) + 厂(엄) + 범 虎(호) ➡ 숨고 쫓기는 동물의 도주 모습
서로 번갈아 가며 앞서거니 뒤서거니 하며 길을 가는 모습을 나타낸 글자로 갈 辶(착)이 의미요소고 나머지는 발음요소로 '번갈아, 차례로'의 뜻으로 발전됐다.
●●●●● 遞信廳(체신청)/郵遞局(우체국)

慮
훈음 생각할 려 부수 마음 心(심) ➤➤➤ 범 虍(호) + 생각할 思(사) ➡ 호랑이도 남을 생각한다?
남을 고려하다가 본뜻이므로 생각할 思(사)가 의미요소이고, 범 虍(호)는 어떠한 관련을 갖는지 추측키 어려우나 발음요소인 것 같다.
●●●●● 思慮(사려)/考慮(고려)/心慮(심려)/憂慮(우려)

훈음 포로 로 **부수** 호피 무늬 虍(호)

▶▶▶ 호피 무늬 虍(호) + 꿰뚫을 毌(관) + 힘 力(력) ➡ 호랑이를 들쳐 메고 오다

호랑이(虍)를 잡아(力) 들쳐 메고(毌) 오는 모습을 통하여 힘을 써서 상대방을 제압하여 압송하는 죄수를 나타내는 글자로 발전했다. 모든 글자가 의미요소이며 호피 무늬 虍(호)가 발음기호임은 생각할 慮(려)에서 알 수 있다.

●●●●● 捕虜(포로)/虜掠(노략)/虜獲(노획)

 훈음 밥그릇 로 **부수** 그릇 皿(명) −의미 있는 단독 사용 글자는 없다

▶▶▶ 호피 무늬 虍(호) + 田(전) + 그릇 皿(명) ➡ 호랑이 무늬가 있는 그릇

호랑이 그림이 그려진 놋그릇이나 밥그릇을 상징하는 글자. 그릇 皿(명)이 의미요소이고, 나머지는 발음기호로서 단독 사용은 거의 없으며 타 글자의 발음 및 의미요소로 주로 사용된다.

 훈음 화로 로 **부수** 불 火(화) ▶▶▶ 불 火(화) + 밥그릇 盧(로) ➡ 불을 담아 놓은 그릇

말 그대로 불을 담아 두던 화로를 뜻하므로 불(火)과 그릇(盧)을 뜻하는 두 글자 모두 의미요소이며, 밥그릇 盧(로)가 발음기호이다.

●●●●● 火爐(화로)/煖爐(난로)/香爐(향로)/爐邊談話(노변담화)

 훈음 사나울 학 **부수** 호피 무늬 虍(호)

▶▶▶ 호피 무늬 虍(호) + 손톱 爪(조)의 변형(⺺=又) + 사람 人(인) 생략 ➡ 무서운 호랑이 발톱

호랑이가 사람을 잡아채 물어뜯고 있는 장면을 그린 글자이므로 모든 글자가 다 의미요소이다. 그 무시무시한 장면에서 '사납다'의 뜻이 파생됐다.

●●●●● 暴虐(포학)/虐待(학대)/殘虐(잔학)

 훈음 정성/삼갈 건 **부수** 호피 무늬 虍(호)

▶▶▶ 호피 무늬 虍(호) + 무늬 文(문) ➡ 호랑이 가슴에 문신을 새기다?

'누가 잠자는 호랑이 목에 방울을 달까'라는 말이 있듯이, 가장 힘이 센 동물인 호랑이 가슴에 문신을 새기는 작업을 하고 있다면 어떠한 자세와 태도가 필요하겠는가? 여기서 호랑이 虍(호)는 틀림없이 왕 같은 권력자를 말할 것이다.

●●●●● 敬虔(경건)

 훈음 바칠 헌 **부수** 개 犬(견)

▶▶▶ 호랑이 虍(호) + 세발솥 鬲(력) + 개 犬(견) = 가마솥 鬳(권) ➡ 제물을 삶아 바침

솥(鬲)과 두 동물(虍+犬)이 상징하는 祭物(제물)을 합친 글자로, 짐승을 잡아 요리를 하여 높은 사람이나 신에게 바친다는 사상을 전달하는 글자로 모든 글자가 의미요소이다.

●●●●● 獻金(헌금)/奉獻(봉헌)/貢獻(공헌)/獻身(헌신)/獻納(헌납)

 훈음 심할 극 **부수** 칼 刂(도)

▶▶▶ 범 虍(호) + 돼지 豕(시) + 칼 刂(도) ➡ 호랑이와 멧돼지의 격렬한 싸움

호랑이 虍(호)와 돼지 豕(시)는 싸움(刂) 자체가 되지 않는다. 그러나 호랑이와 돼지가면을 쓰고 하는 놀이에서는 재미요소를 가미하기 위해 극렬하게 싸우는 것으로 묘사하였다. 여기에서 '심하다, 연극하다'의 뜻이 파생됐다.

●●●●● 演劇(연극)/悲劇(비극)/劇藥(극약)/京劇(경극)

龍 용 용

龍(용)   聾(농)   寵(총)   襲(습)   龜(귀)

龍
훈음 용 룡 **부수** 제 부수
신성시 되는 상상의 동물로 용왕(龍王)의 용 용(龍)
●●●●● 龍宮(용궁)/龍頭蛇尾(용두사미)

聾
훈음 귀머거리 농 **부수** 귀 耳(이) ▶▶▶ 귀 耳(이) + 용 龍(룡) → 임금님 귀
용(龍)의 저주로 큰 병을 앓고 나서 귀(耳)가 먹었다는 옛 이야기에서 용(龍)을 발음으로 귀 이(耳)를 의미
요소로 농아(聾啞)의 귀머거리 농(聾)
●●●●● 聾啞(농아)/聾啞學校(농아학교)

寵
훈음 괼 총 **부수** 집 宀(면) ▶▶▶ 집 宀(면) + 용 龍(룡) → 왕의 보살핌을 받는 집
용(龍) 즉 왕의 보살핌을 받는 집(宀)이 총애(寵愛)의 괼 총(寵)
●●●●● 寵兒(총아)/恩寵(은총)

襲
훈음 엄습할 습 **부수** 옷 衣(의) ▶▶▶ 옷 衣(의) + 용 龍(룡) → 하늘에서 내려옴
용(龍)이 하늘에서 옷(衣)을 펼치듯 내려오는 모습에서 습격(襲擊)의 엄습(掩襲)할 습(襲)
●●●●● 掩襲(엄습)/空襲(공습)/急襲(급습)/奇襲(기습)/踏襲(답습)

龜
훈음 거북 귀/틀 균 **부수** 제 부수
손발과 머리와 둥근 가죽을 특징으로 하는 글자가 귀감(龜鑑)/귀두(龜頭)의 거북이 귀(龜)
균열(龜裂)의 살이 터서 갈라지는 틀 균(龜)
●●●●● 龜甲(귀갑)/龜卜(귀복)/龜船(귀선)/龜裂(균열)

韋(위)　　偉(위)　　衛(위)　　違(위)　　圍(위)　　韓(한)

韋

훈음 다룸가죽 위　**부수** 제 부수　▶▶▶ 발 止(지) + 口(구) + 발 止(지) ➡ 성곽을 지킴

양쪽에 발(止)을 배치하여 성곽 위를 왔다 갔다 하며 지키는 보초병을 묘사한 글자. 중국의 만리장성을 보면 중간 중간 성곽(口)이 있고 그곳을 중심으로 보초병들은 양쪽으로 왔다 갔다(止) 하면서 보초를 섰을 것이다. 보초병들이 가죽옷을 입고 보초를 서서였는지 후에 손질한 가죽의 의미로도 쓰이기 시작했다.

ⵔⵔⵔⵔⵔ 韋編三絶(위편삼절)

偉

훈음 훌륭할 위　**부수** 사람 亻(인)　▶▶▶ 사람 亻(인) + 다룸가죽 韋(위) ➡ 가죽옷을 입을 만한 사람

가죽(韋)옷을 입을 수 있는 사람(亻)은 높은 사람 즉 위대한 사람일 것이다. 또는 그러한 높은 사람(亻)은 경계병들이 보초(韋)를 서 지켜야 한다. 따라서 보초(韋)를 둘 만큼 지위가 높은 혹은 위대한 사람(亻)에서 '훌륭하다, 크다, 뛰어나다'로 의미확대됐다.

ⵔⵔⵔⵔⵔ 偉人(위인)/偉大(위대)/偉業(위업)/偉容(위용)

衛

훈음 지킬 위　**부수** 갈 行(행)　▶▶▶ 갈 行(행) + 다룸가죽 韋(위) ➡ 사거리를 지킴

韋(위)의 원뜻은 성을 지키는 군사들의 모습을 그린 글자로, 다닐 行(행)을 추가하여 성 주위를 부지런히 돌며 지킨다는 뜻을 더 분명히 하였다.

ⵔⵔⵔⵔⵔ 衛兵(위병)/防衛(방위)/近衛(근위)/護衛兵(호위병)

違

훈음 어길 위　**부수** 갈 辶(착)　▶▶▶ 갈 辶(착) + 다룸가죽 韋(위) ➡ 정해진 범위를 지나감

서로 어긋나게 가다가 원뜻이므로 갈 辶(착)과 어길 韋(위)가 모두 의미요소이며, 韋(위)는 발음도 겸한다. 점차로 '어긋나다, 어기다'로 의미 발전했다.

ⵔⵔⵔⵔⵔ 違反(위반)/違法(위법)/非違(비위)/違憲(위헌)/違約(위약)

圍

훈음 둘레 위　**부수** 에울 위(口)　▶▶▶ 에울 위(口) + 가죽 韋(위) ➡ 지켜야 할 범위

城(성) 주위를 두르고 있는 성벽 및 담장이 원뜻이므로 口(위)가 의미요소이고 韋(위)가 발음기호이다. 보초(韋)가 경계근무를 설 때는 성 주위를 철저히 도는 것도 포함된다. 따라서 城(성) 주위를 둘러싼 담장(口)을 더하여 '둘레를 빙 에워싸다'라는 의미를 갖게 된 글자이다.

ⵔⵔⵔⵔⵔ 範圍(범위)/周圍(주위)/包圍(포위)/胸圍(흉위)

韓

훈음 나라 이름 한　**부수** 어길 韋(위)　▶▶▶ 풀 ++(초) + 해 日(일) + 다룸가죽 韋(위) ➡ 그냥 외우자

우물의 난간을 의미하는 말로, 韋(위)는 성 주위를 도는 병사들의 발자국을 의미하므로 우물의 난간 둘레를 상징하며 나머지는 발음요소이다.

※ 幹(간) - 줄기 간/翰(한) - 날개 한

ⵔⵔⵔⵔⵔ 韓國(한국)/大韓民國(대한민국)/三韓(삼한)/韓服(한복)

彡 터럭 삼

彡(삼)   參(참)   蔘(삼)   慘(참)   須(수) - 터럭

훈음 터럭 삼 **부수** 제 부수
터럭이 가지런히 나 있는 모양에서 무늬나 잔털 혹은 장식의 의미로 발전하였는데, 옛부터 터럭은 장식을 하는데 사용되었으므로, 彡(삼)을 부수자로 쓰는 글자는 '털, 색깔' 등으로 아름답게 갖추어 장식한다는 뜻을 지니게 되었다.

훈음 간여할 참 **부수** 사사 厶(사)
▶▶▶ 사사 厶(사) + 많은 머리숱 진(人+彡) ➡ 치장하고 잔치에 참여한 왕비
사람의 머리(人) 위로 반짝이는 별(厶-日의 변형) 셋을 그려서 參宿(삼수)라는 별자리를 뜻하는 것이었다. 후에 '셋'이라는 숫자를 나타내게 되자 彡(삼)이 보태졌고 지금은 '삼'보다는 '참여하다'의 뜻으로 더 많이 사용되어 '참'으로 읽히고 있다.
●●●●● 參加(참가)/參酌(참작)/參考人(참고인)/參席(참석)/參禪(참선)
※ 머리(人)에 세 개의 별(日-厶) 모양으로 치장한(彡) 여자의 모습에서 잘 차려입고 꾸민 왕비가 잔치에 참여하여 참관하고, 참견하는 모습에서 참여할/간여할 參(참)자이다.

훈음 인삼 삼 **부수** 풀 艹(초) ▶▶▶ 풀 艹(초) + 석 參(삼) ➡ 잔털이 많은 인삼을 강조
한국의 특산품인 인삼을 나타내려고 한국에서 만든 글자로, 인삼이 식물의 일종이므로 풀 艹(초)를 의미요소로 參(삼)은 발음기호이다. 재미있는 것은 參(삼) 자체가 사람을 닮았고, 잔털이 많은 인삼의 모습을 닮았다는 사실이다.
●●●●● 人蔘(인삼)/山蔘(산삼)/紅蔘(홍삼)/乾蔘(건삼)/蔘圃(삼포)

훈음 참혹할/애처로울 참 **부수** 마음 忄(심) ▶▶▶ 忄(심) + 간여할 參(참) ➡ 참담한 심정
참담한 심경, 애처로운 마음 등에서 표현되듯이 역시 마음의 현상이므로 마음 忄(심)을 의미요소로 參(참)을 발음기호로 하여 만든 글자이다.
●●●●● 慘酷(참혹)/悽慘(처참)/慘狀(참상)

훈음 수염/기다릴/모름지기/마땅히 수 **부수** 머리 頁(혈) ▶▶▶ 터럭 彡(삼) + 머리 頁(혈) ➡ 얼굴에 난 수염
머리(頁)에는 모름지기 털(彡)이 있어야 하는 법. 바로 이 글자는 얼굴에 난 턱수염을 가리키며 수염은 얼굴에 달린 장식이나 마찬가지이다. 얼굴의 모양을 더 멋지고 특색 있게 해 준다.
●●●●● 必須(필수)

彭(팽)   澎(팽)   膨(팽)   彰(창)   彩(채)
彫(조)   形(형)   彦(언)   顔(안)   影(영)

훈음 성 팽 **부수** 터럭 彡(삼) ▶▶▶ 북 소리가 울려 퍼짐

북이나 악기(壴) 소리(彡)가 울려 퍼지(彡)는 모습이 성 팽(彭)이며 북소리 울려 퍼지듯 물결(氵) 퍼지(彭)는 모습이 팽배(澎湃)의 물결 부딪는 기세 팽(澎)자고, 몸 특히 배(月)가 부풀었다(彭) 줄어들었다 하는 모습에서 팽창(膨脹)의 부풀 팽(膨)자이다.

••••• 澎湃(팽배)/膨大(팽대)/膨滿(팽만)

훈음 밝을/밝힐 창 **부수** 터럭 彡(삼) ▶▶▶ 글 章(장) + 터럭 彡(삼) → 햇살 무늬가 주위를 밝게 함

얽히고 뒤섞인 무늬나 채색 또는 밝은 햇살을 나타내기 위한 글자이므로 무늬를 가리키는 터럭 彡(삼)이 의미요소고, 章(장)은 발음기호이다.

••••• 表彰狀(표창장)/彰德(창덕)/彰善(창선)

훈음 무늬 채 **부수** 터럭 彡(삼) ▶▶▶ 캘 采(채) + 터럭 彡(삼) → 사물을 장식함

터럭 彡(삼)은 가지런히 나 있는 동물의 털이 원뜻이나 '그 털 참 곱다, 털 색깔 좀 봐, 햇빛을 받아 저 털이 빛나는 것 좀 봐' 등에서 보듯 사물의 장식 치장 등에 사용되어짐을 알 수 있다. 따라서 무늬 역시 사물을 아름답게 표현하는 장식이고, 색채이므로 터럭 彡(삼)을 의미요소로 캘 采(채)를 발음기호로 쓰였다.

••••• 彩色(채색)/光彩(광채)/水彩畵(수채화)/文彩(문채)

훈음 새길 조 **부수** 터럭 彡(삼) ▶▶▶ 두루 周(주) + 터럭 彡(삼) → 조각 모양

물체에 칼집을 내어 무늬나 모양을 만들거나 새기는 것을 나타내는 글자이므로, 장식에 해당하는 터럭 彡(삼)이 의미요소고 周(주)는 발음기호이다.

••••• 彫刻(조각)/彫塑科(조소과)/彫像(조상)/彫琢(조탁)

훈음 모양/형상 형 **부수** 터럭 彡(삼) ▶▶▶ 우물 井(정) + 터럭 彡(삼) → 물체에 리본 장식을 함

터럭 彡(삼)은 리본이나 스카프처럼 대상을 더 빛나게 해 주는 악세사리나 조미료에 해당하는 글자이다. 따라서 여기 모양 形(형)에서도 사각 틀(井)에 장식(彡)을 달아 그 모양을 더 아름답게 만들었을 것이다. 井(정)은 발음기호이다.

••••• 人形(인형)/形狀(형상)/形容詞(형용사)

훈음 선비 언 **부수** 터럭 彡(삼)

▶▶▶ 문 文(문) + 언덕 厂(한) + 활 弓(彡의 전신) → 문무 겸비한 빛나는 인재

금문에 나타난 글자의 풀이이므로 이미 文(문)은 문신보다는 문예를 弓(궁)은 무예를 의미하므로, 文武(문무)를 겸비한 인재라는 의미를 갖고 있다. 전서시대에 와서 弓(궁)이 彡(삼)으로 바뀐 것은 문무가 출중하여 '빛이 난다(彡)'는 의미에서 그렇게 되었을 것이다.

••••• 彦士(언사)

훈음 얼굴 안 **부수** 머리 頁(혈) ▶▶▶ 선비 彦(언) + 머리 頁(혈) → 머리를 볼만하게 해 주는 얼굴

耳目口鼻(이목구비)는 머리(頁)에 달린 기관 중에서는 여러 다양한 형태를 하고 있고, 가장 뛰어난 부분 즉 드러나는 부분이므로 선비 彦(언)이 얼굴을 나타내는 글자로 적합하다. 따라서 두 글자 모두 의미요소고 彦(언)이 발음기호이다.

••••• 顔色(안색)/童顔(동안)/破顔大笑(파안대소)/顔料(안료)

훈음 그림자 영 **부수** 터럭 彡(삼) ▶▶▶ 볕 景(경) + 터럭 彡(삼) → 높은 건물에 의해 생기는 그림자

터럭 彡(삼)은 무늬를 가리킬 때가 많다. 여기서는 높이 솟아오른 해(景)에 의해 생기는 높은 건물의 그림자에서 '그림자, 해가 비치는 물체로 인해 맺힌 상'의 의미가 파생됐다. 따라서 彡(삼)이 의미요소고, 景(경)은 발음기호이다.

••••• 幻影(환영)/影響(영향)/撮影(촬영)/投影(투영)

珍(진)　診(진)　翏(료)　謬(류)　膠(교)　戮(륙) – 발음기호

훈음 보배 진 **부수** 구슬 玉(옥) ▶▶▶ 구슬 玉(옥) + 진(人+彡) ➡ 빛나게 하는 보석
귀한 옥 종류의 보배나 보석을 뜻하기 위한 것이므로 구슬 玉(옥)이 의미요소고, 나머지는 발음기호이다.
점차로 '귀중하다, 맛있는 음식' 등으로 의미 확대됐다.
●●●●● 珍珠(진주)/珍羞盛饌(진수성찬)/山海珍味(산해진미)

훈음 볼 진 **부수** 말씀 言(언) ▶▶▶ 말씀 言(언) + 진(人+彡) ➡ 환자의 상태를 살펴봄
말을 주고받으며 환자의 상태를 살펴보는 것을 뜻하므로 말씀 言(언)이 의미요소고, 나머지는 발음기호이
다.
●●●●● 診察(진찰)/診療(진료)/誤診(오진)/聽診(청진)/回診(회진)

훈음 높이 날 료 **부수** 깃 羽(우) – 발음기호 ▶▶▶ 깃 羽(우) + 진(人+彡) ➡ 깃털의 모습
새가 날아가며 날개 짓 하는 모습을 본떠 그린 글자다. '날개 짓 하는 모양'이 본뜻이며, '높이 날다'라는 의
미는 타 글자에 영향을 미친다.
●●●●●

훈음 그릇될 류 **부수** 말씀 言(언) ▶▶▶ 말씀 言(언) + 높이 날 翏(료) ➡ 말이 엉뚱한 곳으로 날아감
말을 그르쳐 엉뚱한 곳으로 '뜻이 번지다'는 뜻을 나타내고자 하였다. 그래서 말씀 言(언)이 의미요소고, 높
이 날 翏(료)는 발음기호 겸 의미에 조금은 기여한 듯하다.
●●●●● 誤謬(오류)/錯謬(착류)

훈음 갖풀/아교 교 **부수** 고기 肉(육)
▶▶▶ 肉(육)달 月(월) + 높이 날 翏(료) ➡ 새털이나 가죽을 붙이는 풀
동물의 가죽을 이용하여 진한 풀을 만들어 내던 풍습에서 신체를 상징하는 肉(육)달 月(월)을 의미요소로
높이 날 翏(료)를 발음기호로 하여 만든 글자다.
※ 嶛(교) – 우뚝 솟을 교
●●●●● 阿膠(아교)/膠着(교착)

훈음 죽일 륙 **부수** 창 戈(과) ▶▶▶ 높이 날 翏(료) + 창 戈(과) ➡ 새의 날개를 창으로 꺾다
'날개를 꺾다'라는 것은 새에게는 치명적인 것으로 새를 죽이는 것과 마찬가지이다. 따라서 두 글자 모두
의미요소이며 翏(료)가 발음기호이다.※ 劉(류) – 깎을 류
●●●●● 殺戮(살육)/屠戮(도륙)

髟 머리털 늘어질 **표**

髟(표)　　　　髮(발)　　　　鬚(수)　　　　髯(염)

髟 | **훈음** 머리털 드리워질 표　**부수** 제 부수 – 의미요소로　▶▶▶ 镸(장) + 터럭 彡(삼) ➡ 긴 머리털
머리털이 긴 모양을 나타내고자 한 글자로 '긴 머리'에 해당하는 镸(장)자의 의미를 더 분명히 하기 위해 터럭 彡(삼)을 추가한 글자로 단독으로는 쓰이지 않는다.
※ 镸(길 장) – 長의 고자(古字) – 길 장(長) – 7획 장(長)은 8획

髮 | **훈음** 터럭 발　**부수** 머리털 드리워질 髟(표)　▶▶▶ 髟(표) + 달릴 犮(발) ➡ 머리털을 나타냄
머리털을 나타내기 위한 글자로 髟(표)가 의미요소고, 犮(발)은 발음기호이다.
●●●●● 毛髮(모발)/長髮(장발)/假髮(가발)/理髮(이발)

鬚 | **훈음** 수염 수　**부수** 머리털 드리워질 髟(표)　▶▶▶ 髟(표) + 모름지기 須(수) ➡ 머리털과 비슷한 수염털
須(수)자가 '모름지기'라는 뜻으로 더 쓰이자 머리털 드리워질 髟(표)를 더하여 얼굴에 난 수염을 보다 더 확실히 묘사한 글자로 須(수)가 발음기호도 겸한다.
●●●●● 鬚髯(수염)

髯 | **훈음** 구레나룻 염　**부수** 머리털 드리워질 髟(표)
▶▶▶ 머리털 髟(표) + 冄(염)의 변형 ➡ 털의 일종인 구레나룻
볼기 양쪽으로 자라는 구레나룻을 나타낸 글자로 늘어질 冄(염)자와 髟(표)자가 모두 의미요소이며, 冄(염)이 발음기호이다.
●●●●● 鬚髯(수염)/長髯(장염)

毛(모) 耗(모) 毫(호) 尾(미) 尾(미) 犀(서) 遲(지) 屬(속) 囑(촉)

毛
훈음 털 모 부수 제 부수
사람의 몸에 난 털, 식물의 줄기나 열매에 난 털, 人地(대지)의 식물 모두가 포함되며 쇠붙이인 쟁기(耒)가 닳아서 줄어드니 모(毛)를 발음으로 마모(磨耗)의 줄 모(耗)
••••• 九牛一毛(구우일모)/毛細管(모세관)/毛皮(모피)/不毛地(불모지)/消耗(소모)

毫
훈음 가는 털 호 부수 털 毛(모) ▶▶▶ 높을 高(고) + 털 毛(모) ➡ 뻣뻣하게 솟은 돼지털
짐승의 길게 자란 잔털을 의미하므로 두 글자 모두 의미요소이며 高(고)는 발음기호이다.
••••• 秋毫(추호)/揮毫(휘호)

尾
훈음 꼬리 미 부수 주검 尸(시) ▶▶▶ 주검 尸(시) + 털 毛(모) ➡ 꼬리에 털 달린 사람
사람의 엉덩이에 털을 달아 놓아 가장 '뒷부분, 사람의 끝'이라는 의미를 전달하여 '꼬리'라는 뜻으로 사용된다.
••••• 徹頭徹尾(철두철미)/魚頭肉尾(어두육미)/交尾(교미)

犀
훈음 무소 서 부수 소 牛(우) ▶▶▶ 꼬리 尾(미) + 소 牛(우)
꼬랑지(尾-꼬리 미)가 강조된 소(牛)가 무소 서(犀)자이며, 무소(犀)가 느릿하게 움직이니(辶) 지체(遲滯)의 늦을 지(遲)자이고 벌레(蜀)의 꼬랑지(尾)를 묶어 놓은 모습에서 專屬(전속)의 엮을 屬(속)자가 만들어졌으며 그 속에 나도 붙어 달라고 부탁(口)하니 委囑(위촉)의 부탁할 촉(囑)
••••• 遲刻(지각)/遲延(지연)/遲遲不進(지지부진)/陵遲處斬(능지처참)

皮 가죽 피

| 皮(피) | 被(피) | 疲(피) | 彼(피) | 頗(파) | 波(파) | 破(파) | 婆(파) |

皮
훈음 가죽 피 부수 제 부수
▶▶▶ 털이 있는 가죽을 皮(피)라 하고, 털을 제거한 가죽은 革(혁)이라고 한다
의복으로 사용하려고 짐승의 몸에서 가죽을 벗겨 내는 모양을 본뜬 글자로, 皮(피)라는 글자 자체에 손 又(우)가 들어 있음을 볼 수 있다.
●●●●● 皮骨相接(피골상접)/皮膚(피부)/皮革(피혁)/草根木皮(초근목피)/虎死留皮(호사유피)/皮相的(피상적)

被
훈음 입을 피 부수 옷 衤(의) ▶▶▶ 옷 衤(의) + 가죽 皮(피) ➡ 가죽으로 옷을 만들어 입다
옷을 입지 않고 상체에 걸친 모양으로 '옷 걸칠 피'라고도 하며, 따라서 옷 衣(의)가 의미요소이고 皮(피)는 발음기호이다. 被服(피복)이라는 글자에서 '이불'임을 알 수 있고, 거의 다 피해나 부상을 '당하다'로 많이 사용된다. 재미있는 사실은 '피해를 입었다'라고 하는 사실이다.
●●●●● 被害(피해)/被擊(피격)/被殺(피살)/被選(피선)/被襲(피습)/被服(피복)

疲
훈음 지칠 피 부수 병들어 기댈 疒(녁) ▶▶▶ 병들어 기댈 疒(녁) + 가죽 皮(피) ➡ 병든 사람의 모습
지쳐서 피곤한 상태를 나타내는 말로 질병과 관련이 있는 침상에 누워 있는 모양을 나타내는 병들어 기댈 疒(녁)이 의미요소고, 皮(피)는 발음기호이다.
●●●●● 疲困(피곤)/疲勞(피로)/疲弊(피폐)

彼
훈음 저 피 부수 길 갈 彳(척) ▶▶▶ 길 갈 彳(척) + 가죽 皮(피) ➡ 저 길/저쪽 길
저곳, 저쪽을 나타내기 위한 글자이나 皮(피)가 발음기호임은 분명하다. 그러나 길 갈 彳(척)이 왜 쓰였는지는 여전히 오리무중이다.
●●●●● 彼此(피차)/知彼知己(지피지기)/彼此一般(피차일반)

頗
훈음 자못/치우칠 파 부수 머리 頁(혈) ▶▶▶ 가죽 피(皮) + 머리 頁(혈) ➡ 가죽옷 쪽으로 머리가 쏠리다
가죽(皮)옷 쪽으로 머리(頁)가 기울다/가죽옷처럼 귀중한 것에 마음이 쏠린다는 뜻에서 치우칠 頗(파)자가 탄생되었다.
●●●●● 偏頗(편파)/頗多(파다)

波
훈음 물결 파 부수 물 氵(수) ▶▶▶ 물 氵(수) + 가죽 皮(피) ➡ 물결의 일렁임
바닷물이나 강물의 일렁임을 나타내는 '물결'을 의미하는 글자이다. 물 氵(수)가 의미요소고 가죽 皮(피)는 발음기호이다.
●●●●● 波濤(파도)/風波(풍파)/波浪注意報(파랑주의보)/世波(세파)

破
훈음 깨뜨릴 파 부수 돌 石(석) ▶▶▶ 돌 石(석) + 가죽 皮(피) ➡ 돌을 깨뜨림
돌을 깨뜨리다가 본뜻이므로 돌 石(석)이 의미요소고, 皮(피)는 발음기호이다.
●●●●● 破壞(파괴)/爆破(폭파)/破損(파손)/破顏大笑(파안대소)

婆
훈음 할미 파 부수 계집 女(여) ▶▶▶ 물결 波(파) + 계집 女(여) ➡ 물결처럼 쭈글쭈글한 여자 – 할머니
할머니를 나타내는 표현으로 계집 女(여)를 의미요소로 물결 波(파)를 발음기호로 만든 글자다.
●●●●● 老婆(노파)/産婆(산파)/老婆心(노파심)

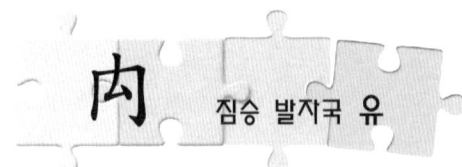

内(유) 禺(우) 遇(우) 寓(우) 偶(우) 愚(우) 隅(우) 萬(만) 離(리) 禽(금)

内
훈음 짐승 발자국 유 부수 제 부수
모든 짐승의 꾸불꾸불한 발자국의 모양에서 만들어진 것으로 추정한다.

禺
훈음 긴꼬리원숭이 우 부수 발자국 内(유)
원숭이의 큰 머리와 긴 다리가 강조된 글자이다. 긴꼬리원숭이 또는 나무늘보를 가리키는 글자이나 단독사용은 거의 없고 발음기호로 많이 쓰인다.

遇
훈음 만날 우 부수 길 갈 辶(착) ▶▶▶ 갈 辶(착) + 원숭이 禺(우) ➡ 길에서 원숭이를 만나다
'길을 가다 우연히 만나다'가 본뜻이므로 길 갈 辶(착)이 의미요소고 禺(우)는 발음기호이다.
●●●●● 遭遇(조우)/奇遇(기우)/禮遇(예우)/待遇(대우)/千載一遇(천재일우)/前官禮遇(전관예우)

寓
훈음 머무를 우 부수 집 宀(면) ▶▶▶ 집 宀(면) + 원숭이 禺(우) ➡ 임시거처(원숭이 집)
특별한 형태의 집이 없이 지내는 나무늘보나 원숭이 같은 동물들의 집이라는 뜻에서 '임시거처나 더부살이' 등의 뜻이 파생된 글자로 두 글자 모두 의미요소이며 禺(우)가 발음기호이다.
●●●●● 寓話(우화)/寓居(우거)

偶
훈음 짝 우 부수 사람 亻(인)
▶▶▶ 사람 亻(인) + 원숭이 禺(우) ➡ 원숭이 같은 사람이라도 있었으면 좋겠다?
허수아비나 꼭두각시를 뜻하기 위한 것이므로 사람 亻(인)이 의미요소고, 禺(우)는 발음기호로 '짝, 짝수, 우연히' 등으로 의미 확대됐다.
●●●●● 配偶者(배우자)/偶像(우상)/偶然(우연)/土偶(토우)

愚
훈음 어리석을 우 부수 마음 心(심) ▶▶▶ 원숭이 禺(우) + 마음 心(심) ➡ 원숭이 같은 마음
어리석다는 뜻을 나타내는 글자이므로 마음 心(심)이 의미요소고, 禺(우)는 발음기호이다.
●●●●● 愚鈍(우둔)/愚問(우문)/愚弄(우롱)/愚直(우직)/愚昧(우매)/愚問賢答(우문현답)

隅
훈음 모퉁이 우 부수 언덕 阝(부) ▶▶▶ 언덕 阝(부) + 원숭이 禺(우) ➡ 모퉁이를 나타냄
언덕이나 집 귀퉁이 혹은 모퉁이 즉 후미진 곳을 말하는 글자이다. 언덕 阝(부)가 의미요소로 禺(우)는 발음기호로 쓰였다. - 일본어에서는 많이 사용된다.　※ 스미즈미 - 구석구석
●●●●● 隅角(우각)/向隅之歎(향우지탄)

萬
훈음 일만 만 부수 풀 艹(초) ▶▶▶ 풀 艹(초) + 원숭이 禺(우) ➡ 안테나를 한 벌레들
풀 艹(초)가 전갈의 안테나 또는 먹이를 잡을 때 쓰는 집게로 田(전)이 몸체이며 内(유)는 꼬리 부분을 나타낸 전갈을 본뜬 글자이다. 숫자 1만과 발음이 유사하여 일만 萬(만)자로 차용됐다. 그래서 전갈이라는 본뜻을 보존한 글자가 벌레 虫(충)을 더한 '전갈 蠆(채)'자이다.
●●●●● 萬歲(만세)/億萬長者(억만장자)/萬年雪(만년설)/萬感(만감)/萬古江山(만고강산)/萬不當(만부당)/
萬事亨通(만사형통)/家和萬事成(가화만사성)

훈음 떼놓을 리 **부수** 새 隹(추) ▶▶▶ 산신령 离(리) + 새 隹(추) → 올가미에 걸린 새의 발버둥

离(리)자는 산짐승이 올가미에 빠졌거나 그물에 갇힌 모양으로 새 隹(추)가 추가되어 그물에서 빠져나오려고 발버둥치는 동물이나 새의 모습으로, 그런 상황에서 벗어나야 함으로 '벗어나다, 떠나다, 떼놓다'의 의미가 파생되었다. 두 글자 모두 의미요소이나 산신 离(리)가 발음요소를 겸했다.

●●●●● 離別(이별)/別離(별리)/離散家族(이산가족)/會者定離(회자정리)

훈음 날짐승 금 **부수** 발자국 内(유) ▶▶▶ 人 + 짐승 离(리) → 새를 감금해 둔 모양

날아다니는 짐승 즉 조류를 나타내는 글자로 새 등이 날아가 버리지 못하도록 지붕(人)을 설치한 모습에서 이 글자가 날아다니는 동물 즉 새를 나타내는 글자임을 알 수 있다. 전혀 관계 없지만 今(금)자의 글꼴이 쓰였으므로 이것이 발음기호가 됐다.

●●●●● 禽獸(금수)/猛禽(맹금)

角(각)　　　解(해)　　　邂(해)　　　觸(촉)　　　衡(형)

角
훈음 뿔 각　부수 제 부수
들소나 소의 크고 굵은 뿔의 모양을 단순 간결하게 그린 그림 글자로 주로 '뿔'을 뜻하며 '돌출된 것이나, 모난 것' 그리고 '다투다, 견주다'의 뜻을 가지게 되었고 밭을 갈거나 길(行)을 제대로 가도록 또는 사람을 받지 말도록 소나 말의 뿔(角)위에 걸쳐 놓은 멍에 혹은 횡목(人)의 모습에서 균형(均衡)의 저울대 형(衡)자가 만들어졌다.
••••• 鹿角(녹각)/總角(총각)/銳角(예각)/互角之勢(호각지세)/衡平(형평)/度量衡(도량형)

解
훈음 풀 해　부수 뿔 角(각)　▶▶▶ 뿔 角(각) + 칼 刀(도) + 소 牛(우) ➡ 소를 잡아 분해함
소(牛)의 뿔(角)을 양 손(扌)으로 잡고 마치 뽑아내려고 하는 장면에서 '뽑다'가 원뜻이며 '풀다, 해결하다' 등이 파생된 뜻이다. 점차 두 손이 사라지고 소를 죽여 뿔을 잘라 내고 뼈에서 살을 발라 내는 일을 하는 도구인 칼 刀(도)가 첨가되어 '분해하다, 해부하다'의 뜻이 더욱 분명해진 글자로 모든 글자가 다 의미요소이다.
••••• 解剖(해부)/解釋(해석)/理解(이해)/解夢(해몽)/解散(해산)

邂
훈음 만날 해　부수 갈 辶(착)　▶▶▶ 길갈 辶(착) + 풀 解(해) ➡ 길에서 만나다
길에서 우연히 만나는 장면을 연출한 글자로 길 갈 辶(착)이 의미요소고 解(해)는 발음기호이다.
••••• 邂逅(해후)

觸
훈음 닿을 촉　부수 뿔 角(각)　▶▶▶ 뿔 角(각) + 벌레 蜀(촉) ➡ 뿔로 받음
뿔로 떠받다가 원뜻이므로 뿔 角(각)이 의미요소고, 蜀(촉)은 발음기호이다.
••••• 觸覺(촉각)/接觸(접촉)/觸感(촉감)/一觸卽發(일촉즉발)/抵觸(저촉)/感觸(감촉)/觸數(촉수)

肉/月　고기 육 / 육(肉)달 월

肉(육) = 月(월)　　　　　　　　　　　　　　　　　腐(부)

肉

훈음 고기 육　부수 제 부수

동물 고기 즉 뼈에 붙어 있는 동물의 살을 총칭하는 표현이 고기 肉(육)이며, 점차로 인체와 관련되어 쓰이게 되었으며 직접 몸을 상징하기도 한다.

••••• 肉食(육식)/肉體(육체)/肉聲(육성)/肉彈(육탄)/果肉(과육)

腐

훈음 썩을 부　부수 고기 肉(육)

▶▶▶ 곳집 府(부) + 고기 肉(육) ➡ 관가에서 뇌물로 오가는 고기가 썩어남

'썩다'라는 뜻을 위해 만든 글자이므로 부패의 대상인 고기 肉(육)이 의미요소고 府(부)가 발음요소임을 쉽게 알 수 있다. 그러나 줄 付(부)가 발음요소가 아님에 유의해 보면 곳집 府(부)에는 관청이라는 또 다른 뜻도 있어 뇌물(肉)이 오가는 부패한 관청이라는 의미에서 참으로 적절한 조합이라 하겠다.

••••• 腐敗(부패)/腐蝕(부식)/豆腐(두부)/陳腐(진부)/切齒腐心(절치부심)

月(월)　臟(장)　腑(부)　肝(간)　腦(뇌)　肺(폐)　胃(위)

胸(흉)　腎(신)　腸(장)　膽(담)　脾(비)　膵(췌)

月

훈음 육(肉)달 월　부수 제 부수

肉(육)달 월이란 표현은 달 月(월)과 비슷한 글자(지금은 구별 않고 사용)인 月(월)이 고기 肉(육)의 편방자로 쓰였다. 생김새는 달 月(월)이지만 내용은 고기를 뜻하였으므로 고기 肉(육)을 붙여 '肉(육)달 월'이라고 하였다. 따라서 달 月(월)의 의미가 아닌 '신체기관, 고기, 몸'의 뜻을 나타낸다.

臟

훈음 오장 장　부수 肉(육)달 월(月)　▶▶▶ 月(월) + 감출 藏(장) ➡ 내장에 감춰진 신체기관

몸 속의 모든 중요 성분들을 보관하고 숨겨 두는 五臟(오장)인 心(심), 腎(신), 肝(간), 肺(폐), 脾(비)를 가리키는 말로 신체를 상징하는 肉(육)달 월(月)과 감출 藏(장) 모두가 의미요소이며 臟(장)은 발음기호이다.

••••• 五臟(오장)

腑

훈음 장부 부　부수 고기 肉(육)　▶▶▶ 肉(육)달 月(월) + 곳집 府(부) ➡ 내부에 숨겨진 신체기관

뱃속의 여섯 가지 기관인 大腸(대장)/小腸(소장)/胃(위)/쓸개 膽(담)/膀胱(방광)/三焦(삼초)를 가리키는 말로써 肉(육)달 月(월)이 의미요소고 府(부)는 발음부호이다.

••••• 五臟六腑(오장육부)

肝 훈음 간 간 　부수 고기 肉(육)　▶▶▶ 육(肉)달 月(월) + 干(간) ➡ 몸을 방어하는 신체기관
신체기관의 하나인 간을 나타내는 글자로 육달 월(月)이 의미요소로 干(간)은 발음기호로 쓰였다.
●●●●● 肝膽(간담)/肝要(간요)/肝臟(간장)

腦 훈음 뇌 뇌 　부수 고기 肉(육)　▶▶▶ 肉(육)달 月(월) + 내 巛(천) + 정수리 囟(신) ➡ 순환이 복잡한 정수리
물 흐르는 내(巛)처럼 혈관과 신경망이 복잡하게 얽힌 정수리(囟)를 그려 넣어 신체기관을 상징하는 육달
月(월)과 어우러져 '머리와 뇌'를 상징하는 글자가 됐다.
●●●●● 腦神經(뇌신경)/頭腦(두뇌)/腦卒中(뇌졸중)

肺 훈음 허파 폐 　부수 고기 肉(육)　▶▶▶ 肉(육)달 月(월) + 슬갑 巿(불) ➡ 두 개로 나눠진 허파의 모습
신체기관 중 호흡을 담당하는 장기인 허파를 뜻하는 글자이므로 肉(육)달 月(월)이 의미요소고, 저자 巿(시)
의 모습을 하고 있는 글자가 발음기호라고 한다. 그러나 너무 동떨어져 있는 것 같고 이 슬갑 巿(불)자가
양쪽으로 갈라진 모습을 하고 있어 허파가 두 개인 것을 상징하는 것 같다.
●●●●● 心肺(심폐)/肺結核(폐결핵)/肺病(폐병)/肺腑(폐부)/心肺(심폐)/肺活量(폐활량)/肺炎(폐렴)

胃 훈음 밥통 위 　부수 고기 肉(육)
▶▶▶ 밭 田(전) + 肉(육)달 月(월) ➡ 위 안에 음식물이 가득 들어 있는 모습
소화기관의 대표격인 밥통을 뜻하기 위해 고안된 글자로 위 안에 음식물이 잔뜩 들어 있는 모양인 밭 田(전)
의 옛 글자에 인체를 가리키는 肉(육)달 月(월)을 합하여 만든 재미있는 글자다. 두 글자 모두 의미요소이다.
●●●●● 胃腸(위장)/胃癌(위암)/胃液(위액)/胃酸(위산)/脾胃(비위)

胸 훈음 가슴 흉 　부수 고기 肉(육)　▶▶▶ 고기 月(육) + 오랑캐 匈(흉) ➡ 오목한 가슴 부분
흉할 匈(흉)자는 가슴에 문신을 새긴 모습으로 몸(月) 가운데 문신을 새기는 곳이 가슴이다. 따라서 두 글
자 모두 의미요소이며 匈(흉)이 발음기호이다.
●●●●● 胸像(흉상)/胸中(흉중)/胸襟(흉금)

腎 훈음 콩팥 신 　부수 肉(육)달 月(월)　▶▶▶ 臣(신) + 又(우) + 肉(육)달 月(월) ➡ 신체기관
장기의 일부인 콩팥을 나타내는 것이므로 신체를 상징하는 肉(육)달 月(월)을 의미요소로 臣(신)은 발음기
호로 사용된다.
●●●●● 腎臟(신장)/腎囊(신낭)/海狗腎(해구신)/補腎(보신)

腸 훈음 창자 장 　부수 고기 月(육)　▶▶▶ 고기 月(육) + 볕 昜(양)
창자란 신체기관이므로 몸을 나타내는 肉(육)달 月(월)을 의미요소로 昜(양)은 발음기호이다.
●●●●● 大腸(대장)/小腸(소장)/盲腸(맹장)/胃腸(위장)/斷腸(단장)

膽 훈음 쓸개 담 　부수 고기 肉(육)　▶▶▶ 肉(육)달 月(월) + 이를 詹(첨) ➡ 쓸개는 신체의 한 부위로
쓸개를 뜻하기 위한 것이니 신체를 상징하는 육(肉)달 월(月)을 의미요소로 이를 詹(첨)을 발음기호로 했다.
"중국에서는 쓸개에서 용감한 마음이나 생각이 나온다"고 여겨서 그런 뜻으로 쓰인 경우가 많다. 가장 하
찮은(卑-낮을 비) 신체기관(月)이 비장(脾臟)의 지라 비(脾)이고, 나쁜 것들이 모이는(萃-모일 췌) 신체기관
(月)이 췌장(膵臟)의 췌장 췌(膵)자이다.
●●●●● 膽力(담력)/大膽(대담)/落膽(낙담)/臥薪嘗膽(와신상담)

肢(지)　腕(완)　脚(각)　背(배)　腹(복)

腰(요)　膚(부)　膜(막)　肋(륵)　脂(지)

肢 훈음 사지 지 부수 육달 月(월)변 ▶▶▶ 고기 月(육) + 가를 支(지) ➡ 몸통에서 찢어진 팔다리
갈라진(支) 몸(月)이란 四肢(사지)로서 팔/다리 등을 말한다.
몸통에서 보면 팔다리란, 몸에서 갈라져 나간 부분처럼 보이므로 몸을 상징하는 육달 月(월)과 의미와 발음에 기여하는 支(지)를 합쳐서 만든 글자이다.
▪▪▪▪▪ 四肢(사지)/肢體(지체)

腕 훈음 팔 완 부수 고기 月(육) ▶▶▶ 고기 月(육) + 굽을 宛(완) ➡ 굽혀지는 팔 – 신체 일부
신체의 일부인 팔을 나타내기 위한 글자이므로 신체를 상징하는 고기 육(육달 월月)을 의미요소로 宛(완)은 발음기호이다. 신체(月) 중에 자유자재로 굽어지는(宛) 게 팔이다.
▪▪▪▪▪ 腕力(완력)/腕章(완장)/手腕(수완)/敏腕(민완)

脚 훈음 다리 각 부수 병부 卩(절) ▶▶▶ 고기 月(육) + 물리칠 却(각) ➡다리도 신체의 일부
신체 부위 중 다리를 나타내고자 하는 글자이므로 신체를 의미하는 肉(육)달 月(월)을 의미요소로, 却(각)은 발음기호로 했다.
▪▪▪▪▪ 鐵脚(철각)/橋脚(교각)/脚線美(각선미)

背 훈음 등 배 부수 고기 肉(육) ▶▶▶ 달아날 北(배) + 肉(육)달 月(월) ➡ 등을 맞대고 앉은 모양
두 사람이 등을 돌리고 있는 모습인 北(배)가 '북쪽'이라는 뜻으로 더 자주 사용되자, 신체를 상징하는 肉(육)달 月(월)을 더하여 본뜻을 보존하였다. 차츰 '등, 뒤'라는 뜻으로 의미 확대되었으며 따라서 두 글자 모두 의미요소고 北(배)가 발음을 겸하고 있다.
▪▪▪▪▪ 背反(배반)/背水陣(배수진)/背泳(배영)/背後(배후)/背恩忘德(배은망덕)/違背(위배)/背山臨水(배산임수)

腹 훈음 배 복 부수 육달 月(월) ▶▶▶ 月(월) + 夏(복) ➡ 배도 신체의 일부
신체 가운데 배를 나타내는 글자이므로 신체를 상징하는 육달 月(월)을 의미요소로 夏(복)은 발음기호로 만들어진 글자다.
▪▪▪▪▪ 腹痛(복통)/空腹(공복)/異腹兄弟(이복형제)/心腹(심복)/腰折腹痛(요절복통)/抱腹絕倒(포복절도)

腰 훈음 허리 요 부수 肉(육)달 月(월)
▶▶▶ 肉(육)달 月(월) + 구할 要(요) ➡ 신체의 중요 부위
신체 부위인 허리를 분명히 하기 위해 신체를 상징하는 육달 月(월)을 추가하여 만든 글자. 둘 다 의미요소이긴 하지만 要(요)는 발음을 겸하기도 한다.
▪▪▪▪▪ 腰痛(요통)/腰折腹痛(요절복통)/要塞(요새)/重要(중요)

膚 훈음 살갗 부 부수 고기 肉(육) ▶▶▶ 호피무늬 虍(호) + 밥통 胃(위) ➡ 위를 감싸는 부위
사람의 살갗 즉 피부를 나타내려고 호랑이 가죽 무늬 虍(호)에 신체를 상징하는 肉(육)달 月(월)을 더하여 만든 글자이다. 두 글자 모두 의미요소로 사용된다.
▪▪▪▪▪ 皮膚(피부)/雪膚花容(설부화용)/身體髮膚(신체발부)

膜 훈음 막 막 부수 고기 肉(육) ▶▶▶ 고기 月(육) + 없을 莫(막) ➡ 살이 전혀 없는 신체 일부
동식물 내부의 근육을 포함해 모든 것을 감싸고 있는 얇은 꺼풀을 뜻하기 위한 것으로 신체와 관련 있는 肉(육)달月(월)을 의미요소로 없을 莫(막)을 발음기호로 했다. 뼈에는 살이라도 붙어 있지 눈의 망막은 살(月)이 전혀 없다(莫).
▪▪▪▪▪ 細胞膜(세포막)/肋膜(늑막)/網膜(망막)/薄膜(박막)

肋 훈음 갈비 륵 부수 고기 肉(육) ▶▶▶ 고기 肉(육) + 힘 力(력) ➡ 힘쓰는 뼈
신체기관 중 힘쓰는 뼈로 갈비뼈를 나타내는 글자를 만들면서 힘 力(력)을 육달 月(월)과 함께 의미요소로 사용하고 있다.
▪▪▪▪▪ 肋骨(늑골)/肋膜(늑막)/鷄肋(계륵)

脂　훈음 기름 지　부수 육달 月(월)　▶▶▶ 육달 月(월) + 맛있을 닙(지) ➡ 신체의 맛있는 부위

고기의 맛있는 부위는 어디일까? 한자를 보면 脂肪(지방)임을 쉽게 알 수 있다. 역시 고기의 맛은 기름기가 적절히 가미되어야 제 맛이다. 따라서 고기를 나타내는 肉(육)달 월(月)과 고소하고 맛있다라는 맛있을 닙(지)가 어우러진 글자로 닙(지)는 발음기호로도 사용되었다.

●●●●● 脂肪(지방)/皮脂(피지)/油脂(유지)

胎(태)　　　肥(비)　　　脫(탈)　　　肖(초)　　　育(육)

胎　훈음 아이 밸 태　부수 고기 肉(육)　▶▶▶ 고기 月(육) + 별/아이 台(태) ➡ 아이가 생기다

태아를 배고 있다, 즉 아이를 배고 있다는 뜻을 가진 글자이므로 肉(육)달 月(월)이 의미요소로 台(태)는 발음 및 의미요소에 기여한다.

●●●●● 胎兒(태아)/孕胎(잉태)/落胎(낙태)/胎敎(태교)/胎生(태생)

肥　훈음 살찔 비　부수 고기 肉(육)　▶▶▶ 고기 月(육) + 큰 뱀 巴(파) ➡ 살이 많은 큰 뱀

비대함을 나타내기 위함이었으므로 신체와 관련이 있는 육달 月(월)을 의미요소로 巴(파)는 발음요소로 쓰였다. 그러나 큰 뱀(巴)처럼 물컹물컹한 살(月)이 많다고 해서 '살찌다'라는 뜻이 생겼다.

●●●●● 肥滿(비만)/肥大(비대)/肥沃(비옥)/天高馬肥(천고마비)

脫　훈음 벗을 탈　부수 고기 肉(육)

▶▶▶ 고기 肉(육) + 기쁠 兌(태) ➡ 육체의 집착에서 벗어남

'벗다'는 몸에 있는 것을 덜어내다, 없애다는 뜻이므로 몸을 상징하는 肉(육)달 月(월)이 의미요소로, 육신의 집착에서 벗어나니 기쁨이(兌), 兌(태)는 발음요소이기도 하다.

●●●●● 脫走(탈주)/逸脫(일탈)/解脫(해탈)/脫帽(탈모)/脫稅(탈세)

肖　훈음 닮을 초　부수 고기 月(육)

▶▶▶ 작을 小(소) + 고기 月(육) ➡ 작은 고깃덩어리

직역하면 작은(小) 고깃(月)덩어리로 아무리 작아(小)도 아기는 부모(月)를 닮는 법이다.

●●●●● 肖像畵(초상화)/不肖(불초)

育　훈음 기를 육　부수 고기 육(肉=月)　▶▶▶ 찰 充(충) + 肉(육)달 月(월) ➡ 아기가 자람

형체가 또렷해져 가는 태아(充)의 머리와 몸(月=肉)을 강조하여, 어머니가 아이를 양육하고 키운다는 '기르다, 자라다'의 의미를 갖게 됐다.

●●●●● 育兒(육아)/養育(양육)/敎育(교육)

肙(연)　　　捐(연)　　　絹(견)　　　膏(고)

肙　훈음 장구벌레 연　부수 肉(육)달 月(월)　▶▶▶ 입 口(구) + 肉(육)달 月(월) ➡ 꿈틀거리는 벌레

누에와 같은 꿈틀대는 작은 벌레를 뜻하는 글자이나 단독 사용은 없고 타 글자의 의미 및 발음요소로 작용한다.

捐 훈음 버릴 연 부수 손 扌(수) ▶▶▶ 손 扌(수) + 장구벌레 肙(연) ➡ 벌레를 손으로 물리침
자신의 것을 남에게 주거나 버리는 것을 말하는 것으로, 손 扌(수)가 의미요소이고 장구벌레 肙(연)은 발음
기호이다.
●●●●● 捐補(연보)/出捐(출연)/義捐金(의연금)

絹 훈음 명주 견 부수 실 糸(사) ▶▶▶ 실 糸(사) + 장구벌레 肙(연) ➡ 누에가 만들어 낸 실
명주실로 짠 비단을 뜻하기 위한 글자로 실 糸(사)가 의미요소이고, 장구벌레 肙(연)은 발음기호로 사용됐
다.
●●●●● 絹絲(견사)/生絹(생견)/絹織物(견직물)

膏 훈음 살찔 고 부수 고기 肉(육) ▶▶▶ 높을 高(고) + 장구벌레 肙(연) ➡ 짜면 나오는 연고
짜면 벌레(肙)처럼 나오는 연고(軟膏)가 고(高)를 발음으로 고약(膏藥)의 기름 고(膏)
●●●●● 膏藥(고약)/膏肓(고황)/膏粱珍味(고량진미)

彑/⺕ 돼지머리/고슴도치 머리 계

彑(계)　彔(록)　剥(박)　綠(록)　錄(록)　祿(록)　彖(단)　緣(연)　彙(휘)

彑
훈음 돼지머리 계 = ⺕(계)　부수 제 부수
돼지의 머리 모양에서 따온 글자로 간결하게 정리한 모습이다.

彔
훈음 나무 깎을 록　부수 돼지머리 ⺕(계)
▶▶▶ 돼지머리 彑(계) + 물 氺(수) ➡ 나무를 이빨과 발톱으로 갉아대는 장면
멧돼지가 나무의 껍질을 발톱과 어금니로 벗기고 갉아먹는 장면과 나무 속에서 속살과 물이 함께 나오는 모습에서 '나무를 깎다/새기다'라는 뜻을 갖게 된 글자로 단독 사용은 없다.

剥
훈음 벗길 박　부수 칼 刂(도)　▶▶▶ 나무 깎을 彔(록) + 칼 刂(도) ➡ 동물과 나무껍질을 벗겨내는 행위
'나무껍질이나 동물의 가죽을 뺏겨내다'가 원뜻이므로 그 행위를 하는 칼 刂(도)가 의미요소이고, 彔(록)은 발음기호 겸 의미요소이다.
▪▪▪▪▪ 剥離(박리)/剥皮(박피)/剥奪(박탈)

綠
훈음 초록빛 록　부수 실 糸(사)　▶▶▶ 실 糸(사) + 새길 彔(록) ➡ 실에 자연의 녹색을 물들임
옛날엔 도화지가 아닌 실이나 천에 물감을 들이는 염색을 통해 색깔을 나타냈다. 그러므로 실 糸(사)가 의미요소이고 彔(록)은 발음기호이다.
▪▪▪▪▪ 綠色(녹색)/草綠(초록)/葉綠素(엽록소)/綠化(녹화)/綠陰(녹음)

錄
훈음 기록할 록　부수 쇠 金(금)　▶▶▶ 쇠 金(금) ┃ 새길 彔(록) ➡ 쇠에다 새김
인쇄가 발달하기 전 금속이나 돌에 글자를 새기는 것이 기록의 한 방편이었던 시절의 시대 상황을 알려주는 글자이다. 금속을 상징하는 쇠 金(금)이 의미요소고, 彔(록)은 발음기호 겸 의미보조로 쓰였다.
▪▪▪▪▪ 記錄(기록)/錄音(녹음)/世宗實錄(세종실록)/目錄(목록)

祿
훈음 복 록　부수 보일/귀신 示(시)　▶▶▶ 보일 示(시) + 새길 彔(록) ➡ 신에게 요청함
신으로부터 부여받은 선물이나 은총을 나타내는 말이므로 신을 뜻하는 보일 示(시)가 의미요소고 彔(록)이 발음기호이다.
▪▪▪▪▪ 福祿(복록)/祿俸(녹봉)/俸祿(봉록)

緣
훈음 가선/연줄 연　부수 실 糸(사)　▶▶▶ 실 糸(사) + 판단할 彖(단)
천이나 옷의 가장자리 장식을 단 단(彖)이라 하며, 그 가장자리가(彖) 끈(糸)으로 서로 닿아 연결되었다하여 혈연(血緣)/인연(因緣)/무연(無緣)의 가선 연(緣), 휘하(⺆)에 돼지(彑)처럼 많은 무리(果)를 거느리고 있다하여 어휘(語彙)의 무리/모을 휘(彙)
▪▪▪▪▪ 因緣(인연)/緣分(연분)/姉妹結緣(자매결연)/緣木求魚(연목구어)

佳(추)　雖(수)　誰(수)　唯(유)　惟(유)　維(유)　推(추)

隻(척)　雙(쌍)　集(집)　準(준)　准(준)　讐(수)

佳

훈음 새 추　부수 제 부수 – 타 글자와 어우러져서 많이 쓰임

꽁지 짧은 새의 총칭이라 하나 꼭 그렇지만은 않은 것이 꽁지가 긴 새인 꿩 雉(치)자를 보면 알 수 있으며 '높고, 크다'의 뜻으로도 쓰인다.

雖

훈음 비록 수　부수 새 佳(추)　▶▶▶ 오직 唯(유) + 벌레 虫(충) ➡ 새라고는 하나 벌레에 가깝다

어떠한 벌레를 지칭하는 말이었을 것이나 지금은 '비록' 같은 접속사로 혹은 부사어로 사용되는 글자로 벌레 虫(충)이 의미요소이고 오직 唯(유)가 발음기호라고 한다.

●●●●● 雖然(수연)-그러나

※ 雖不中 不遠矣(수불중 불원의) – 비록 적중치는 못했지만

誰

훈음 누구 수　부수 말씀 言(언)　▶▶▶ 말씀 言(언) + 새 佳(추) ➡ 어느 새(누가)가 지절거렸어?

영어의 'who'에 해당하는 의문사 '누구'에 해당하는 말로 말씀 言(언)이 의미요소고, 새 佳(추)가 발음기호임은 비록 雖(수)에서도 엿볼 수 있다.

●●●●● 誰怨誰咎(수원수구)/誰知烏之雌雄(수지오지자웅)

唯

훈음 오직 유　부수 입 口(구)　▶▶▶ 입 口(구) + 새 佳(추) ➡ 새는 오로지 입으로만 모든 것을 한다

새(佳)는 오직 입(口)으로 먹고, 놀고, 얘기하고, 노래하고 한다고 하여 생긴 글자다.

●●●●● 唯一無二(유일무이)/唯我獨尊(유아독존)/唯物論(유물론)

惟

훈음 생각할/오직 유　부수 마음 忄(심)

▶▶▶ 마음 忄(심) + 새 佳(추) ➡ 새만 보면 고향 생각에 마음이 짠하네

생각을 한다는 것은 마음의 작용이므로 마음 忄(심)이 의미요소이고, 佳(추)는 발음기호이다.

　철새(佳)를 바라보며 떠나온 고향 생각(忄)에 절로 눈물이 난다.

●●●●● 思惟(사유)/惟獨(유독)

維

훈음 바/밧줄/매다/바치다 유　부수 실 糸(사)　▶▶▶ 실 糸(사) + 새 佳(추) ➡ 새 잡기 위한 그물과 밧줄

밧줄의 재료인 실 糸(사)를 의미요소로 佳(추)를 발음기호로, 새(佳)를 잡기 위해 실(糸)로 밧줄과 그물을 만드는 과정을 유추하여도 좋다.

●●●●● 維新(유신)/維持(유지)/進退維谷(진퇴유곡)

推

훈음 밀/옮을/변천할 추　부수 손 扌(수)　▶▶▶ 손 扌(수) + 새 佳(추) ➡ 새를 떠밀어 보면서 반응을 살피다

손으로 떠밀어내다가 본뜻이므로 손 扌(수)가 의미요소고, 새 佳(추)는 발음기호이다. 이 본뜻에서 '밀어주다, 받들다, 짐작하다'로 의미확대됐다.

●●●●● 推理(추리)/推移(추이)/推薦(추천)/推論(추론)/推算(추산)/推尋(추심)/推仰(추앙)/推戴(추대)

隻 훈음 새 한 마리 척 부수 새 隹(추) ▶▶▶ 새 隹(추) + 또 又(우) → 새 한 마리를 들고 있다
손(又) 위에 앉아 있는 혹은 새(隹) 한 마리를 손으로 잡고 있는 모습을 그린 글자이다. 두 글자 모두 의미요소이며 훗날 배를 세는 단위인 '척'으로 확대 사용되었다.
••••• 隻手(척수)/隻들(척언)/隻眼(척안)/隻身(척신)

雙 훈음 쌍 쌍 부수 새 隹(추) ▶▶▶ 새 隹(추) + 새 隹(추) + 또 又(우) → 새 두 마리를 한 손에
한 손(又)에 두 마리의 새(隹)가 동시에 앉아 있는 모습을 그린 글자로 모두 의미요소이다.
••••• 雙方(쌍방)/雙壁(쌍벽)/雙手(쌍수)/勇敢無雙(용감무쌍)

集 훈음 모일 집 부수 새 隹(추) ▶▶▶ 새 隹(추) + 나무 木(목) → 새는 늘 나무 위에 모여서 논다
(隹)새는 늘 나무에(木) 모여 앉아 수다를 떠는 모습에서 만들어진 글자로 두 글자 모두 의미요소이다.
••••• 募集(모집)/集合(집합)/召集(소집)/集結(집결)/集團(집단)

準 훈음 수준기 준 부수 물 氵(수) ▶▶▶ 물 氵(수) + 새매 隼(준) → 수직 수평으로 오르내리고 나는 매
땅을 골라 평평하게 하여 수평을 맞춘 모습을 나타낸 글자로 잔잔한 호수나 수평이 일정한 수면을 나타내는 물 氵(수)가 의미요소이고, 수평으로 나르고 수직으로 내려오는 새매 隼(준)이 의미에 보탬이 됨과 동시에 발음기호이다.
••••• 水準(수준)/準備(준비)/平準化(평준화)/標準(표준)/準據(준거)

准 훈음 승인할 준 부수 얼음 冫(빙) ▶▶▶ 얼음 冫(빙) + 새 隹(추) → 수준기 準(준)의 속자
수준기 準(준)의 俗字(속자)였으나 당나라 시대 이후로 '허가하다, 승인하다'라는 공문서 용어로 사용되기 시작했으며 군대의 계급 용어로도 사용되고 있다.
••••• 認准(인준)/批准(비준)/准將(준장)/准尉(준위)

讎 훈음 원수 수 부수 말씀 言(언) ▶▶▶ 새 한 쌍 雔(수) + 말씀 言(언) → 새 두 마리의 맹렬한 말다툼
새(隹) 두 마리가 완전히 등을 돌리고 말하는 모습을 그려 서로에게 감정이 있는 원수 관계를 나타낸 글자로 모든 글자가 다 의미요소이나 새 한 쌍雔(수)가 발음기호이다.
••••• 怨讎(원수)/復讎(복수)/徹天之怨讎(철천지원수)

| 雅(아) | 獲(획) | 進(진) | 護(호) | 穫(확) | 雀(작) |
| 雌(자) | 雄(웅) | 離(리) | 羅(라) | 奪(탈) | 奮(분) |

雅 훈음 바를/맑을 아 부수 새 隹(추) ▶▶▶ 牙(아) + 隹(추) → 새의 어금니 부딪치는 소리
아(牙)를 발음기호로 隹(추)를 의미요소로 하여 까마귀의 일종인 새를 나타낸 글자였으나, 점차로 '고상하다, 너그럽다'로 의미가 차용되어 사용됐다.
••••• 優雅(우아)/雅量(아량)/淸雅(청아)/雅淡(아담)

獲 훈음 얻을 획 부수 개 犭(견) ▶▶▶ 개 犭(견) + 蒦(추) + 又(우) → 새를 사냥함
손으로 새를 잡는 모습을 그렸다가 훗날 사냥의 의미를 더 분명히 하기 위해 사냥 개(犭)의 개념으로 개 犭(견)이 추가된 글자로 글자 전체가 새를 포획하는 모습임을 알려준다. 시대가 흐르면서 전쟁이나 사냥으로 포획하는 게 아닌 일반적인 의미의 '얻다'로 널리 사용된다.
••••• 捕獲(포획)/獲得(획득)/濫獲(남획)

進 훈음 나아갈 진　부수 갈 辶(착)　▸▸▸ 갈 辶(착) + 새 隹(추) → 새가 앞으로 나아가는 모습
새가 날기 위해 앞으로만 달려나가는 모습처럼 앞으로 나가다를 나타낸 글자로 갈 辶(착)과 새 隹(추) 모두 의미요소이다.
●●●●● 前進(전진)/進擊(진격)/進步(진보)/進級(진급)/進化(진화)

護 훈음 보호할 호　부수 말씀 言(언)　▸▸▸ 말씀 言(언) + 부엉이 萑(환) + 又(우) → 새를 감싸줌
부상당한 새를 감싸안으며 따뜻한 말로 위로하는 모습을 그린 글자로 모든 글자가 의미요소이다.
●●●●● 保護(보호)/護身術(호신술)/看護(간호)/護送(호송)

穫 훈음 벼 벨 확　부수 벼 禾(화)
▸▸▸ 벼 禾(화) + 풀 많을 萑(추) + 오른 손 又(우) → 비슷한 글자 – 새 잡듯 벼를 수확함
벼를 수확하는 모습을 나타낸 글자로 벼 禾(화)가 의미요소이고 나머지(萑+又)가 발음요소이다. 이 글자(萑+又)는 새를 손으로 잡는 모습이라는 설과 새의 무성한 깃털처럼 다 자란 벼를 손(又)으로 잡고 벼 베기를 하는 모습이라는 설 등이 있다.
●●●●● 收穫(수확)/收穫遞減(수확체감)

雀 훈음 참새 작　부수 새 隹(추)　▸▸▸ 적을 少(소) + 새 隹(추) → 작은 새
백로나 황새에 비하면 참새처럼 아주 작은 새를 가리키기 위한 글자이므로 적을 少(소)와 새 隹(추) 모두 의미요소로 썼다.
●●●●● 歡呼雀躍(환호작약)

雌 훈음 암컷 자　부수 새 隹(추)　▸▸▸ 이 此(차) + 새 隹(추) → 새의 암컷 성별
새의 암컷을 지칭하려고 만든 글자로 새 隹(추)가 의미요소이고, 이 此(차)는 발음기호이다.
●●●●● 雌雄(자웅)/雌伏(자복)/雌雄異株(자웅이주)/誰知烏之雌雄(수지오지자웅)
※ 紫(자) – 자주 빛 자

雄 훈음 수컷 웅　부수 새 隹(추)
▸▸▸ 클 宏(굉)의 생략형 팔꿈치 굉 + 새 隹(추) → 새의 수컷 성별
새의 수컷을 지칭하려고 만든 글자로, 새 隹(추)가 의미요소이고 宏(굉)은 발음기호이다.
●●●●● 雄大(웅대)/雄辯(웅변)/雌雄(자웅)/英雄(영웅)/雄壯(웅장)

離 훈음 떼놓을 리　부수 새 隹(추)　▸▸▸ 산신 离(리) + 새 隹(추) → 올가미에 걸린 새
离(리)자는 산짐승이 올가미에 빠졌거나 그물에 갇힌 모양으로 새 隹(추)가 추가되어 그물에서 빠져나오려고 발버둥치는 동물이나 새의 모습으로, 그런 상황에서 벗어나야 함으로 '벗어나다, 떠나다, 떼놓다'의 의미가 파생되었다. 두 글자 모두 의미요소이나 산신 离(리)가 발음요소를 겸했다.
●●●●● 離別(이별)/別離(별리)/離散家族(이산가족)/會者定離(회자정리)

羅 훈음 새그물/벌여놓을 라　부수 그물 罒(망)
▸▸▸ 그물 网(罒 망) + 밧줄/바 維(유) → 새 잡는 올가미
새 잡는 그물이 원뜻으로 모든 글자가 다 의미요소이다.
●●●●● 網羅(망라)/羅列(나열)/羅針盤(나침반)/森羅萬象(삼라만상)/阿修羅場(아수라장)/羅城(나성)

奪 훈음 빼앗을 탈　부수 큰 大(대)
▸▸▸ 큰 大(대) + 새 隹(추) + 마디 寸(촌) → 날아가는 새를 낚아챔
퍼덕이며 나는 새(大+隹)를 손으로 잡다(寸)가 원뜻으로 '빼앗다, 빼앗기다'가 파생되었으며 여기서 大(대)는 크게 날개짓하는 모양으로 나타냈다. 大(대)는 옷 衣(의)가 변한 것으로 봐 품속에 있는 새 즉 귀한 것을 '빼앗다'에서 나왔다고도 한다.
●●●●● 奪取(탈취)/掠奪(약탈)/簒奪(찬탈)

奮 훈음 떨칠 분 부수 큰 大(대)

▶▶▶ 큰 大(대) + 새 隹(추) + 밭 田(전) ➡ 새가 크게 날아오름

밭(田)에서 먹이를 먹다 위협을 느낀 새들이 갑자기 날아오르는 모습에서 '떨치다, 분발하다'의 뜻이 파생되었으며, 큰 人(대)와 새 隹(추)가 크게 날아오르며 날개 짓하는 새의 상형이고 밭 田(전)은 날기 전의 새가 앉아서 먹이를 먹고 있던 밭을 의미한다. 큰 人(대)를 옷 衣(의)로 봐 크게(人) 날개짓(衣)하며 먹잇감을 위해 밭(田) 위를 나는 새(隹)모습으로 보기도 한다.

●●●●● 奮鬪(분투)/興奮(흥분)/奮然(분연)/孤軍奮鬪(고군분투)/奮戰(분전)

雇(고)   顧(고)   雁(안)   應(응)   稚(치)   雜(잡)   難(난)

雇 훈음 고용할 고 부수 새 隹(추)

▶▶▶ 쪽문 戶(호) + 새 隹(추) ➡ 길조로 여겨지는 새

어느 새를 가리키는 것인지는 모르나 비둘기나 뻐꾸기의 일종이었을 것이다. 戶(호)는 발음기호이나 그 새의 울음소리와 비슷하였다고 한다. 따라서 두 글자 모두 의미요소이다.
훗날 '품을 팔다/사다'라는 의미로 파생되었다.

●●●●● 解雇(해고)/雇用(고용)

顧 훈음 돌아볼 고 부수 머리 頁(혈)

▶▶▶ 고용할/품살 雇(고) + 머리 頁(혈) ➡ 돌아보는 일은 머리가

품꾼을 고용했으면(雇) 주인은(頁) 품삯을 포함 여러 가지 것들을 보살펴 주어야 한다.
그런 것은 머리가 할 일이므로 머리 頁(혈)이 의미요소이고, 품살 雇(고)는 발음기호이다.

●●●●● 三顧草廬(삼고초려)/回顧(회고)/顧客(고객)

雁 훈음 기러기 안 부수 새 隹(추)

▶▶▶ 기슭 厂(엄) + 사람 亻(인) + 새 隹(추) ➡ 떼거리로 날아오는 철새인 기러기

사람들에게 절기와 때를 알려주는 철새의 대표격인 기러기를 나타내는 말로 언덕을 넘어 즉 멀리서 날아온 철새가 사람들(亻)에게 때를 알려준다는 사상을 담고 있는 글자이다. 모든 요소가 의미요소이며 언덕 厂(엄)이 발음기호이다.

●●●●● 鴻雁(홍안)/飛雁(비안)

應 훈음 응할 응 부수 마음 心(심)

▶▶▶ 기러기 雁(안) + 마음 心(심) – 발음기호 ➡ 새의 절박한 심정에 반응을 나타냄

새가 처마에 매어놓은 소리 나는 쇠 종을 부리로 치는 모습의 金文(금문)에서 篆書(전서)로 오면서 병상을 상징하는 疒(녁)과 사람 亻(인)과 마음 心(심)이 추가되었다. 종을 쳐대며 절박함을 호소하는 불쌍한 새의 요구에 응하는 사람의 마음을 나타냈다.

●●●●● 應答(응답)/對應(대응)/應當(응당)/應募(응모)/應急(응급)/應援(응원)/應接(응접)

稚 훈음 어릴 치 부수 벼 禾(화)

▶▶▶ 벼 禾(화) + 새 隹(추) ➡ 채 여물지 않은 이삭과 어린 새

아직 이삭이 피지 않은 어린 벼를 뜻하는 글자이므로 벼 禾(화)가 의미요소고 隹(추)는 발음기호이다.
'어리다, 어린 벼'의 뜻으로 쓰인다.

●●●●● 幼稚(유치)/稚魚(치어)/稚拙(치졸)/稚氣(치기)

雜 　훈음 섞일 잡　부수 새 隹(추)
▶▶▶ 옷 衣(의) + 모일 集(집) ➡ 새와 무관하나 의미요소에 기여 - 섞여 있는 새
여러 빛깔의 천이나 실을 모아 섞어 짠 옷을 가리키는 글자였으나 글자의 균형미를 위해 마치 卒(졸)과 八
(팔)과 隹(추)로 변했다. 따라서 새 隹(추)는 별 관련이 없는 회의글자이다.
●●●●● 雜種(잡종)/混雜(혼잡)/煩雜(번잡)

難 　훈음 어려울 난　부수 새 隹(추)　▶▶▶ 노란 진흙 堇(근) + 새 隹(추) ➡ 이름 모를 새
어떤 새의 상형이었으나 발음이 같다는 이유로 '어렵다'로 가차되어 사용되는 글자로 堇(근)이 발음기호일
것이다. 그러나 堇(근)이 솥단지에 무엇을 삶는 모습이라면 닭과 같은 새가 삶아질 때의 고통을 나타낸 글
자로 보여 져 모두 의미요소일 수도 있다.
●●●●● 患難(환난)/災難(재난)/難解(난해)/苦難(고난)

萑(추)　　崔(화)　　藿(관)　　觀(관)　　舊(구)　　歡(환)　　權(권)　　勸(권)

萑 　훈음 풀 무성할 추　부수 풀 艹(초)　▶▶▶ 풀 艹(초) + 새 隹(추)
새(隹) 머리 위의 많은 깃털(艹) 모양에서 풀 무성한 모습을 연상케 한다. 새(隹)는 늘 풀(艹) 속에 숨어 있
으므로 또는 깃털 많은 새의 모습에서 글자를 만들었을 것이다.

崔 　훈음 부엉이 화　부수 풀 艹(초)　▶▶▶ 쌍상투 卝(관) + 새 隹(추)
머리 위에 긴 장식 깃털이나 뿔, 털을 가진 수꿩/종다리/부엉이와 같은 새를 가리키는 글자였으나, 오늘날
卝(관)을 분명하게 구별하여 쓰지 않고 전부 쓰기 편한 비슷한 형태인 풀 艹(초)로 바꾸어 쓰기 때문에 오
늘날의 꼴로는 풀 무성할 萑(추)와 구별할 수 없다.

藿 　훈음 황새나 백로 관/왕골　부수 풀 藿(관)　▶▶▶ 풀 艹(초) + 입 口(구) + 새 隹(추)
굵고 속이 빈(口) 키가 큰 골풀(艹)이 마치 목이 긴 황새 과의 새들과 비슷하다고 하여 풀과 새를 조화하여
만들어진 글자. 현재의 글자는 풀 초(艹)의 모습이나 옛 글자는 북상투 관(卝)으로 '새의 머리위에 달린 긴
장식 깃털'이나 '뿔 털'의 상형으로 그러한 긴 장식털이나 뿔 털이 있는 새를 가리키므로 황새보다는 백로
에 어울리는 글자이다.

觀 　훈음 볼 관　부수 볼 見(견)　▶▶▶ 황새나 백로 藿(관) + 볼 見(견) ➡ 목을 길게 빼고 둘러보다
목을 길게 내빼고 주위를 둘러보는(見) 황새나 백로(藿)의 자태가 떠오른다.
●●●●● 觀光(관광)/觀客(관객)/觀衆(관중)/達觀(달관)/明若觀火(명약관화)/袖手傍觀(수수방관)/
坐井觀天(좌정관천)

舊 　훈음 옛/오랠 구　부수 절구 臼(구)　▶▶▶ 풀 艹(초) + 새 隹(추) + 절구 臼(구) ➡ 낡은 새둥지
萑(추) - 풀 무성할 추 - 위의 풀 艹(초) 대신에 쌍상투 卝(관)이 들어가면 부엉이 '화' 절구 臼(구)를 聲部
(성부)로 하여 오랠 구/옛 구(舊)자가 만들어졌다. 부엉이는 오래 사는 새이므로 오래란 뜻으로 확대 '헌것,
옛' 등의 뜻으로 가차되자 부엉이 소리라는 본뜻을 기리기 위해 수리부엉이 鵂(휴)자가 만들어졌다.
●●●●● 親舊(친구)/新舊(신구)/舊式(구식)/舊面(구면)

歡 　훈음 기뻐할 환　부수 하품 欠(흠)　▶▶▶ 황새 藿(관) + 하품 欠(흠) ➡ 백로가 입을 크게 벌리다
목이 길고 눈이 커다란 황새나 백로(藿)가 하품(欠)하는 모습이 마치 입을 크게 벌리고 기뻐하는 것 같다
하여 황새 藿(관)이 발음기호로 쓰였다.
●●●●● 歡迎(환영)/歡喜(환희)/歡待(환대)/歡呼雀躍(환호작약)

權 훈음 권세 권 부수 나무 木(목) ▶▶▶ 나무 木(목) + 황새 雚(관) → 황새처럼 우뚝 솟은 나무

고목(木)처럼 우뚝 솟은 황새(雚)의 모습에서 권세자의 기품이 느껴진다 하여 두 글자 모두 의미요소이며 황새 雚(관)이 발음기호이다.

••••• 權力(권력)/權座(권좌)/公權力(공권력)/權不十年(권불십년)

勸 훈음 권할 권 부수 힘 力(력) ▶▶▶ 황새 雚(관) + 힘 力(력) → 힘 있는 자가 권해야 들어 먹는다

권위가 느껴지는 커다란 황새(雚) 같은 관리나 위엄을 가진 자가 위협을 가하는, 즉 힘을 쓰는 모습으로 힘(力)력이 의미요소이고, 황새 雚(관)은 발음기호이다. '권하다'는 부드럽게 들리는 말이지만 힘이 있는 누군가가 권하지 않으면 사람들은 듣지도 않는다.

••••• 勸告(권고)/勸善懲惡(권선징악)/勸誘(권유)/勸勉(권면)

崔(최)　　　　催(최)　　　　窪(확)　　　　鶴(학)　　　　確(확)

崔 훈음 높을 최 부수 뫼 山(산) → 산보다 더 높이 나는 새 – 성씨로 많이 쓰임

산 위 높은곳 까지 나는 새를 그린 글자로 '높다'라는 뜻을 가졌으나, 성씨 등으로 많이 사용되며 높다는 뜻으로는 사용되지 않고 있다.

催 훈음 재촉할 최 부수 사람 亻(인)

▶▶▶ 사람 亻(인) + 높을 崔(최) → 사람에게 높이 날도록 무리한 것을 요구함

사람을 옥죄이는 글자로서 사람 亻(인)이 의미요소이고, 崔(최)는 발음기호이다. 행사를 '열다'라는 뜻은 日本語(일본어)에서 시작된 한자로 중국어에는 그런 의미가 없다.

••••• 開催(개최)/催涙(최루)/催促(최촉)/催眠(최면)/催告(최고)

窪 훈음 새 높이 날 확 부수 새 隹(추)

▶▶▶ 덮을 冖(멱) + 새 隹(추) → 새가 날개를 펴고 날아가는 모습

새가 날개를 펴고 높이 널리 날아가는 모습을 그렸다. 단독 사용은 없다.

鶴 훈음 학 학 부수 새 鳥(조) ▶▶▶ 새 높이 날 窪(확) + 새 鳥(조) → 날개가 큰 새

날개가 크고 고상한 새인 두루미과인 학을 뜻하기 위한 글자이므로 새 鳥(조)가 의미요소이고, 窪(확) 역시 발음 겸 의미요소이다.

••••• 鶴首苦待(학수고대)/群鷄一鶴(군계일학)

確 훈음 굳을 확 부수 돌 石(석) ▶▶▶ 돌 石(석) + 높이 날 窪(확) → 돌같이 단단함

단단한 돌을 의미하는 글자이므로, 돌 石(석)이 의미요소이고 窪(확)은 발음기호이다.

••••• 確固(확고)/明確(명확)/確固不動(확고부동)/確答(확답)/確認(확인)/確約(확약)/確定(확정)/確立(확립)

鳥 새 조

| 鳥(조) | 鳴(명) | 烏(오) | 嗚(오) | 焉(언) | 鳥(석) |
| 島(도) | 搗(도) | 鷄(계) | 鶴(학) | 鴻(홍) | 鳳(봉) |

鳥

훈음 새 조 **부수** 제 부수
새의 머리와 몸통과 꼬리, 다리 부분을 자세하게 묘사해 놓은 모습의 글자로 주로 '새'와 관련되어 사용된다.
••••• 鳥類(조류)/不死鳥(불사조)/吉鳥(길조)

鳴

훈음 울 명 **부수** 새 鳥(조) ▶▶▶ 입 口(구) + 새 鳥(조) ➡ 새가 지저귀는 것은 우는 것
좋게 말하면 새(鳥) 소리(口) 흔히들 새가 지저귀는 것도 새가 운다(口)고 말한다.
••••• 悲鳴(비명)/孤掌難鳴(고장난명)/自鳴鐘(자명종)/共鳴(공명)

烏

훈음 까마귀 오 **부수** 불 灬(화)
▶▶▶ 새 鳥(조) 마이너스 한 一(일) ➡ 너무 검어 마치 눈이 없어 보이는 새
새 鳥(조)자의 머리(白) 부분에서 한 획(一)을 빼니 마치 눈(一) 하나 없는 새라고 해서 까마귀 오자이다. 실은 까마귀가 검어 눈이 없는 것처럼 보일 뿐이다.
••••• 烏飛梨落(오비이락)/烏骨鷄(오골계)/烏合之卒(오합지졸)

嗚

훈음 탄식 소리 오 **부수** 입 口(구)
▶▶▶ 입 口(구) + 까마귀 烏(오) ➡ 새 소리는 우는 것 까마귀 울음은 탄식 소리?
까마귀(烏)의 울음(口)은 새 취급 받지 못한다는 데서 서러움의 탄식 소리 오자가 생겼다.
••••• 嗚呼(오호)/嗚咽(오열)

焉

훈음 어찌 언 **부수** 불 火(화) ▶▶▶ 바를 正(정) + 불 灬(화) ➡ 어찌 새라 할 수 있는가?
새 조(鳥)자의 머리 부분(白)이 바를 정(正)자로 바뀌었다. 焉(언)은 본래 어떤 새의 상형이었을 것이나 接續詞(접속사)/接尾辭(접미사) 등으로 사용되면서 본뜻을 잃어버렸다.
••••• 焉敢生心(언감생심)

鳥

훈음 까치 석/작 **부수** 절구 臼(구)
▶▶▶ 절구 臼(구) + 새 鳥(조)의 생략형 – 절구 모양과 비슷한 까치집
까치의 모양을 그렸다고 하는데 까치집을 강조한 글자로 높은 나뭇가지 사이로 마른 나무줄기나 가지를 이용하여 마치 대바구니처럼 집을 짓는 까치집의 특징을 살린 글자로 모든 글자가 다 의미요소이다.

島

훈음 섬 도 **부수** 뫼 山(산) ▶▶▶ 새 鳥(조) + 뫼 山(산) ➡ 외로운 섬 위의 새 한 마리
섬은 홀로 바다 한가운데 山(산)과 같은 것이므로 산이나 바위 위에 홀로 앉은 새 한 마리를 그려서 '섬'이라는 글자를 만들었고 절구에 곡식을 넣고 찧는(扌) 행위를 섬 도(島)를 발음으로 만든 글자가 도정(搗精)의 찧을 도(搗)자이다.
••••• 孤島(고도)/島嶼僻地(도서벽지)/無人島(무인도)/半島(반도)

훈음 닭 계 **부수** 새 鳥(조) ▶▶▶ 새 鳥(조) + 종 奚(해) → 새장에 갇혀 사는 새
닭은 새이긴 하지만 종이나 노예처럼 새장 속에 갇혀 사는 새라고 하여 새 鳥(조)와 종 奚(해) 모두 의미요소에 관여하였으며 종 奚(해)는 발음기호에도 관여하였다.
●●●●● 養鷄場(양계장)/鷄卵(계란)/鷄舍(계사)/鷄肋(계륵)

 훈음 학 학 **부수** 새 鳥(조) ▶▶▶ 새 높이 날 隺(확) + 새 鳥(조) → 날개를 크고 넓게 펼치며 나는 새
날개가 크고 고상한 새인 두루미과인 학을 뜻하기 위한 글자이므로 새 鳥(조)가 의미요소이고 隺(확) 역시 발음 겸 의미요소이다.
●●●●● 鶴首苦待(학수고대)/群鷄一鶴(군계일학)

 훈음 큰 기러기 홍 **부수** 새 鳥(조) ▶▶▶ 강 江(강) + 새 鳥(조) → 주로 물가에 서식하는 기러기
주로 강에 서식하며 강이나 강물에 사는 고기를 잡아먹고 사는 목이 긴 큰 새를 총칭하는 말로 두 글자 모두 의미요소이며 江(강)이 발음기호이다. 후에 '크다'라는 뜻을 갖게 됐다.
●●●●● 鴻雁(홍안)/魚網鴻離(어망홍리)/雪泥鴻爪(설니홍조)

훈음 봉새 봉 **부수** 새 鳥(조) ▶▶▶ 무릇 凡(범) + 새 鳥(조) → 상상 속에 파묻힌 새
상상 속의 새를 나타내는 말로 봉새 鳳(봉)은 수컷을, 봉황새 凰(황)은 암컷을 일컫는다. 임금이나 신선 등과 관련되어 주로 사용되며 일상 어휘는 아니다. 새 鳥(조)가 의미요소이고, 凡(범)이 발음기호이다.
●●●●● 鳳凰(봉황)

羽 (우)   習 (습)   弱 (약)   溺 (익)   翼 (익)   翊 (익)   翟 (적)

曜 (요)   濯 (탁)   擢 (탁)   扇 (선)   煽 (선)   翁 (옹)   翰 (한)

羽
훈음 깃 우   **부수** 제 부수
새의 두 날개를 본떠서 만든 글자라 쉽게 암기할 수 있을 것이다. 원래는 새털 가운데 하늘을 날 수 있는 힘을 가진 길고 대가 굵은 깃털을 가리키는 글자였으며 새의 깃털(羽)로 펜대를 만들어 글을 쓰던 풍습에서 햇빛 비칠 간(倝)을 발음으로 서한(書翰)의 날개 한(翰)자이다.
••••• 羽翼(우익)/羽毛(우모)/翰林學士(한림학사)

習
훈음 익힐 습   **부수** 깃 羽(우)   ▶▶▶ 깃 羽(우) + 흰 白(백) ➡ 반복과 관련
새끼새는 어미의 도움 없이 스스로(自) 날개짓(羽)을 반복하며 나는 것을 익힌다. 수없이(白=百) 날개(羽) 짓을 반복하여 날게 되는 새처럼 반복적인 훈련과 노력만이 외국어나 악기를 익히는데 도움이 된다.
••••• 學習(학습)/習慣(습관)/練習(연습)/風習(풍습)/習得(습득)

弱
훈음 약할 약   **부수** 활 弓(궁)   ▶▶▶ 활 弓(궁) + 깃 羽(우) ➡ 장식용 활
깃털(羽)을 장식으로 치장한 활(弓)은 어디까지나 장식용이지 실전용이 아니다. 따라서 매우 부서지기 쉽고 끊어지기 쉬워서 '약하다'의 대명사로 사용됐다.
••••• 強弱(강약)/弱小國(약소국)/弱骨(약골)/病弱(병약)

溺
훈음 물에 빠질 익(닉)   **부수** 물 氵(수)   ▶▶▶ 물 氵(수) + 약할 弱(약) ➡ 물에 젖은 털
물에 빠져 허우적대는 모습을 나타낸 것이므로 물 氵(수)가 의미요소이고, 弱(약)은 발음기호이다. 날개가 물에 젖어 버리면 아무짝에도 소용이 없으므로 적절한 조합을 이룬 글자이다.
••••• 溺死(익사)/耽溺(탐닉)/沒溺(몰닉)

翼
훈음 날개 익   **부수** 깃 羽(우)   ▶▶▶ 깃 羽(우) + 異(이) ➡ 새의 날개
날개를 뜻하는 글자로 깃 羽(우)가 의미요소로 다를 異(이)가 발음요소로 쓰였다.
••••• 右翼(우익)/左翼手(좌익수)
※ 異(이)와 翼(익)은 중국어로 같은 발음이다.

翊
훈음 다음날 익   **부수** 깃 羽(우)   ▶▶▶ 깃 羽(우) + 설 立(립) ➡ 깃털을 세움
아침 해가 밝게 떠오르면 새들이 날개깃을 세우는 모습에서 '떠오르는 태양, 새날'을 상징하였으나 점차로 '다음날/다음해'처럼 앞으로 밝아질 미래를 의미하게 되었다.
••••• 翊日(익일)/翊年(익년)/翊朝(익조)/翊月(익월)

翟
훈음 꿩 적   **부수** 깃 羽(우)   ▶▶▶ 깃 羽(우) + 새 隹(추)
꿩처럼 꽁지가 긴 새를 나타내는 글자였으나 단독으로 쓰이지 않고 타 글자와 함께 쓰이며, 발음요소이지만 새의 꽁지라는 의미요소에도 기여한다.
••••• 翟車(적거)

曜 훈음 빛날 요 부수 해 日(일) ▶▶▶ 해 日(일) + 깃털 羽(우) + 새 隹(추) → 햇살에 반짝이는 꿩의 날개
새(隹)의 날개(羽)가 햇빛(日)을 받아 빛나는 모습을 그린 글자이므로 모든 글자가 다 의미요소이다.
●●●●● 日曜日(일요일)

濯 훈음 씻을 탁 부수 물 氵(수) ▶▶▶ 물 氵(수) + 꿩 翟(적) → 물에 들어갔다 나온 새가 깃털을 털다
새들이 물에 묻은 물기를 터는 모습에서 나온 글자로 두 글자 모두 의미요소이며, 꿩 翟(적)은 발음에도 영향을 미친 것 같다. 오늘날에는 '세탁'의 의미로 주로 쓰인다.
●●●●● 洗濯(세탁)

擢 훈음 뽑을 탁 부수 손 扌(수) ▶▶▶ 손 扌(수) + 꿩 翟(적) → 꽁의 깃털을 뽑아 펜대로 쓰다
새의 깃털을 뽑는 것을 뜻하므로 손 扌(수)와 긴 꽁지나 깃털이 긴 새인 꿩 翟(적) 모두 의미요소이며 翟(적)이 발음기호이다.
●●●●● 拔擢(발탁)/擢用(탁용)

扇 훈음 부채 선 부수 외짝 문 戶(호) ▶▶▶ 외짝 문 戶(호) + 깃 羽(우) → 문짝살처럼 생긴 부채살
여닫는 문짝처럼, 바람이 들어왔다 나갔다 하는 부채처럼 그 모양이나 역할이 비슷하여 두 글자 모두 의미요소로 쓰였다.
●●●●● 扇風機(선풍기)/虛風扇(허풍선)/夏爐冬扇(하로동선)

煽 훈음 부칠 선 부수 불 火(화) ▶▶▶ 불 火(화) + 부채 扇(선) → 부채로 불을 지피는 장면
풀무불이 잘 살아나라고 부채질하는 장면을 나타낸 글자로 두 글자 모두 의미요소이며 부채 扇(선)이 발음기호이다.
●●●●● 煽動(선동)/煽情(선정)

翁 훈음 늙은이 옹 부수 깃 羽(우)
▶▶▶ 공변될 公(공) + 깃 羽(우) → 새의 날개처럼 긴 머리 휘날리는 노인에 대한 경칭
새의 목털을 의미한 글자였으나 '늙은이, 노인에 대한 존칭'으로 의미가 변화되었다. 따라서 새 隹(추)가 의미요소이며 공변될 公(공)이 발음기호이다.
●●●●● 塞翁之馬(새옹지마)

非 아닐 비

非(비)   悲(비)   誹(비)   匪(비)   徘(배)

俳(배)   排(배)   輩(배)   罪(죄)   飛(비)

非

훈음 아닐 비 **부수** 제 부수

철새들이 하늘을 날며 날개를 한껏 펼쳐서 뒤로 젖혔을 때의 모습에서 영영 만날 길이 없는 평행선을 그린 다 하여 '아니다'의 뜻이 파생됐다.

••••• 非好感(비호감)/是是非非(시시비비)/非賣品(비매품)/非違(비위)/非常時(비상시)/非行(비행)/非一非再(비일비재)/非夢似夢(비몽사몽)

悲

훈음 슬플 비 **부수** 마음 心(심) ▶▶▶ 아닐 非(비) + 心(심) ➡ 영영 만나지 못해 마음이 아픔

슬픔 역시 마음에서 샘솟는 감정이므로 마음 心(심)을 의미요소로 非(비)를 발음요소로 했다.

처음엔 사랑해서 결혼했는데 차츰 의견이 나뉘더니 영영 합일점을 찾지 못하고 대립각을 세워 평행선(非)을 달리니 얼마나 마음(心)이 아프고 슬프겠는가?

••••• 悲哀(비애)/悲慘(비참)/悲感(비감)

誹

훈음 헐뜯을 비 **부수** 말씀 言(언) ▶▶▶ 말씀 言(언) + 아닐 非(비) ➡ 참다운 말이 아닌 말

말도 안 되는(非) 것을 가지고 떠들고(言) 다니는 행위를 남을 헐뜯는 중상이라 한다. 옳지 않은(非) 한 무리의(匚) 사람들을 비적(匪賊) 비(匪)

••••• 誹謗(비방)/匪徒(비도)

徘

훈음 노닐 배 **부수** 걸을 彳(척) ▶▶▶ 조금 걸을 彳(척) + 아닐 非(비) ➡ 목적지가 없이 다님

특별한 목적지를 향해 가는(彳) 게 아니라(非) 그냥 여기저기 기웃기웃하는 것을 나타낸 글자로 두 글자 모두 의미요소에 기여하며 非(비)는 발음기호로 쓰였다.

••••• 徘徊(배회)

俳

훈음 광대/배우 배 **부수** 사람 亻(인)변

▶▶▶ 사람 亻(인) + 아닐 非(비) ➡ 가면을 쓴 모습에서 '사람이 아니다'

옛 광대 즉 배우들(亻)은 보통 얼굴에 탈을 쓰고 광대놀이를 했기에 '사람이 아니다(非)'라고 한데서 유래했다. 사람 亻(인)이 의미요소이고 非(비)가 발음기호이다.

••••• 俳優(배우)

排

훈음 밀칠 배 **부수** 손 手(수) ▶▶▶ 扌(수) + 아닐 非(비) ➡ 손으로 떠 밀어 내다

떠 밀치는 행위도 손으로 하는 일이다. 따라서 손 手(수)를 의미요소로 非(비)를 발음기호로 했다. 아닌 것(非)은 받아들이지 않고 내친다(扌)는 의미. 던질 投(투)에서 손 扌(수)자가 내던지는 즉 받아들이지 않고 내치는 의미를 가지고 있음을 볼 수 있다.

••••• 排斥(배척)/排他(배타)/排泄(배설)

輩 훈음 무리 배 부수 수레 車(거) ▶▶▶ 아닐 非(비) + 수레 車(거) ➡ 야타족

무리지어 있는 늘어서 있는 많은 수레를 나타내는 글자로 수레 車(거)가 의미요소이고, 아닐 非(비)는 발음 기호이다. 한때 강남 등지에서 고급차를 몰고 다니며 지나가는 아가씨들을 "야 타"해서 유혹하던 젊은이들을 빗대어 '야 타 족'이라고 했었다. 과거에도 가오다시를 하기 위해 수레(車)를 타고 돌아다니던 인간 같지도 않은(非) 무리들이 있었나보다.

●●●●● 同年輩(동년배)/輩出(배출)/年輩(연배)/先後輩(선후배)

罪 훈음 허물 죄 부수 그물 网(망) ▶▶▶ 아닐 非(비) + 그물 罒(망) ➡ 그물에 걸린 새

새장(罒) 안에 갇혀 날개를 잃어버린 모습, 즉 활동에 제약을 받게 되었다. 죄를 지으면 철창신세는 당연하다. 두 글자 모두 의미요소이다.

●●●●● 罪囚(죄수)/犯罪(범죄)/謝罪(사죄)/免罪符(면죄부)

飛 훈음 날 비 부수 제 부수 ▶▶▶ 되 升(승) + 깃 羽(우) ➡ 날개 짓을 하며 날아오르는 모습

철새처럼 큰 새들이 날개를 활짝 펼치고 웅장하게 날아가는 모습을 그대로 옮겨 단순 간결하게 표현한 글자로 새의 나는 모습에서 '날다'가 파생됐다.

●●●●● 飛行機(비행기)/烏飛梨落(오비이락)/飛躍(비약)/飛火(비화)

采(변) 番(번) 審(심) 播(파) 燔(번) 飜(번) 潘(반) 奧(오)

采
훈음 분별할 변 부수 제 부수 – 동물의 발자국 모양 ▶▶▶ 丿(별) + 쌀 米(미)
땅에 찍힌 짐승 발자국의 상형으로 새 발톱처럼 날카로운 동물의 발자국을 말하는 글자로서 홀로 쓰이는 경우는 거의 없으며 타 글자의 구성에 의미요소로 많이 쓰인다. 현재의 글자꼴에서 마치 쌀(米)을 손바닥 위에 올려놓고 분별하는(丿) 모습으로 보이기도 하지만 관련성은 없으며 분별할 辨(변)의 원글자이다.

番
훈음 갈마들 번 부수 밭 田(전) ▶▶▶ 분별할 采(변) + 밭 田(전) ➡ 밭에 난 새(짐승) 발자국
밭(田)에 번갈아 나 있는 짐승 발자국의 모습에서 '갈마(번갈아)들다, 차례'의 뜻이 생겼으며 두 글자 모두 의미요소로 사용되었다. 일설에는 田(전)이 발바닥이 뭉툭한 짐승의 발자국이라는 설도 있다.
●●●●● 番號(번호)/順番(순번)/當番(당번)/番地(번지)

審
훈음 살필 심 부수 집 宀(면) ▶▶▶ 집 宀(면) + 갈마들 番(번) ➡ 집 안에 들어온 범인의 발자국을 살핌
집(宀) 안에 들어온 범인을 알아내기 위해 발자국(采-番)을 자세히 살펴보는 모습에서 '살피다, 자세히 하다'의 뜻이 파생되었다. 따라서 두 글자 모두 의미요소로 사용됐다.
●●●●● 審判(심판)/誤審(오심)/審問(심문)/審査(심사)/主審(주심)

播
훈음 뿌릴 파 부수 손 扌(수) ▶▶▶ 손 扌(수) + 갈마들 番(번) ➡ 밭에 씨 뿌리는 모습
손으로 밭에 씨를 뿌리는 모습을 나타낸 글자로 두 글자 모두 의미요소이며, 番(번)이 발음기호임을 산 이름 嶓(파)나 펄 譒(파)에서 엿볼 수 있다.
●●●●● 播種(파종)/直播(직파)/俄館播遷(아관파천)/傳播(전파)

燔
훈음 구울 번 부수 불 火(화) ▶▶▶ 불 火(화) + 차례 番(번) ➡ 돌려가며 고기를 굽는 모습
새나 동물의 고기를 굽다가 원뜻이므로 불 火(화)가 의미요소이며 番(번)이 발음기호이다.
재미있는 사실은 番(번)이 번갈아 난 동물의 발자국이므로 잡힌 새나 동물을 의미하며, 그렇게 잡힌 동물을 불에 굽는 모습으로 볼 수도 있다.
●●●●● 燔祭(번제)/燔肉(번육)/燔鐵(번철)

飜
훈음 뒤칠 번 부수 날 飛(비) ▶▶▶ 차례 番(번) + 날 飛(비) ➡ 날개를 번갈아 퍼덕이는 모습
날개를 번갈아 퍼덕이며 날아가는 새의 모습에서 '뒤집다, 뒤집히다, 변하다'의 뜻이 파생된 글자로 두 글자 모두 의미요소이며 차례 番(번)이 의미요소이다.
●●●●● 飜譯(번역)/飜覆(번복)/飜案(번안)/翻意(번의)

潘
훈음 뜨물 반 부수 물 氵(수) ▶▶▶ 물 氵(수) + 차례 番(번)
제 8대 유엔사무총장에 한국 사람인 潘(반)기문 씨가 선출되어 자주 접하게 된 글자로 주로 성씨와 관련되어 사용된다. 番(번)이 발음기호이다.

奧
훈음 속/깊을 오 부수 큰 大(대) ▶▶▶ 집 宀(면) + 분별할 采(변) + 큰 大(대) ➡ 양 손으로 치켜들고 자세히 살펴봄
審(심)의 윗부분과 두 손(廾)의 합자로 양 손으로 치켜들고 구석구석을 자세히 살펴보는 모습에서 '속, 깊다, 구석'의 뜻이 파생되었으며 모든 글자가 의미요소에 기여한다.
●●●●● 奧地(오지)/奧妙(오묘)/深奧(심오)

乙(을)　　　乞(걸)　　　乾(건)　　　乳(유)　　　孔(공)　　　亂(난)

乙
훈음 새 을　부수 제 부수
현재의 글자로는 새가 기어가는 모습으로 보아 '새'라고 할 수 있으나 새와는 전혀 관계 없는 글자다. '봄에 초목이 구부정하게 자라는 모습'이나 '꼬불꼬불 아지랑이 피는 모습' '구부정한 지렁이 모습'으로 밖에 볼 수 없으므로 '쓰임새'로 외워두자. 시간 순서로 '두번째'요 甲論乙駁(갑론을박)이나 甲男乙女(갑남을녀)에서는 '아무개'를 뜻한다.
••••• 乙種(을종)/乙巳條約(을사조약)/乙未事變(을미사변)

乞
훈음 빌 걸　부수 새 乙(을)　▶▶▶ 사람 人(인) + 새 乙(을) ➡ 굽신대는 모습
'구부정한 사람'의 모습으로 행색이 초라하고 남에게 굽신대는 모습이란 결국 아쉬운 소리를 남에게 한다는 말이므로 '빌다'의 뜻이 당연히 파생되지 않았을까? – 정설은 없다.
••••• 求乞(구걸)/門前乞食(문전걸식)/乞人(걸인)

乾
훈음 하늘 건/마를 건　부수 새 乙(을)　▶▶▶ 十 + 早(조) + 人(인) + 乙(을)
줄기 幹(간)에서 보듯 乾(건)에서 乙(을)을 뺀 부분의 발음이 '건, 간'이며, 솟아오른 태양(日)이 자라는 초목(乙)까지 말라 버리게 한다 하여 '마르다/건조'의 뜻이 파생되었을까?
••••• 乾杯(건배)/乾燥(건조)/乾草(건초)

乳
훈음 젖 유　부수 새 乙(을)　▶▶▶ 孚(부) + 乙(을) ➡ 젖 먹이는 어머니
어머니가 어린아이를 감싸고 젖 먹이는 모습을 그린 글자다. 새 乙(을)은 어머니가 아기에게 젖을 먹이기 위해 몸을 구푸린 것이고, 나머지는 손(爪)으로 젖 먹이기 위해 어린아이(子)를 감싸안고 있는 모습으로 참으로 푸근한 느낌을 주는 글자이다.
••••• 乳房(유방)/乳脂肪(유지방)/母乳(모유)

孔
훈음 구멍 공　부수 아들 子(자)　▶▶▶ 아들 子(자) + 새 乙(을) ➡ 젖 먹이는 어머니의 유방
아이(子)에게 젖을 먹이는 어머니나 여자의 모습으로 여겨진다. 따라서 둥근 유방의 모습에서 둥글다, 젖이 나오는 乳腺(유선)에서 구멍이라는 뜻의 글자들이 만들어졌다. 여기서 새 乙(을)의 모습은 젖 乳(유)에서 보듯이 어머니의 모습임을 알 수 있다.
••••• 孔子(공자)/瞳孔(동공)/毛孔(모공)

亂
훈음 어지러울 란　부수 새 乙(을)
▶▶▶ 손 爪(조) + 실 糸(사) + 손 又(우) + 새 乙(을) ➡ 헝클어진 실을 실패에 감는 여인네
헝클어진 실패(糸)를 양 손(爪 + 又)을 이용하여 바로잡는 모습에서 '어지럽다' 어지럽던 실패를 바로 잡았다 하여 '다스리다'의 뜻이 파생됐다. 여기서 乙(을)은 몸을 굽혀 그 행위를 하는 여인네로 여겨진다.
••••• 騷亂(소란)/心亂(심란)/淫亂(음란)/亂世(난세)

也(야)　　　地(지)　　　池(지)　　　他(타)　　　弛(이)　　　施(시)

也
훈음 어조사 야　부수 새 乙(을) – 여성의 생식기 모양
설문해자는 여성 음부의 상형이라 하고, 갑골문에서는 독이 잔뜩 오른 뱀이라 했다.
••••• 言則是也(언즉시야)

地
훈음 땅 지　부수 흙 土(토)　▶▶▶ 흙 土(토) + 어조사 也(야) ➡ 둘 다 생산의 상징
모습이 많이 바뀐 글자나 의미상으로는 흙(土)과 뱀(也)을 합한 글자로 파충류가 기어 다니는 땅이 본뜻
이나 여성의 음부를 상징하는 也(야)가 사용되면서 둘 다 '생산'을 상징하는 땅(土)과 어머니가 딱 맞아떨어
진 글자가 되었다.
••••• 地球(지구)/天地(천지)/地上(지상)

池
훈음 못 지　부수 물 氵(수)　▶▶▶ 물 氵(수) + 어조사 也(야) ➡ 늘 물기가 있어 축축한 곳
물이 많이 고인 못이나 연못 혹은 웅덩이를 뜻한다. 그러므로 물 氵(수)가 의미요소이고 也(야)는 발음기호
임이 땅 地(지)자도 마찬가지다. 여성의 음부가 늘 陰濕(음습)하므로 의미가 같다고 할 수 있다.
••••• 潢池(황지)/電池(전지)/酒池肉林(주지육림)/貯水池(저수지)

他
훈음 다를 타　부수 사람 亻(인)　▶▶▶ 사람 亻(인) + 어조사 也(야) ➡ 사람마다 그곳이 다름
다른 사람을 나타내기 위한 글자이므로 사람 亻(인)이 의미요소이고, 也(야)가 발음기호임은 무너질 陁(타)
에서도 알 수 있다.
••••• 他人(타인)/排他的(배타적)/他界(타계)/他國(타국)/利他(이타)/自他共認(자타공인)/他鄕(타향)

弛
훈음 늦출 이　부수 활 弓(궁)
▶▶▶ 활 弓(궁) + 어조사 也(야) ➡ 줄었다 늘어났다 하는 활의 특징(음경의 특징)
張(장)이 화살줄을 크게 당기는 모습이라면 弛(이)는 화살줄을 손에서 놓아 푸는 모습의 글자로 수축하는
여성 음부를 가리키는 也(야)를 이용하여 만든 흥미있는 글자이다. 따라서 두 글자 모두 의미요소로 사용되
었다.
••••• 弛緩(이완)/解弛(해이)

施
훈음 베풀 시　부수 모 方(방)　▶▶▶ 깃발 언(方+人) + 어조사 也(야) ➡ 많은 군인들에게 몸을 주는 위안부
깃발(方+人) 아래 여자의 생식기(也)가 왜 있을까? 우리네 할머니들이 일본군의 위안부로 性(성)노리개가
되었다는 이야기를 알고 있을 것이다. 전쟁을 하느라 오래 굶주린 병사들에게 줄 수 있는 최상의 선물은
'여자'였을 것이다.
••••• 施設(시설)/施行(시행)/施工(시공)/施賞(시상)/布施(보시)

九(구)　　　丸(환)　　　究(구)　　　軌(궤)　　　染(염)

九
훈음 아홉 구　부수 새 乙(을) ➡ 끝장을 보다
손과 팔뚝을 상형한 글자로 팔꿈치의 뜻을 갖는 글자였으나, 숫자 9로 차용되자 따로 팔꿈치 肘(주)를 만들
었으며 이 九(구)자가 들어가는 글자는 '끝까지 하다'라는 뜻이 내포되었다. 그것은 십진수의 숫자로는 마지
막 숫자이기 때문이다.
••••• 九死一生(구사일생)/九牛一毛(구우일모)

丸 훈음 알 환 부수 점 ﹅(주) ▶▶▶ 아홉 九(구) + 점 ﹅(주) ➡ 사람이 몸을 둥그렇게 만듦
사람이 몸을 둥글게 하여 즉 구푸려 무엇인가를 하고 있는 모습이 마치 둥근 공이나 구슬 모양 같아서 '알' 환이 되었다.
●●●●● 丸藥(환약)/丸劑(환제)/彈丸(탄환)

究 훈음 궁구할 구 부수 아홉 九(구) ▶▶▶ 굴 穴(혈) + 아홉 九(구) ➡ 굴 끝까지 파고들다
깊이 파고들다가 원뜻으로 구멍 穴(혈)이 의미요소이며 아홉 九(구)는 발음기호이다. 사물의 이치를 캐기 위해서도 깊이 파고들어야 한다는 추상적 의미로 뜻이 확대됐다.
●●●●● 研究(연구)/探究(탐구)/學究熱(학구열)/窮究(궁구)
※ 窮究(궁구) - 깊이 파고들어 연구함.

軌 훈음 길/바퀴 자국 궤 부수 수레 車(거) ▶▶▶ 수레 車(거) + 아홉 九(구) ➡ 수레가 다니는 자국/길
수레바퀴 자국을 말하는 글자로 수레 車(거)가 의미요소이고, 아홉 九(구)는 발음기호이다.
●●●●● 軌道(궤도)/狹軌列車(협궤열차)

染 훈음 물들일 염 부수 나무 木(목)
▶▶▶ 물 氵(수) + 아홉 九(구) + 나무 木(목) ➡ 물감에 여러 번 담가 물들임
나무(木)에서 채취한 물감용 수액(氵)에 여러 번(九) 담가야 실이나 천이 물들어지는 과정을 나타낸 글자로 모든 글자가 다 의미요소이며 '물들이다/물들다/더러워지다'가 파생된 뜻이다.
●●●●● 染色(염색)/汚染(오염)/感染(감염)/染料(염료)

虫 벌레 충

虫(충)　　蟲(충)　　融(융)　　強(강)　　風(풍)　　蟄(칩)
蜀(촉)　　觸(촉)　　燭(촉)　　屬(속)　　獨(독)　　濁(탁)

虫 　훈음 벌레 충/훼 　부수 제 부수 　▶▶▶ 징그러운 벌레 ➡ 꿈틀대는 벌레들의 총칭
벌레 훼 라고도 읽으며 벌레 蟲(충)의 약자라고도 한다. 원래는 벌레의 대표로 생각된 뱀 모양에서 비롯된 글자로 물론 벌레의 뜻으로도 사용되며, 食蟲(식충)이에서는 '사람'으로, 井底之蛙(정저지와)에서는 '개구리'와 같은 兩棲類(양서류)등에도 사용됨을 볼 수 있다.

蟲 　훈음 벌레 충 　부수 벌레 虫(충)
우글거리는 벌레를 상징하는 말로서 갑골문을 보면 여러 마리의 벌레들이 오글오글 대는 모습을 보여준다. 이 우글거리는 벌레들의 모습에서 '움직이다'가 파생되었다.
▶▶▶▶▶ 病蟲害(병충해)/害蟲(해충)/昆蟲(곤충)/蟲齒(충치)

融 　훈음 화할 융 　부수 벌레 虫(충/훼) 　▶▶▶ 솥 鬲(력) + 벌레 虫(충/훼) ➡ 솥에 무엇을 삶아 하나로 녹임
세발솥의 대표격인 솥 鬲(력)과 벌레 蟲(충)의 합자였던 것이 벌레 虫(충/훼)로 간소화된 글자다. 솥에 무엇을 넣고 삶자 마치 벌레들이 우글거리듯이 증기가 벌레처럼 솟아오르는 모습에서 '막힘없이 통하다/다 녹아들다'의 뜻을 가지게 되었으므로 모두가 다 의미요소이다.
▶▶▶▶▶ 融和(융화)/金融(금융)/融資(융자)/融通(융통)

強 　훈음 굳셀 강 　부수 활 弓(궁) 　▶▶▶ 弘(弓+口=厶) + 벌레 虫(충) ➡ 단단한 껍질을 갖는 벌레
활(弓)처럼 등이 굽고 단단한 껍질을 뒤집어쓰고 있는 딱정벌레(虫)의 일종인 바구미를 나타낸 글자였으나 점차 '강하다'로 의미 확대됐다. 클 弘(홍)이 발음요소이다.
▶▶▶▶▶ 強力(강력)/強盜(강도)/強大(강대)/強辯(강변)

風 　훈음 바람 풍 　부수 제 부수 　▶▶▶ 무릇 凡(범) + 벌레 虫(충) ➡ 무가 바람 들다
벌레 먹었다(虫)를 흔히 바람 들었다고 한다. 특히 무가 바람이 들면 속이 듬성듬성해지고 육질이 탄력이 없어지고 맛도 사라진다. 찬기 즉 찬바람이 사람의 몸에 들어오는 게 感氣(감기)이고 잡히지(執)않으려고 숨는 벌레들(虫)의 행동이 경칩(驚蟄)/칩거(蟄居)의 숨을 칩(蟄)이다.
▶▶▶▶▶ 颱風(태풍)/虛風(허풍)/暴風雨(폭풍우)/風車(풍차)/風扇(풍선)

蜀 　훈음 나라 이름/벌레 촉 　부수 벌레 虫(충/훼)
▶▶▶ 눈 目(목) + 勹(포) + 벌레 虫(충) ➡ 누에와 같은 벌레
몸체가 둥그렇게 말린 벌레의 몸체와 눈만 강조한 그림으로 분명 누에와 같은 머리 큰 벌레를 상징했을 것이다. 지금은 단독 사용이 거의 없다.

觸 　훈음 닿을 촉 　부수 뿔 角(각) 　▶▶▶ 뿔 角(각) + 벌레 蜀(촉) ➡ 벌레의 안테나와 동물의 뿔로 받거나 닿다
뿔로 떠받다가 원뜻이므로 뿔 角(각)이 의미요소이고 蜀(촉)은 발음기호이다.
▶▶▶▶▶ 觸覺(촉각)/接觸(접촉)/觸感(촉감)/一觸卽發(일촉즉발)/抵觸(저촉)/感觸(감촉)/燭數(촉수)

燭
훈음 촛불 촉 　부수 불 火(화)
➤➤➤ 불 火(화) + 촉나라 蜀(촉) ➡ 촛불에서 올라가는 불꽃이 벌레 같다
촛불을 뜻하기 위한 글자로 불 火(화)가 의미요소이고 蜀(촉)은 발음기호이다.
●●●●● 燭臺(촉대)/華燭(화촉)

屬
훈음 엮을 속/이을 촉 　부수 주검 尸(시)
➤➤➤ 꼬리 尾(미) + 나라이름 蜀(촉) ➡ 꼬리를 묶어 연결함
동물의 꼬리나 꼬리털을 연이어 묶어 놓아 연결한 모습으로 꼬리 尾(미)를 의미요소로 蜀(촉)을 발음요소로
하여 만든 글자이다.
●●●●● 附屬(부속)/無所屬(무소속)/專屬(전속)/屬望(촉망)

獨
훈음 홀로 독 　부수 개 犬(견)　➤➤➤ 개 犭(견) + 벌레 蜀(촉) ➡ 먹을 때는 홀로
눈이(目) 강조된 벌레(虫)로서 뽕잎에 붙어 있는 누에(蜀)와 개(犭)의 공통점은 먹을 게 생기면 홀로 조용
히 말도 없이 먹는다는 것에서 '홀로, 외롭다'가 탄생했으며 시궁창에 득실대는 벌레(蜀)로 인해 물(氵)이
탁하니 탁주(濁酒)의 흐릴 탁(濁)
●●●●● 孤獨(고독)/獨立(독립)/獨身(독신)/唯我獨尊(유아독존)/混濁(혼탁)/濁流(탁류)

蚤(조)　　騷(소)　　蜂(봉)　　蝶(접)　　螢(형)　　蝕(식)　　蛇(사)

蚤
훈음 벼룩 조 　부수 벌레 虫(충)　➤➤➤ 叉(차) + 丶 + 虫(충) ➡ 사람을 긁게 만드는 벌레
사람이나 동물의 몸에 붙어 피를 빨아 먹는 작은 벌레(虫)를 가리키는 말로서 벌레에 물려 가려운 곳을 손
으로(又) 여기저기 긁는 모습을 그린 글자다.

騷
훈음 떠들 소 　부수 말 馬(마)
➤➤➤ 말 馬(마) + 벼룩 蚤(조) ➡ 벼룩이 물자 날뛰는 말
벼룩(蚤)이 말(馬)등에 붙어 피를 빨아먹거나 깨물게 될 때 말이 가렵고/괴로워서 소리를 지르며 길길이
날뛰는 모습에서 생긴 글자다.
●●●●● 騷擾(소요)/騷亂(소란)/騷動(소동)/騷音(소음)

蜂
훈음 벌 봉 　부수 벌레 虫(충)
➤➤➤ 벌레 虫(충) + 끌 夆(봉) ➡ 벌도 벌레다
벌을 의미하므로 벌레 虫(충)이 의미요소이고 끌다 夆(봉)이 발음기호이다.
●●●●● 蜜蜂(밀봉)/養蜂(양봉)/蜂起(봉기)/蜂蝶(봉접)

蝶
훈음 나비 접 　부수 벌레 虫(충)　➤➤➤ 벌레 虫(충) + 엷을 葉(엽) ➡ 나무 잎사귀와 비슷한 날개 가진 벌레
나비를 나타내는 글자로 벌레 虫(충)이 의미요소이고, 엷을 葉(엽)이 발음기호이다.
●●●●● 蝶泳(접영)/蜂蝶(봉접)

螢
훈음 개똥벌레 형 　부수 벌레 虫(충)
➤➤➤ 불꽃 炎(염) + 冖(멱) + 벌레 虫(충) ➡ 빛을 발하는 벌레
몸통 전체 특히 꼬랑지 부분에서 빛을 발하는 벌레인 개똥벌레를 나타낸 글자로 벌레 虫(충)과 나머지 글
자 전체가 의미요소이다.
●●●●● 螢雪之功(형설지공)/螢光燈(형광등)

蝕　훈음 좀먹을 식　부수 벌레 虫(충)　▶▶▶ 밥 食(식) + 벌레 虫(충) → 벌레가 먹다

참으로 재미있는 글자로서 먹을 食(식)을 발음기호로 음식물을 좀먹는 벌레(虫)를 더하여 무엇인가를 갉아 먹고 좀먹는다는 글자를 만들어 냈다.

●●●●● 皆旣日蝕(개기일식)/月蝕(월식)/日蝕(일식)

蛇　훈음 뱀 사　부수 벌레 虫(충)　▶▶▶ 벌레 虫(충) + 다를 타/뱀 사(它) → 뱀도 벌레다

뱀 它(사)가 갑골문에서는 발바닥의 상형인 止(지)와 몸통을 꼿꼿이 세운 파충류가 그려져 특히 사람의 발을 무는 뱀임을 알려주었으나, 점차로 지시대명사인 '다른'이라는 뜻으로 사용되자 본뜻인 뱀임을 분명히 하기 위해 벌레 虫(충)을 더하여 만든 글자다. 두 글자 모두 의미요소이며 뱀 사(它)가 발음기호이다.

●●●●● 毒蛇(독사)/蛇足(사족)/白蛇(백사)/龍頭蛇尾(용두사미)

魚(어)　漁(어)　鮮(선)　蘇(소)　鯨(경)　鰍(추)　鱗(린)　鮑(포)

훈음 고기 어　**부수** 제 부수

머리와 몸체 그리고 꼬리와 지느러미 및 비늘까지 완벽하게 그려 놓은 물고기의 모습을 그대로 글자로 만든 상형문자이다.

••••• 魚頭肉尾(어두육미)/魚雷(어뢰)/魚缸(어항)/養魚(양어)

훈음 고기 잡을 어　**부수** 물 氵(수)　▶▶▶ 물 氵(수) + 물고기 魚(어) ➡ 물에 가서 고기 잡다

물에 사는 고기를 잡으러 가다가 본뜻이므로 두 글자 모두 의미요소이고 魚(어)가 발음기호이다. "산에 가야 범을 잡고 물(氵)에 가야 고기(魚)를 잡지".

••••• 漁獲(어획)/漁父之利(어부지리)/漁村(어촌)/出漁(출어)

훈음 고울/깨끗할/뚜렷할 선　**부수** 고기 魚(어)　▶▶▶ 고기 魚(어) + 양 羊(양) ➡ 맛있는 양고기

맛이 뛰어나고 살아 있는 신선한 생선을 뜻하기 위함이어서 물고기 魚(어)와 양 羊(양) 모두 의미요소로 사용됐다. 가장 맛있는 고기가 양(羊)고기라 하여 맛있고 신선한 물고기(魚)라는 의미에서 파생되었다고도 한다.

••••• 生鮮(생선)/鮮明(선명)/新鮮(신선)

훈음 차조기/소생할 소　**부수** 풀 ++(초)

▶▶▶ 풀 ++(초) + 고기 魚(어) + 벼 禾(화) ➡ 고기 먹고, 밥 법고, 약초 먹어야 소생함

중병에 걸린 환자나 다친 사람이 원기를 회복하기 위해선 밥(禾)과 고기(魚)를 잘 먹어야 하고 그에 더하여 약(++)을 달여 먹으면 병이 나아 원기를 회복한다는 의미의 글자다.

••••• 蘇生(소생)

훈음 고래 경　**부수** 고기 魚(어)　▶▶▶ 고기 魚(어) + 서울/클 京(경) ➡ 제일 큰 고기

서울(京)(큰 도시)만큼 엄청나게 큰 고기(魚)가 바로 고래이며 京(경)은 발음과 의미 모두에 기여했음을 볼 수 있다.

••••• 捕鯨船(포경선)/鯨戰鰕死(경전하사)

훈음 미꾸라지 추　**부수** 고기 魚(어)　▶▶▶ 고기 魚(어) + 가을 秋(추) ➡ 가을 고기

가을(秋)에 먹어야 효과 좋다는 살 오른 고기(魚)가 추어(鰍魚)탕의 미꾸라지 추(鰍)이고, 어류(魚)는 비늘이 특징이므로 도깨비 불 린(粦)을 발음기호로 편린(片鱗)의 비늘 린(鱗)자가 되었고, 쌀 포(包)를 발음으로 말린 고기(魚)를 뜻하는 관포지교(管鮑之交)의 절인 어물 포(鮑)자가

••••• 鰍魚(추어)/片鱗(편린)/銀鱗(은린)/逆鱗(역린)

貝 조개 패

貝(패)　買(매)　賣(매)　讀(독)　瀆(독)　贖(속)　續(속)

貝
훈음 조개 패　**부수** 제 부수
조가비의 모양. 조개 같은 패각류의 총칭으로 조개(貝)가 왜 돈으로 사용되었는지는 모르나 역사책에 보면 조개(貝)가 화폐대용으로 사용되었다고 한다.
••••• 貝塚(패총)/貝殼(패각)/魚貝類(어패류)

買
훈음 살 매　**부수** 조개 貝(패)　▶▶▶ 그물 罒(망) + 조개 貝(패) ➡ 돈을 주고 물건을 사 망태기에 담다
돈(貝)을 주고 물건을 사서 망(罒)태기에 담는다 하여 살 買(매)이다.
••••• 買入(매입)/購買(구매)/賣買(매매)/買收(매수)/強買(강매)

賣
훈음 팔 매　**부수** 조개 貝(패)　▶▶▶ 士(사) + 살 買(매) ➡ 돈 받고 망태기에 담긴 물건을 내주다
망태기(罒)에 있는 물건을 돈(貝)을 받고 내주는(士) 모습에서 팔다라는 글자가 탄생했다.
••••• 賣渡(매도)/賣盡(매진)/賣却(매각)/賣官賣職(매관매직)

讀
훈음 읽을 독　**부수** 말씀 言(언)　▶▶▶ 말씀 言(언) + 팔 賣(매) ➡ 물건을 팔기 위해 소리치다
물건을 팔기 위해(賣) 물품 목록이 적힌 것을 보고 큰 소리로 떠들어(言)대다, 즉 시장 통에서 호객행위를 하는 장면에서 파생된 글자이고 물(氵)에 빠졌던 물건 즉 불량품을 파는(賣) 행위가 독직(瀆職)의 도랑/더럽힐 독(瀆)자이다.
••••• 讀書(독서)/讀解(독해)/讀者(독자)/購讀(구독)/汚瀆(오독)

贖
훈음 바칠 속　**부수** 조개 貝(패)　▶▶▶ 조개 貝(패) + 팔 賣(매) ➡ 돈을 주고 죄값을 지불하다
재물을 바치고 죄를 사함받는 의미를 나타내기 위한 글자이므로 조개 貝(패)가 의미요소이고, 팔 賣(매)가 의미보조 및 발음기호이다.
••••• 代贖(대속)/贖罪(속죄)

續
훈음 이을 속　**부수** 실 糸(사)　▶▶▶ 실 糸(사) + 팔 賣(매) ➡ 끈으로 물건을 잇다
'실을 잇다'라는 뜻을 나타내기 위한 것이었으므로 실 糸(사)가 의미요소이고, 팔 賣(매)가 발음기호인 것은 바칠 贖(속)도 마찬가지다.
••••• 連續(연속)/繼續(계속)/接續(접속)

賃(임)　貸(대)　貨(화)　費(비)　貢(공)　賀(하)　資(자)

貧(빈)　賢(현)　貪(탐)　貿(무)　貫(관)　慣(관)

훈음 품팔이 임 **부수** 조개 貝(패)

➡➡➡ 맡길 任(임) + 조개 貝(패) ➡ 맡겨진 일을 완수하고 돈을 받다

돈을 주고 사람을 고용하다가 본뜻이므로 조개 貝(패)가 본뜻이고 맡길 任(임)이 발음기호이다.

●●●●● 賃金(임금)/賃貸(임대)

훈음 빌릴 대 **부수** 조개 貝(패)　➡➡➡ 대신할 代(대) + 조개 貝(패) ➡ 돈을 빌리다

돈을 빌려주고 받는 행위를 나타내는 뜻이므로 조개 貝(패)가 의미요소이고 代(대)는 발음기호이다.

●●●●● 賃貸(임대)/貸與(대여)/貸出(대출)/貸付(대부)

훈음 재화 화 **부수** 조개 貝(패)　➡➡➡ 될 化(화) + 조개 貝(패) ➡ 돈이 될 만한 물건

재화 즉 돈을 상징하는 글자이므로 조개 貝(패)를 의미요소로 化(화)는 발음기호로 쓰였다.

●●●●● 貨物(화물)/財貨(재화)

훈음 쓸 비 **부수** 조개 貝(패)　➡➡➡ 아니 弗(불) + 조개 貝(패) ➡ 돈을 쓰다

돈을 쓰다가 본뜻이니 돈을 상징하는 조개 貝(패)가 의미요소이고, 弗(불)은 발음기호이다.
돈(貝)이 아니다(弗), 즉 돈(貝)이 활(弓)에서 화살(丨)이 날아가듯 날아가 버렸다. 불(弗)의 모양에서 유추하여 날아간 돈(貝) 즉 사용되어진 비용이다.

●●●●● 費用(비용)/損費(손비)/消費(소비)

훈음 바칠 공 **부수** 조개 貝(패)　➡➡➡ 공 工(공) + 조개 貝(패) ➡ 돈(공물)을 바치다

누군가에 특히 나라에 세금 따위를 바치는 것을 나타낸 글자로 조개 貝(패)가 의미요소이고, 공 工(공)이 발음기호이다.

●●●●● 貢獻(공헌)/貢物(공물)

훈음 하례 하 **부수** 조개 貝(패)　➡➡➡ 더할 加(가) + 조개 貝(패) ➡ 돈 봉투를 건네

결혼식 하객으로 참석하여 축하할 때 말에 더하여(加) 돈 봉투(貝)를 첨부해야 진정으로 축하하는 것이 된다. 여기서 加(가)는 발음요소로 쓰였다.

●●●●● 賀客(하객)/賀禮(하례)/祝賀(축하)/年賀狀(연하장)

훈음 재물 자 **부수** 조개 貝(패)　➡➡➡ 버금 次(차) + 조개 貝(패) ➡ 돈이 될 만한 재물

次(차)를 발음기호로 재물을 상징하는 화폐인 조개(貝)를 더하여 재물 資(자)를 만들었다.

●●●●● 資産(자산)/資本金(자본금)/投資(투자)/融資(융자)

훈음 가난할 빈 **부수** 조개 貝(패)　➡➡➡ 나눌 分(분) + 조개 貝(패) ➡ 재산을 나누어주니 가난해진다

재산이나 가지고 있는 물질을 남에게 나누어(分) 주면 결코 부자가 될 수 없을까? 따라서 물질을 분배하면 몫이 적어진다에서 파생된 글자이므로 두 글자 모두 의미요소이다.

●●●●● 貧困(빈곤)/貧富(빈부)/極貧(극빈)

훈음 어질 현 **부수** 조개 貝(패)

➡➡➡ 臣(신) + 又(우) + 조개 貝(패) - 발음기호 ➡ 불쌍한 사람을 돈으로 구해줌

몸이 움츠러드는 모습을 나타내는 이 두 글자(臣+又)에서 보듯 포박당한 죄인이 한없이 처량한 모습으로 돈(貝)을 써서 풀려나고자 한다 하여 '어질다, 현명하다'의 뜻이 파생됐다.

●●●●● 賢者(현자)/賢明(현명)/賢母良妻(현모양처)/賢淑(현숙)

훈음 탐할 탐 **부수** 조개 貝(패)　➡➡➡ 이제 今(금) + 조개 貝(패) - 발음기호 ➡ 재물을 탐하다

이제 今(금)을 발음기호로 탐욕이란 흔히 재물을 탐하는 것을 말하므로 재물을 상징하는 돈(貝)을 첨가하여 탐하다는 글자를 만들어 냈다.

●●●●● 貪心(탐심)/貪慾(탐욕)/食貪(식탐)

貿 훈음 바꿀 무 부수 조개 貝(패) ▶▶▶ 卯(묘) + 조개 貝(패) ➡ 물품과 돈을 바꾸다

돈과 물건을 '바꾸다'는 뜻을 나타내기 위한 것이므로 조개 貝(패)가 의미요소고 卯(묘)는 발음기호이다. 훗날 '장사하다' 등으로 뜻이 확대됐다.

●●●●● 貿易(무역)/貿易風(무역풍)

貫 훈음 꿸 관 부수 조개 貝(패) ▶▶▶ 꿰뚫을 毌(관) + 조개 貝(패) – 발음기호 ➡ 동전을 꿰다

엽전 꾸러미를 나타낸 글자이므로 꿸 毌(관) 조개 貝(패) 모두 의미요소로 쓰였다.

●●●●● 貫通(관통)/貫徹(관철)/一貫(일관)/始終一貫(시종일관)

慣 훈음 버릇 관 부수 마음 心(심) ▶▶▶ 마음 忄(심) + 꿸 貫(관) ➡ 늘 똑같은 행동을 하는 것

사람의 뿌리 깊은 습관이나 버릇을 나타내는 말이므로 마음 忄(심)이 의미요소이고 꿸 貫(관)이 발음기호이다.

●●●●● 慣習(관습)/習慣(습관)/慣行(관행)/慣例(관례)

賈(가)   價(가)   貞(정)   負(부)   貴(귀)   遺(유)

賈 훈음 장사 고/값 가 부수 조개 貝(패) ▶▶▶ 덮을 襾(아) + 조개 貝(패) ➡ 물건값도 돈과 관련

돈(貝)을 덮는다(襾)는 것은 장사치들의 원칙 같은 것으로 원가(貝)가 얼마인지 얼마나 남기는지 모두 덮어져(襾) 있어 아무도 모른다. 따라서 두 글자 모두 의미요소에 기여하고 있으며, '덮다'에 초점을 맞추면 값 賈(가)로 읽히고, 장사치에 초점을 맞추면 賈(고)로 읽힌다.

價 훈음 값 가 부수 사람 亻(인) ▶▶▶ 亻(인) + 값 가/장사 賈(고) – 발음기호 ➡ 값나가는 사람

사고 파는(賈) 즉 장사하는 사람(亻)이 본뜻인데 사고 파는 일에 있어 가장 중요한 요소는 '물건값'이었고 '물건값'으로 돈이 오가야 하므로 조개 貝(패)가 의미요소로 쓰였다.

●●●●● 價値(가치)/原價(원가)/價格(가격)

貞 훈음 곧을 정 부수 조개 貝(패) ▶▶▶ 점 卜(복) + 조개 貝(패) ➡ 돈 받고 점 쳐준다

돈(貝)을 받고 점(卜)을 쳐준다 할지라도 점괘를 구부려서 말하지 않는 것이 '곧은, 올바른' 것이다 하여 생겨난 글자로 두 글자 모두 의미요소이다.

●●●●● 貞節(정절)/貞操(정조)/貞淑(정숙)

負 훈음 짐질 부 부수 조개 貝(패) ▶▶▶ 사람 人(인) + 조개 貝(패) ➡ 갚아야 할 돈은 짐이다

남에게 빚을 지면 돈에 종이 된다는 뜻을 가진 '빚지다'를 위해 만든 글자로, 두 글자 모두 의미요소로 '짊어지다, 승부에 지다, 책임을 지다' 등으로 의미 확대됐다.

●●●●● 負擔(부담)/負債(부채)/勝負(승부)/褓負商(보부상)

貴 훈음 귀할 귀 부수 조개 貝(패) ▶▶▶ 臾(유)의 변형 + 貝(패) ➡ 비싼 것은 잘 보관해야 함

貴(귀)의 윗부분은 가운데 中(중)과는 전혀 무관한 글자로 양 손(𦥑)으로 귀중한 것을 움켜잡으려고 하는 모습으로(臾–삼태기 궤) 돈(貝)과 어우러져 귀한 것을 의미하게 되었다.

●●●●● 貴族(귀족)/貴重品(귀중품)/高貴(고귀)

遺 훈음 끼칠/남길 유 부수 갈 辶(착) ▶▶▶ 갈 辶(착) + 귀할 貴(귀) ➡ 귀한 것을 후대에 전해 줌

'끼치다/남기다'는 것은 후대에 소중한 것을 남겨 두다라는 의미를 담고 있는 말이므로 귀할 貴(귀)를 의미요소로, 남기고 가다에서 갈 辶(착) 역시 의미요소로 하여 만들어진 글자다.

●●●●● 遺言(유언)/遺書(유서)/遺物(유물)

實(실)	寶(보)	賓(빈)	嬪(빈)	殯(빈)

實
훈음 열매 실 **부수** 집 宀(면) ▶▶▶ 집 宀(면) + 꿸 貫(관) → 많은 보물을 소유한 집
재물의 뜻을 나타내기 위해 엽전(貝) 꾸러미(毌) 즉 돈다발을 집 안(宀)에 가득 쌓아 놓았다. 이보다 더 좋은 열매가 어디 있는가? 여기서 '가득, 알맹이, 과실' 등의 뜻이 파생되었다.
●●●●● 結實(결실)/實積(실적)/實業界(실업계)/充實(충실)

寶
훈음 보배 보 **부수** 집 宀(면)
▶▶▶ 집 宀(면) + 구슬 玉(옥) + 그릇 缶(부) + 조개 貝(패) → 많은 보물을 가지고 있는 집
집 안에 금은보화가 가득 쌓여 있는 모습에서 '보화, 보배'의 뜻을 갖게 된 글자. 장군 缶(부)는 발음을 위해 훗날 추가된 글자이나 재물(玉+貝)을 담는 그릇 용기라는 뜻에서는 의미에도 기여하고 있음을 알 수 있다. 집 안(宀)에 재물(玉+貝)이 가득 담긴 용기(缶)가 어딘가에 숨겨져 있을 것이다. 그것이 곧 家寶(가보)다.
●●●●● 寶物(보물)/家寶(가보)

賓
훈음 손 빈 **부수** 조개 貝(패)
▶▶▶ 집 宀(면) + 발 止(지) + 조개 貝(패) → 손님은 집 안에 굴러들어온 보물
집안에 굴러들어온 보물이란 곧 손님을 말하는 것이다. 그만큼 옛날엔 손님들을 귀하게 여겼음을 알 수 있다. 따라서 귀한 여자가 妃嬪(비빈)의 아내 嬪(빈)이며 귀한 사람이 죽으면 제대로 갖춰서 예를 다하는 모습에서 殯所(빈소)의 염할 殯(빈)이다.
●●●●● 貴賓(귀빈)/迎賓館(영빈관)/來賓(내빈)

責(책)	積(적)	債(채)	績(적)	蹟(적)

責
훈음 꾸짖을 책 **부수** 조개 貝(패) ▶▶▶ 가시나무 朿(자) + 조개 貝(패) → 돈을 받기 위해 채찍을 휘두름
가시 돋친 나무로 만든 회초리의 상형으로 채찍을 본뜻으로 하는 朿(자 – 主으로 바뀜)와 '돈과 재물'을 상징하는 조개 貝(패)를 합친 글자. 돈을 제대로 갚지 않는 사람에게 말이든 문자적인 채찍이든 독촉하여 받아내는 풍습을 나타낸 글자로, 본뜻은 '빚'이고 '꾸짖다'는 파생된 뜻이나 이 글자가 '빚'보다는 '꾸짖다'로 더 자주 쓰이게 됐다.
●●●●● 責任(책임)/問責(문책)/叱責(질책)/職責(직책)

積
훈음 쌓을 적 **부수** 벼 禾(화) ▶▶▶ 벼 禾(화) + 꾸짖을 責(책) → 수확한 벼를 창고에 쌓아 둠
탈곡한 곡식을 가마니에 담아 창고에 차곡차곡 쌓아 두는 모습을 나타낸 글자로 벼 禾(화)가 의미요소이고, 責(책)은 발음기호이다.
●●●●● 積載(적재)/積金(적금)/積立(적립)/山積(산적)/蓄積(축적)

債
훈음 빚 채 **부수** 사람 亻(인) ▶▶▶ 사람 亻(인) + 꾸짖을 責(책) → 채무자는 채권자의 종이다
빚진 사람을 꾸짖거나 나무라서 빚을 받아내는 사상을 담고 있는 글자로, '빚'의 의미의 원글자인 責(책)의 뜻을 살리기 위해 사람 亻(인)을 첨가하여 만든 글자. 꾸짖는(責) 사람(亻)이란, 돈을 꾸어 준 사람이 갚으라고 재촉하는 사람을 말하며, 결국은 빚(債) 즉 債務(채무)가 사람(亻)을 꾸짖는(責) 거나 마찬가지다.
●●●●● 債務(채무)/債券(채권)/負債(부채)

績

훈음 실 자을 적 부수 실 糸(사)

▶▶▶ 실 糸(사) + 꾸짖을 責(책) ➡ 실도 하나하나 쌓여야 옷감이 됨

실 잣는 일을 의미하는 글자이므로 실 糸(사)를 의미요소고 責(책)은 발음기호이다.

••••• 實績(실적)/業績(업적)/成績(성적)/紡績(방적)

蹟

훈음 자취 적 부수 발 足(족) ▶▶▶ 발 足(족) + 꾸짖을 責(책) ➡ 지나온 발자국(세월)

지나온 발자국을 뜻하기 위한 글자이므로, 발 足(족)을 의미요소로 責(책)은 발음기호로 쓰였다.

••••• 史蹟(사적)

| 財(재) | 貯(저) | 販(판) | 賦(부) | 賻(부) | 賠(배) |
| 賜(사) | 賊(적) | 賤(천) | 賴(뢰) | 贈(증) | 貳(이) |

財

훈음 재물 재 부수 조개 貝(패)

▶▶▶ 조개 貝(패) + 재주 才(재) ➡ 부자가 되는 비결 - 돈을 걸어 잠가 놓다

돈(貝)이 밖으로 새나가지 않도록 단단히 걸어 잠가 놓아(才)라. 들어온 돈(貝)은 절대로 내(才)보내서는 안 된다. 두 글자 모두 의미요소이고, 才(재)가 발음기호이다.

••••• 財物(재물)/財閥(재벌)/財政(재정)/財産(재산)/財務(재무)

貯

훈음 쌓을 저 부수 조개 貝(패)

▶▶▶ 조개 貝(패) + 쌓을 宁(저) ➡ 돈을 쌓아 놓은 집 - 부자가 되는 비결

주로 돈(貝)을 쌓고 모으는 것(宁)을 가리키는 '저축'의 개념을 갖는 글자로 조개 貝(패)와 쌓을 宁(저) 모두가 의미요소이며 宁(저)는 발음을 겸한다. 돈(貝)이 밖으로 새나가지 않도록 집안에(宀) 단단히 박아(丁) 들어온 돈(貝)이 절대 밖으로 나가지 못하도록 쌓아 둬라(宁).

••••• 貯蓄(저축)/貯金(저금)/貯水池(저수지)/貯藏(저장)

販

훈음 팔 판 부수 조개 貝(패) ▶▶▶ 조개 貝(패) + 되돌릴 反(반) ➡ 돈을 받고 팔면 주인이 바뀐다

물건을 판다는 것을 나타내기 위해 거래 수단인 화폐를 상징하는 조개 貝(패)를 의미요소로 反(반)을 발음기호로 했다.

••••• 販賣(판매)/販路(판로)/市販(시판)/外販(외판)/總販(총판)

賦

훈음 구실/줄 부 부수 조개 貝(패) ▶▶▶ 조개 貝(패) + 굳셀 武(무) ➡ 힘 있는 자가 세금(돈)을 내라한다

'세금을 거두다'가 원뜻으로 조개 貝(패)가 의미요소고 굳셀 武(무)가 발음기호다. 그러나 그보다는 세금이란 강제로 즉 무력으로 돈을 거두는 것이나 마찬가지라는 뜻에서 생긴 글자로 보인다. 따라서 두 글자 모두 의미요소이다.

••••• 賦役(부역)/月賦(월부)/賦與(부여)/賦課(부과)/賦金(부금)/割賦(할부)/貢賦(공부)/天賦(천부)

賻

훈음 부의 부 부수 조개 貝(패) ▶▶▶ 조개 貝(패) + 클 甫(보) + 마디 寸(촌) ➡ 돈으로 후의를 베풀다

喪主(상주)를 돕기 위해 제공하는 금전이나 물질을 의미하는 말로써 조개 貝(패)가 의미요소이며 펼 尃(부)가 발음기호이다. 적은(寸) 돈(貝)이라도 모이면 크게(甫) 도움이 된다. 초상을 치르기 위해 목돈이 필요하나 조문객들이 내고 간 적은 돈들이 모여 요긴하게 사용된다.

••••• 賻儀金(부의금)/賻助(부조)

賠 　**훈음** 물어줄 배 　**부수** 조개 貝(패) 　➡➡➡ 조개 貝(패) + 부(立+口) ➡ 물어줄 땐 배로

물어주고 배상하기 위해선 갑절로 해야 하는 경우가 많다. 따라서 부풀어오르다의 뜻을 갖는 부(立+口)가 의미요소 및 발음요소로 화폐를 상징하는 조개 貝(패)는 의미요소이다.

●●●●● 賠償(배상)/賠償金(배상금)

賜 　**훈음** 줄 사 　**부수** 조개 貝(패) 　➡➡➡ 조개 貝(패) + 바꿀 易(역) ➡ 돈의 주인이 바뀐다

"윗사람이 아랫사람에게 주다"는 뜻인데 예나 지금이나 주는 것 가운데 돈이 가장 으뜸이므로 돈을 상징하는 조개 貝(패)가 의미요소이고, 바뀔 易(역)은 '주는 것이므로' 소유주가 바뀐다(易(역) 하여 더해진 것으로 여겨진다.

●●●●● 恩賜(은사)/下賜(하사)/賜藥(사약)

賊 　**훈음** 도둑 적 　**부수** 조개 貝(패) 　➡➡➡ 조개 貝(패) + 무기 戎(융) ➡ 강제로 돈을 빼앗는 것은 도둑이다

도적이란 귀중품을 빼앗거나 훔치거나 하는 것이므로 귀중품을 상징하는 조개 貝(패)를 의미부로 무기 戎(융) 역시 의미요소로 사용하여 만든 글자다.

※ 일설에는 則(칙) + 戈(과)의 합자이고 則(칙)은 또 솥 鼎(정) + 칼 刂(도)의 변형이므로 왕의 명령이나 당부를 솥에 새겨 넣은 것이 지켜야 할 법칙이나 명령이어서 생긴 법칙을 파괴하는 흉기로 창 戈(과)가 쓰인 글자다. 따라서 이 둘을 합한 賊(적)은 '법을 파괴하다'에서 추출한 '해치다'를 본뜻으로 삼았다고 한다.

●●●●● 盜賊(도적)/賊反荷杖(적반하장)/逆賊(역적)

賤 　**훈음** 천할 천 　**부수** 조개 貝(패)변

➡➡➡ 조개 貝(패-여기서는 돈) + 해칠 戔(잔) ➡ 강도질한 돈으로 부자된 사람은 천한 사람

아무리 부자고 많이 배워도 행동거지가 거기에 걸맞지 못하면 어울리지 않는다는 뜻으로 '천박하다'고 한다. 전쟁터에서 아니면 창을 들고 강도질하여 빼앗은 돈이야말로 천한 게 아니겠는가? 돈 貝(패)는 의미요소고 해칠 戔(잔)은 발음기호이다.

●●●●● 賤民(천민)/賤待(천대)/賤視(천시)/貴卑賤(귀비천)

賴 　**훈음** 힘입을 뢰 　**부수** 조개 貝(패) 　➡➡➡ 묶을 束(속) + 칼 刀(도) + 조개 貝(패) ➡ 돈밖에 믿을 게 없다

어그러질 랄(刺=束+刀)은 묶어 놓은 것(束)을 칼(刀)로 베어 흩어 버리는 것을 뜻한다. 무력 앞에 믿을 만한 것은 역시 재물밖에 없다는 뜻에서 조개 貝(패)와 刺(랄) 모두가 의미요소로 쓰였으며, 刺(랄)이 발음기호임은 나팔 喇(라)에서도 알 수 있다.

●●●●● 信賴(신뢰)/依賴(의뢰)

贈 　**훈음** 보낼 증 　**부수** 조개 貝(패) 　➡➡➡ 조개 貝(패) + 일찍 曾(증) ➡ 귀중한 것을 보낸다

돈이나 귀중품을 선물하다라는 뜻으로 만들어진 글자로 조개 貝(패)가 의미요소고 曾(증)이 발음기호이다. '거저 주다'의 뜻으로도 확대됐다.

●●●●● 贈呈(증정)/贈與(증여)/寄贈(기증)

貳 　**훈음** 두 이 　**부수** 조개 貝(패)

➡➡➡ 주살 弋(익) + 두 二(이) + 조개 貝(패) ➡ 돈의 액수를 정확히 표현함

두 二(이)의 갖은자 즉 금액 따위의 중요 숫자를 변조하지 못하게 하려고 二(이) 대신에 쓰이기 때문에 '갖은 두 이'라고도 불린다. 주로 금전 즉 돈을 숫자로 적기 위해 고안된 글자이므로 조개 貝(패)가 의미요소고 두 二(이)가 발음기호이다.

貝 조개 패 / 솥 정(鼎)

敗(패)   則(칙)   側(측)   測(측)   質(질)   贊(찬)   讚(찬)

敗
훈음 깨뜨릴 패 **부수** 칠 攵(복) **▶▶▶** 조개 貝(패) + 칠 攵(복) ➡ 쇠솥을 쳐서 깨뜨린다
솥(貝=鼎)을 몽둥이나 돌로 쳐서(攵) 깨뜨리는 모습을 그려서 두 글자 모두 의미요소이며, 조개 貝(패)가 훗날 발음기호가 되었다.
••••• 敗北(패배)/勝敗(승패)/失敗(실패)/敗家亡身(패가망신)

則
훈음 법칙 칙/곧 즉 **부수** 칼 刂(도) **▶▶▶** 조개 貝(패) + 칼 刂(도) ➡ 청동 하사품에 글귀를 새김
칼(刂)로 솥(貝=鼎)에 글을 새기는 것을 의미하는 것으로 오늘날의 단순한 솥을 생각하면 안 된다. 공을 세워 하사품으로 받은 고가의 청동기 제품인 솥등에 신하가 지켜야 할 왕의 명령이나 당부 등을 새겨 넣어서 '법칙'이란 뜻이 생겨났으며, 칼(刂)로 솥(貝=鼎)에 눌러 붙은 음식을 빨리 떼어냄에서 혹은 下賜(하사)를 한 왕의 이름을 어떠한 이유에서든 빨리 제거해 버려야 하였으므로 '곧'이라는 뜻도 생겼다.
••••• 法則(법칙)/規則(규칙)/原則(원칙)/民心則天心(민심즉천심)

側
훈음 곁 측 **부수** 사람 亻(인) **▶▶▶** 사람 亻(인) + 법칙 則(칙) ➡ 임금님의 명령을 늘 곁에 두는 사람
곁에 있는 사람이 원뜻이므로 사람 亻(인)이 의미요소고 則(칙)이 발음기호이다. 점차로 '옆, 가까이' 등으로 의미 확대되었다.
••••• 側近(측근)/側面(측면)/兩側(양측)

測
훈음 잴 측 **부수** 물 氵(수) **▶▶▶** 물 氵(수) + 법칙 則(칙) ➡ 강물의 높이를 재다
물의 깊이 즉 수심을 재다가 원뜻이므로 물 氵(수)가 의미요소고 則(칙)이 발음기호이다. 훗날 수심만이 아니라 '넓이, 길이, 높이' 등을 '재다, 헤아리다'로 의미 확대되었다.
••••• 測量(측량)/計測(계측)/觀測(관측)/豫測(예측)

質
훈음 바탕 질 **부수** 조개 貝(패) **▶▶▶** 도끼 斤(근) + 조개 패(貝→鼎) ➡ 계약 내용을 새김
도끼(斤)로 솥(鼎)에 중요한 계약이나 유언 등을 새겨놓은 모습으로 그 내용을 바탕으로 계약의 당사자임을 확인하던 당시 상황에서 만들어진 글자가 素質(소질)의 바탕 質(질)이다.
••••• 品質(품질)/質量(질량)/性質(성질)/資質(자질)/質問(질문)

贊
훈음 도울 찬 **부수** 먼저 先(선) **▶▶▶** 나아갈 兟(신) + 조개 貝(패) ➡ 신속하게 필요한 것을 공급함
'남을 돕다'라는 뜻을 위하여 고안된 글자이므로 돈에 해당하는 조개 貝(패)가 의미요소인 것은 당연하다. 앞선 발걸음 두 개인 나아갈 兟(신)을 통해 도움이 필요한 사람에게 지체하지 않고 신속하게 도움을 베풀어야 한다는 사상을 강조한 글자로 兟(신)이 발음기호이다.
••••• 贊成(찬성)/贊同(찬동)/贊反(찬반)/協贊(협찬)/贊助(찬조)

讚
훈음 기릴 찬 **부수** 말씀 言(언) **▶▶▶** 말씀 言(언) + 도울 贊(찬) ➡ 말로 남의 사기를 북돋움
타인의 공적이나 업적 등을 '말로 높여 칭찬하고 기리다'의 뜻을 나타내기 위함이니 말씀 言(언)이 의미요소이고, 贊(찬)은 발음기호이다. "남을 칭찬하고 칭송하는데 말(言)로 돕다(贊)"가 뜻이다.
••••• 讚揚(찬양)/稱讚(칭찬)

員(원)　　　圓(원)　　　損(손)　　　賞(상)　　　償(상)

훈음 수효/사람 원　**부수** 입 口(구)
▶▶▶ 입 口(구) + 솥 鼎(貝의 원글자로 정) ➡ 사람의 숫자를 동그라미로 표시
둥근 세발솥의 모양을 본뜬 것으로 '둥근솥, 혹은 둥글다'가 원래의 의미이나 '수효, 사람'의 뜻으로 더 많이 사용되자 에울 위(□)를 더하여 둥글다의 의미를 살린 글자가 아래 글자인 둥글 圓(원)자이다.
●●●●● 人員(인원)/公務員(공무원)/充員(충원)

훈음 둥글 원　**부수** 에울 위(□)
▶▶▶ 에울 위(□) + 수효 員(원) ➡ 둥글둥글한 모습이나 사람
'둥글고 모나지 않다'의 뜻을 위해 에울 위(□)를 의미요소로 수효 員(원)을 발음기호로 했다.
●●●●● 圓形(원형)/圓周(원주)/圓熟(원숙)/圓滿(원만)

훈음 덜 손　**부수** 손 扌(수)　▶▶▶ 손 扌(수) + 수효 員(원) ➡ 일손이 달리다
'수가 줄다'가 본뜻으로 두 글자 모두 의미요소이다. 사람의 손이 인원과 관련이 있음은 '일손이 달리다'에서도 나타난다. 사람의 숫자가 줄자 '감소하다, 손해보다, 해를 입다'로 의미 확대되었다.
●●●●● 損害(손해)/毀損(훼손)/損費(손비)/缺損(결손)/破損(파손)

훈음 상줄 상　**부수** 조개 貝(패)　▶▶▶ 尙(상) + 조개 貝(패) ➡ 상에는 재물이 따른다
공을 세운 사람을 높여(尙)서 부상으로 논밭이나 돈(貝)을 부상으로 下賜(하사)하는 모습을 그린 글자로 상금에 해당하는 조개 貝(패)가 의미요소로 尙(상)은 발음기호로 했다.
●●●●● 賞金(상금)/賞與金(상여금)/副賞(부상)/賞罰(상벌)

훈음 갚을 상　**부수** 사람 亻(인)
▶▶▶ 사람 亻(인) + 상줄 賞(상) ➡ 상을 타야 할 사람에게 상이 돌아오다
원래 주인에게 돌려주다가 본뜻이므로 사람 亻(인)이 의미요소고 賞(상)은 발음기호이다.
●●●●● 報償(보상)/賠償(배상)/辨償(변상)/償還(상환)

◆ 다음 글자의 훈과 음을 쓰시오.

( )羊( ) – ( )洋( ) – ( )養( ) – ( )樣( ) – ( )着( ) – ( )祥( ) –
( )詳( ) – ( )羞( ) – ( )羔( ) – ( )鮮( ) – ( )羡( )

◆ 다음 글자를 분해하시오.

1. 樣 = ☐ + ☐ + ☐   2. 鮮 = ☐ + ☐

3. 養 = ☐ + ☐   4. 着 = ☐ + ☐

5. 羡 = ☐ + ☐ + ☐   6. 詳 = ☐ + ☐

7. 詳 = ☐ + ☐   8. 羞 = ☐ + ☐

◆ 다음 글자를 소리 부분(聲符)과 뜻 부분(意符)으로 분해하시오.

9. 洋 = 소리 부분(聲符) ☐ + 뜻 부분(意符) ☐

10. 群 = 소리 부분(聲符) ☐ + 뜻 부분(意符) ☐

11. 養 = 소리 부분(聲符) ☐ + 뜻 부분(意符) ☐

12. 樣 = 소리 부분(聲符) ☐ + 뜻 부분(意符) ☐

13. 祥 = 소리 부분(聲符) ☐ + 뜻 부분(意符) ☐

14. 詳 = 소리 부분(聲符) ☐ + 뜻 부분(意符) ☐

15. 羡 = 소리 부분(聲符) ☐ + 뜻 부분(意符) ☐

16. 다음 중 "음"이 서로 다른 글자는?
  ① 羊   ② 洋   ③ 祥   ④ 養

17. "洋"자와 비슷한 뜻을 가진 글자는?
  ① 海   ② 湖   ③ 溪   ④ 肢

18. 다음 중 서로 관계 없는 것은?
　　① 群　　　　　② 衆　　　　　③ 單　　　　　④ 隊

19. "養"자와 비슷한 뜻을 가진 글자는?
　　① 足　　　　　② 亡　　　　　③ 育　　　　　④ 示

20. 다음 중 "음"이 서로 다른 글자는?
　　① 鮮　　　　　② 羨　　　　　③ 着　　　　　④ 善

21. 다음 중 "음"이 서로 다른 글자는?
　　① 祥　　　　　② 詳　　　　　③ 洋　　　　　④ 相

22. "樣"자와 비슷한 뜻이 아닌 글자는?
　　① 形　　　　　② 狀　　　　　③ 試　　　　　④ 像

23. 다음 "鮮"자에 대한 설명 중 맞지 않는 것은?
　　① 곱다　　　　② 깨끗하다　　③ 뜨겁다　　　④ 뚜렷하다

◈ 다음 중 주어진 글자로 이루어지는 단어를 2개 이상 한자 또는 한글로 쓰시오.

24. 羊 -　　　　　　　　　　　　　25. 洋 -

26. 群 -　　　　　　　　　　　　　27. 養 -

28. 樣 -　　　　　　　　　　　　　29. 着 -

30. 祥 -　　　　　　　　　　　　　31. 詳 -

32. 羞 -　　　　　　　　　　　　　33. 鮮 -

34. 羨 -

◈ 다음 글자의 훈과 음을 쓰시오.

(　)善(　) - (　)膳(　) - (　)繕(　) - (　)美(　) - (　)義(　)

◈ 다음 글자를 분해하시오.

1. 善 = 　　　　 + 　　　　 + 　　　　　　2. 繕 = 　　　　 +

3. 膳 = [   ] + [   ]　　　　4. 美 = [   ] + [   ]

◆ 다음 글자를 소리 부분(聲符)과 뜻 부분(意符)으로 분해하시오.

5. 膳 = 소리 부분(聲符) [   ] + 뜻 부분(意符) [   ]

6. 繕 = 소리 부분(聲符) [   ] + 뜻 부분(意符) [   ]

7. 다음 중 "음"이 서로 다른 글자는?
　　① 善　　　　　② 仙　　　　　③ 着　　　　　④ 膳

8. 다음 중 서로 관계 없는 것은?
　　① 良　　　　　② 好　　　　　③ 惡　　　　　④ 善

9. 다음 "繕"자에 대한 설명 중 적당한 것은?
　　① 실과 바늘　　② 물과 술　　　③ 옷과 돈　　　④ 붓과 벼루

10. 다음 중 서로 관계 없는 것은?
　　① 佳　　　　　② 美　　　　　③ 惡　　　　　④ 鮮

11. "義"자와 반대의 뜻을 가진 글자는?
　　① 誤　　　　　② 後　　　　　③ 良　　　　　④ 判

◆ 다음 중 주어진 글자로 이루어지는 단어를 2개 이상 한자 또는 한글로 쓰시오.

12. 善 - [   ]　　　13. 膳 - [   ]

14. 繕 - [   ]　　　15. 美 - [   ]

16. 義 - [   ]

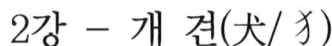
◆ 다음 글자의 훈과 음을 쓰시오.

( )伏( ) - ( )狀( ) - ( )獸( ) - ( )獻( ) - ( )厭( ) - ( )犬( ) - ( )壓( ) - ( )突( ) - ( )臭( ) - ( )然( )

◆ 다음 글자를 분해하시오.

1. 獻 = [ ] + [ ] + [ ]   2. 厭 = [ ] + [ ]

3. 伏 = [ ] + [ ]   4. 壓 = [ ] + [ ]

5. 다음 "伏"자에 대한 설명 중 맞는 것은?
① 사람과 개   ② 사람과 사람   ③ 기둥과 삽   ④ 사람과 기둥

6. 다음 중 "獸"가 아닌 것은?
① 犭   ② 隹   ③ 爪   ④ 虍

7. "獻"자와 비슷한 뜻이 아닌 글자는?
① 收   ② 貢   ③ 納   ④ 授

8. "臭"자와 관계 깊은 것은?
① 눈   ② 코   ③ 입   ④ 수염

9. "突"자와 비슷한 뜻을 가진 글자는?
① 然   ② 猝   ③ 時   ④ 千

10. "厭"자와 반대의 뜻을 가진 글자는?
① 好   ② 一   ③ 氷   ④ 鹿

◆ 다음 중 주어진 글자로 이루어지는 단어를 2개 이상 한자 또는 한글로 쓰시오.

11. 犬 - [ ]   12. 伏 - [ ]

13. 狀 –
14. 獸 –
15. 獻 –
16. 厭 –
17. 壓 –
18. 突 –
19. 臭 –
20. 然 –

◆ 다음 글자의 훈과 음을 쓰시오.

( )獨( ) – ( )犯( ) – ( )狂( ) – ( )狩( ) – ( )猛( ) – ( )獄( ) –
( )猶( ) – ( )獲( ) – ( )猜( ) – ( )猾( )

◆ 다음 글자를 분해하시오.

1. 獄 = [   ] + [   ] + [   ]
2. 犯 = [   ] + [   ]
3. 獨 = [   ] + [   ]
4. 狂 = [   ] + [   ]

◆ 다음 글자를 소리 부분(聲符)과 뜻 부분(意符)으로 분해하시오.

5. 獨 = 소리 부분(聲符) [   ] + 뜻 부분(意符) [   ]

6. 犯 = 소리 부분(聲符) [   ] + 뜻 부분(意符) [   ]

7. 狂 = 소리 부분(聲符) [   ] + 뜻 부분(意符) [   ]

8. 狩 = 소리 부분(聲符) [   ] + 뜻 부분(意符) [   ]

9. 猛 = 소리 부분(聲符) [   ] + 뜻 부분(意符) [   ]

10. 猶 = 소리 부분(聲符) [   ] + 뜻 부분(意符) [   ]

11. 猾 = 소리 부분(聲符) [   ] + 뜻 부분(意符) [   ]

12. "獨"자와 비슷한 뜻을 가진 글자는?
① 協　　　② 孤　　　③ 合　　　④ 强

13. "狩"자는 무엇을 의미하는가?
① 식사　　　② 사냥　　　③ 공부　　　④ 수영

14. "獲"자와 비슷한 뜻을 가진 글자는?

    ① 忘   ② 失   ③ 得   ④ 免

◆ 다음 중 주어진 글자로 이루어지는 단어를 2개 이상 한자 또는 한글로 쓰시오.

15. 獨 –

16. 犯 –

17. 狂 –

18. 狩 –

19. 猛 –

20. 獄 –

21. 猶 –

22. 獲 –

23. 猜 –

24. 猾 –

◆ 다음 글자의 훈과 음을 쓰시오.

( )豕( ) – ( )家( ) – ( )豚( ) – ( )逐( ) – ( )遂( ) – ( )隊( ) –
( )隆( ) – ( )蒙( ) – ( )朦( ) – ( )豪( )

◆ 다음 글자를 분해하시오.

1. 遂 = ☐ + ☐ + ☐   2. 隊 = ☐ + ☐

3. 逐 = ☐ + ☐   4. 墜 = ☐ + ☐

5. 家 = ☐ + ☐   6. 豚 = ☐ + ☐

◆ 다음 글자를 소리 부분(聲符)과 뜻 부분(意符)으로 분해하시오.

7. 蒙 = 소리 부분(聲符) ☐ + 뜻 부분(意符) ☐

8. 朦 = 소리 부분(聲符) ☐ + 뜻 부분(意符) ☐

9. 豪 = 소리 부분(聲符) ☐ + 뜻 부분(意符) ☐

10. 다음 중 "돼지"와 관계 <u>없는</u> 것은?
　① 豕　　　　② 豚　　　　③ 蒙　　　　④ 逐

11. "隊"자와 비슷한 뜻을 가진 글자는?
　① 衆　　　　② 兄　　　　③ 尊　　　　④ 方

12. "墜"자와 비슷한 뜻을 가진 글자는?
　① 架　　　　② 限　　　　③ 落　　　　④ 先

◆ 다음 중 주어진 글자로 이루어지는 단어를 2개 이상 한자 또는 한글로 쓰시오.

13. 家 – ☐   14. 豚 – ☐

15. 逐 –

16. 遂 –

17. 隊 –

18. 墜 –

19. 蒙 –

20. 朦 –

21. 豪 –

◆ 다음 글자의 훈과 음을 쓰시오.

( )象( ) – ( )像( ) – ( )豫( ) – ( )預( ) – ( )劇( ) – ( )據( )

◆ 다음 글자를 분해하시오.

1. 劇 = ☐ + ☐ + ☐

2. 像 = ☐ + ☐

3. 據 = ☐ + ☐

4. 豫 = ☐ + ☐

◆ 다음 글자를 소리 부분(聲符)과 뜻 부분(意符)으로 분해하시오.

5. 像 = 소리 부분(聲符) ☐ + 뜻 부분(意符) ☐

6. 豫 = 소리 부분(聲符) ☐ + 뜻 부분(意符) ☐

7. 預 = 소리 부분(聲符) ☐ + 뜻 부분(意符) ☐

8. 다음 중 "음"이 서로 다른 글자는?
   ① 商   ② 像   ③ 象   ④ 豫

9. "像"자와 비슷한 뜻을 가진 글자는?
   ① 字   ② 妾   ③ 形   ④ 尙

10. "豫"자와 반대의 뜻을 가진 글자는?
    ① 김   ② 冒   ③ 後   ④ 昌

11. "劇"자의 쓰임으로 적당한 것은?
    ① 심장, 신장   ② 연극, 영화
    ③ 수영, 잠수   ④ 요리, 음식

◆ 다음 중 주어진 글자로 이루어지는 단어를 2개 이상 한자 또는 한글로 쓰시오.

12. 象 –

13. 像 –

14. 豫 –

15. 預 –

16. 劇 –

17. 據 –

◆ 다음 글자의 훈과 음을 쓰시오.

( )牛( ) – ( )件( ) – ( )特( ) – ( )告( ) – ( )物( ) – ( )半( ) –
( )牧( ) – ( )牽( )

◆ 다음 글자를 분해하시오.

1. 牽 = ____ + ____ + ____   2. 件 = ____ + ____

3. 牧 = ____ + ____   4. 特 = ____ + ____

5. 半 = ____ + ____   6. 物 = ____ + ____

◆ 다음 글자를 소리 부분(聲符)과 뜻 부분(意符)으로 분해하시오.

7. 物 = 소리 부분(聲符) ____ + 뜻 부분(意符) ____

8. 牽 = 소리 부분(聲符) ____ + 뜻 부분(意符) ____

9. 다음 중 서로 관계 없는 것은?
   ① 羊   ② 牛   ③ 虎   ④ 犬

10. "告"자와 비슷한 뜻을 가진 글자는?
   ① 報   ② 受   ③ 恥   ④ 苦

11. 다음 "牧"자에 대한 설명으로 적당한 것은?
   ① 소, 손, 막대기   ② 소, 칼   ③ 소, 줄, 몽둥이   ④ 소, 고기, 피

12. "牽"자와 비슷한 뜻을 가진 글자는?
   ① 押   ② 力   ③ 引   ④ 欠

◆ 다음 중 주어진 글자로 이루어지는 단어를 2개 이상 한자 또는 한글로 쓰시오.

13. 牛 – ____   14. 件 – ____

15. 特 –
16. 告 –
17. 物 –
18. 半 –
19. 牧 –
20. 牽 –

◆ 다음 글자의 훈과 음을 쓰시오.

(　)先( ) – (　)洗( ) – (　)贊( ) – (　)讚( )

◆ 다음 글자를 분해하시오.

1. 洗 = 　　　 + 　　　 + 　　　
2. 先 = 　　　 + 　　　
3. 贊 = 　　　 + 　　　
4. 讚 = 　　　 + 　　　

◆ 다음 글자를 소리 부분(聲符)과 뜻 부분(意符)으로 분해하시오.

5. 洗 = 소리 부분(聲符) 　　　 + 뜻 부분(意符) 　　　
6. 贊 = 소리 부분(聲符) 　　　 + 뜻 부분(意符) 　　　
7. 讚 = 소리 부분(聲符) 　　　 + 뜻 부분(意符) 　　　

8. 다음 중 "음"이 서로 <u>다른</u> 글자는?
① 粲　　　　② 賣　　　　③ 贊　　　　④ 讚

9. 다음 중 관계가 나머지 셋과 <u>다른</u> 것은?
① 公 – 私　　② 敎 – 學　　③ 先 – 後　　④ 空 – 氣

10. "贊"자와 비슷한 뜻이 <u>아닌</u> 글자는?
① 扶　　　　② 助　　　　③ 行　　　　④ 佑

11. "讚"자와 비슷한 뜻을 가진 글자는?
① 誹　　　　② 頌　　　　③ 弄　　　　④ 矢

◆ 다음 중 주어진 글자로 이루어지는 단어를 2개 이상 한자 또는 한글로 쓰시오.

12. 先 –
13. 洗 –

14. 贊 - 　　　　　　　　　　　　　　15. 讚 - 　　　　　　　　　　　　　

◪ 다음 글자의 훈과 음을 쓰시오.

(　　)告(　) - (　　)浩(　) - (　　)晧(　) - (　　)造(　) - (　　)酷(　)

◪ 다음 글자를 소리 부분(聲符)과 뜻 부분(意符)으로 분해하시오.

1. 浩 = 소리 부분(聲符) 　　　　　 ＋ 뜻 부분(意符) 　　　　

2. 晧 = 소리 부분(聲符) 　　　　　 ＋ 뜻 부분(意符) 　　　　

3. 造 = 소리 부분(聲符) 　　　　　 ＋ 뜻 부분(意符) 　　　　

4. 酷 = 소리 부분(聲符) 　　　　　 ＋ 뜻 부분(意符) 　　　　

5. 다음 중 "음"이 서로 다른 글자는?
   ① 浩　　　　　② 晧　　　　　③ 瓦　　　　　④ 戶

6. "浩"자와 비슷한 뜻이 아닌 글자는?
   ① 廣　　　　　② 洪　　　　　③ 弘　　　　　④ 深

7. "晧"자와 반대의 뜻을 가진 글자는?
   ① 暗　　　　　② 明　　　　　③ 麻　　　　　④ 福

8. "造"자와 비슷한 뜻을 가진 글자는?
   ① 困　　　　　② 作　　　　　③ 倉　　　　　④ 晚

◪ 다음 중 주어진 글자로 이루어지는 단어를 2개 이상 한자 또는 한글로 쓰시오.

9. 告 - 　　　　　　　　　　　　10. 浩 - 　　　　　　　　　　

11. 晧 - 　　　　　　　　　　　　12. 造 - 　　　　　　　　　　

13. 酷 -

확인학습문제

5강 – 말 마(馬)

◈ 다음 글자의 훈과 음을 쓰시오.

( )馬( ) – ( )驗( ) – ( )駐( ) – ( )驛( ) – ( )騰( ) – ( )騎( ) –
( )驅( ) – ( )篤( )

◈ 다음 글자를 분해하시오.

1. 騰 = [   ] + [   ] + [   ]   2. 駐 = [   ] + [   ]

3. 驗 = [   ] + [   ]   4. 驛 = [   ] + [   ]

◈ 다음 글자를 소리 부분(聲符)과 뜻 부분(意符)으로 분해하시오.

5. 驗 = 소리 부분(聲符) [   ] + 뜻 부분(意符) [   ]

6. 駐 = 소리 부분(聲符) [   ] + 뜻 부분(意符) [   ]

7. 驛 = 소리 부분(聲符) [   ] + 뜻 부분(意符) [   ]

8. 騰 = 소리 부분(聲符) [   ] + 뜻 부분(意符) [   ]

9. 騎 = 소리 부분(聲符) [   ] + 뜻 부분(意符) [   ]

10. 驅 = 소리 부분(聲符) [   ] + 뜻 부분(意符) [   ]

11. 다음 중 성격이 나머지 셋과 <u>다른</u> 것은?
    ① 馬   ② 豕   ③ 牛   ④ 烏

12. "駐"자와 비슷한 뜻을 가진 글자는?
    ① 留   ② 去   ③ 辶   ④ 如

13. 다음 중 "篤"자와 음이 같이 <u>않은</u> 글자는?
    ① 獨   ② 毒   ③ 驛   ④ 禿

◆ 다음 중 주어진 글자로 이루어지는 단어를 2개 이상 한자 또는 한글로 쓰시오.

14. 馬 -

15. 驗 -

16. 駐 -

17. 驛 -

18. 騰 -

19. 騎 -

20. 驅 -

21. 篤 -

◆ 다음 글자의 훈과 음을 쓰시오.

( )叉( ) - ( )蚤( ) - ( )搔( ) - ( )騷( ) - ( )驕( ) - ( )驚( )

◆ 다음 글자를 분해하시오.

1. 騷 = ⬚ + ⬚ + ⬚   2. 搔 = ⬚ + ⬚

3. 蚤 = ⬚ + ⬚   4. 叉 = ⬚ + ⬚

◆ 다음 글자를 소리 부분(聲符)과 뜻 부분(意符)으로 분해하시오.

5. 搔 = 소리 부분(聲符) ⬚   + 뜻 부분(意符) ⬚

6. 騷 = 소리 부분(聲符) ⬚   + 뜻 부분(意符) ⬚

7. 驕 = 소리 부분(聲符) ⬚   + 뜻 부분(意符) ⬚

8. 驚 = 소리 부분(聲符) ⬚   + 뜻 부분(意符) ⬚

9. 다음 중 "음"이 서로 다른 글자는?
① 搔   ② 騷   ③ 掃   ④ 婦

10. "叉"자와 관계 깊은 것은?

　　① 눈　　　　　　　　② 머리　　　　　　　③ 손　　　　　　　④ 발

11. "驕"자와 <u>반대</u>의 뜻을 가진 글자는?

　　① 傲　　　　　　　　② 思　　　　　　　　③ 謙　　　　　　　④ 止

◆ 다음 중 주어진 글자로 이루어지는 단어를 2개 이상 한자 또는 한글로 쓰시오.

12. 叉 –

13. 搔 –

14. 騷 –

15. 驕 –

16. 驚 –

확인학습문제

 6강 – 사슴 록(鹿)

◆ 다음 글자의 훈과 음을 쓰시오.

( )鹿( ) – ( )麗( ) – ( )塵( ) – ( )鷹( ) – ( )薦( ) – ( )慶( ) – ( )能( )

◆ 다음 글자를 분해하시오.

1. 麗 = ☐ + ☐ + ☐   2. 塵 = ☐ + ☐

3. 鹿 = ☐ + ☐   4. 鷹 = ☐ + ☐

5. 慶 = ☐ + ☐ + ☐ + ☐

6. 薦 = ☐ + ☐   7. 能 = ☐ + ☐

8. 다음 중 성격이 나머지 셋과 <u>다른</u> 것은?
   ① 烏   ② 鷄   ③ 佳   ④ 鹿

9. "麗"자와 비슷한 뜻이 <u>아닌</u> 글자는?
   ① 媛   ② 佳   ③ 醜   ④ 鮮

10. 다음 중 성격이 나머지 셋과 <u>다른</u> 것은?
   ① 鷹   ② 龍   ③ 鳳   ④ 馬

◆ 다음 중 주어진 글자로 이루어지는 단어를 2개 이상 한자 또는 한글로 쓰시오.

11. 鹿 – ☐   12. 麗 – ☐

13. 塵 – ☐   14. 薦 – ☐

15. 慶 – ☐

◆ 다음 글자의 훈과 음을 쓰시오.

( )虍( ) – ( )虎( ) – ( )號( ) – ( )虛( ) – ( )處( ) – ( )遞( ) –
( )慮( ) – ( )虜( ) – ( )盧( ) – ( )爐( ) – ( )虐( ) – ( )虔( ) –
( )獻( ) – ( )劇( )

◆ 다음 글자를 분해하시오.

1. 遞 = [   ] + [   ] + [   ]   2. 虛 = [   ] + [   ]

3. 虎 = [   ] + [   ]   4. 慮 = [   ] + [   ]

5. 獻 = [   ] + [   ] + [   ]   6. 處 = [   ] + [   ]

7. 爐 = [   ] + [   ]   8. 盧 = [   ] + [   ]

9. 遞 = [   ] + [   ] + [   ]   10. 虜 = [   ] + [   ]

11. 虐 = [   ] + [   ]   12. 虔 = [   ] + [   ]

◆ 다음 글자를 소리 부분(聲符)과 뜻 부분(意符)으로 분해하시오.

13. 號 = 소리 부분(聲符) [   ] + 뜻 부분(意符) [   ]

14. 虛 = 소리 부분(聲符) [   ] + 뜻 부분(意符) [   ]

15. 處 = 소리 부분(聲符) [   ] + 뜻 부분(意符) [   ]

16. 遞 = 소리 부분(聲符) [   ] + 뜻 부분(意符) [   ]

17. 慮 = 소리 부분(聲符) [   ] + 뜻 부분(意符) [   ]

18. 虜 = 소리 부분(聲符) [   ] + 뜻 부분(意符) [   ]

19. 爐 = 소리 부분(聲符) [   ] + 뜻 부분(意符) [   ]

20. 盧 = 소리 부분(聲符) [ ] + 뜻 부분(意符) [ ]

21. 다음 중 "음"이 서로 다른 글자는?
　　① 虍　　　　　② 虎　　　　　③ 虐　　　　　④ 號

22. "號"자와 관계 깊은 것은?
　　① 口　　　　　② 耳　　　　　③ 才　　　　　④ 止

23. 다음 중 서로 관계 없는 것은?
　　① 空　　　　　② 無　　　　　③ 實　　　　　④ 虛

24. "遞"자와 비슷한 뜻을 가진 글자는?
　　① 原　　　　　② 扶　　　　　③ 番　　　　　④ 屆

25. 다음 중 "음"이 서로 다른 글자는?
　　① 盧　　　　　② 爐　　　　　③ 考　　　　　④ 老

26. "虐"자와 비슷한 뜻을 가진 글자는?
　　① 溫　　　　　② 順　　　　　③ 暴　　　　　④ 面

◆ 다음 중 주어진 글자로 이루어지는 단어를 2개 이상 한자 또는 한글로 쓰시오.

27. 虎 –

28. 號 –

29. 虛 –

30. 處 –

31. 遞 –

32. 慮 –

33. 虜 –

34. 盧 –

35. 爐 –

36. 虐 –

37. 虔 –

38. 獻 –

39. 劇 –

확인학습문제

◪ 다음 글자의 훈과 음을 쓰시오.

( )韋( ) - ( )偉( ) - ( )衛( ) - ( )違( ) - ( )圍( ) - ( )韓( )

◪ 다음 글자를 분해하시오.

1. 韋 = [   ] + [   ] + [   ]　　2. 偉 = [   ] + [   ]

3. 衛 = [   ] + [   ]　　4. 韓 = [   ] + [   ]

5. 違 = [   ] + [   ]　　6. 圍 = [   ] + [   ]

◪ 다음 글자를 소리 부분(聲符)과 뜻 부분(意符)으로 분해하시오.

7. 偉 = 소리 부분(聲符) [   ] + 뜻 부분(意符) [   ]

8. 衛 = 소리 부분(聲符) [   ] + 뜻 부분(意符) [   ]

9. 違 = 소리 부분(聲符) [   ] + 뜻 부분(意符) [   ]

10. 圍 = 소리 부분(聲符) [   ] + 뜻 부분(意符) [   ]

11. 다음 중 "음"이 서로 <u>다른</u> 글자는?
　① 韋　　　② 偉　　　③ 腎　　　④ 胃

12. 다음 중 서로 관계 <u>없는</u> 것은?
　① 防　　　② 守　　　③ 攻　　　④ 衛

◪ 다음 중 주어진 글자로 이루어지는 단어를 2개 이상 한자 또는 한글로 쓰시오.

13. 偉 - [   ]　　14. 衛 - [   ]

15. 違 - [   ]　　16. 圍 - [   ]

17. 韓 - [   ]

◆ 다음 글자의 훈과 음을 쓰시오.

( )彡( ) - ( )參( ) - ( )蔘( ) - ( )慘( ) - ( )須( )

◆ 다음 글자를 분해하시오.

1. 蔘 = [ ] + [ ] + [ ]   2. 慘 = [ ] + [ ]

3. 參 = [ ] + [ ]   4. 須 = [ ] + [ ]

◆ 다음 글자를 소리 부분(聲符)과 뜻 부분(意符)으로 분해하시오.

5. 參 = 소리 부분(聲符) [ ]   + 뜻 부분(意符) [ ]

6. 蔘 = 소리 부분(聲符) [ ]   + 뜻 부분(意符) [ ]

7. 慘 = 소리 부분(聲符) [ ]   + 뜻 부분(意符) [ ]

8. 다음 중 "음"이 서로 <u>다른</u> 글자는?
    ① 彡   ② 蔘   ③ 非   ④ 三

9. "彡"자와 비슷한 뜻이 <u>아닌</u> 글자는?
    ① 毛   ② 髟   ③ 丰   ④ 髮

◆ 다음 중 주어진 글자로 이루어지는 단어를 2개 이상 한자 또는 한글로 쓰시오.

10. 參 - [ ]   11. 蔘 - [ ]

12. 慘 - [ ]   13. 須 - [ ]

◆ 다음 글자의 훈과 음을 쓰시오.

( )彰( ) - ( )彩( ) - ( )彫( ) - ( )形( ) - ( )彦( ) - ( )顔( ) -
( )影( ) - 무늬

◆ 다음 글자를 분해하시오.

1. 彩 = [ ] + [ ] + [ ]   2. 影 = [ ] + [ ]

3. 形 = ▢ + ▢   4. 彫 = ▢ + ▢

◆ 다음 글자를 소리 부분(聲符)과 뜻 부분(意符)으로 분해하시오.

5. 彰 = 소리 부분(聲符) ▢ + 뜻 부분(意符) ▢

6. 彩 = 소리 부분(聲符) ▢ + 뜻 부분(意符) ▢

7. 彫 = 소리 부분(聲符) ▢ + 뜻 부분(意符) ▢

8. 形 = 소리 부분(聲符) ▢ + 뜻 부분(意符) ▢

9. 顔 = 소리 부분(聲符) ▢ + 뜻 부분(意符) ▢

10. 影 = 소리 부분(聲符) ▢ + 뜻 부분(意符) ▢

11. "彫"자와 비슷한 뜻을 가진 글자는?
  ① 投   ② 刻   ③ 疒   ④ 公

12. "形"자와 비슷한 뜻을 가진 글자는?
  ① 亻   ② 巾   ③ 狀   ④ 朝

13. 다음 중 "사람"을 가리키는 글자는?
  ① 彩   ② 形   ③ 彦   ④ 蔘

14. "顔"자와 관계 없는 것은?
  ① 面   ② 首   ③ 手足   ④ 耳目口鼻

◆ 다음 중 주어진 글자로 이루어지는 단어를 2개 이상 한자 또는 한글로 쓰시오.

15. 彰 – ▢   16. 彩 – ▢

17. 彫 – ▢   18. 形 – ▢

19. 顔 – ▢   20. 影 – ▢

◆ 다음 글자의 훈과 음을 쓰시오.

( )珍( ) – ( )診( ) – ( )翏( ) – ( )謬( ) – ( )膠( ) – ( )戮( )

◆ 다음 글자를 분해하시오.

1. 謬 = [ ] + [ ] + [ ]   2. 膠 = [ ] + [ ]

3. 診 = [ ] + [ ]   4. 翏 = [ ] + [ ]

◆ 다음 글자를 소리 부분(聲符)과 뜻 부분(意符)으로 분해하시오.

5. 珍 = 소리 부분(聲符) [ ] + 뜻 부분(意符) [ ]

6. 診 = 소리 부분(聲符) [ ] + 뜻 부분(意符) [ ]

7. 謬 = 소리 부분(聲符) [ ] + 뜻 부분(意符) [ ]

8. 膠 = 소리 부분(聲符) [ ] + 뜻 부분(意符) [ ]

9. 戮 = 소리 부분(聲符) [ ] + 뜻 부분(意符) [ ]

10. 다음 중 "음"이 서로 다른 글자는?
   ① 眞   ② 珍   ③ 診   ④ 伸

11. 다음 중 서로 관계 없는 것은?
   ① 翏   ② 羽   ③ 步   ④ 飛

12. "謬"자와 비슷한 뜻을 가진 글자는?
   ① 正   ② 常   ③ 則   ④ 誤

13. "戮"자와 관계 없는 것은?
   ① 殺   ② 弑   ③ 回   ④ 死

◆ 다음 중 주어진 글자로 이루어지는 단어를 2개 이상 한자 또는 한글로 쓰시오.

14. 珍 – [   ]   15. 診 – [   ]

16. 謬 – [   ]   17. 膠 – [   ]

18. 戮 – [   ]

◆ 다음 글자의 훈과 음을 쓰시오.

( )彡( ) – ( )髮( ) – ( )鬚( ) – ( )髥( )

◆ 다음 글자를 분해하시오.

1. 髟 = [   ] + [   ] + [   ]   2. 髮 = [   ] + [   ]

3. 鬚 = [   ] + [   ]   4. 髯 = [   ] + [   ]

◆ 다음 글자를 소리 부분(聲符)과 뜻 부분(意符)으로 분해하시오.

5. 鬚 = 소리 부분(聲符) [   ] + 뜻 부분(意符) [   ]

6. 髯 = 소리 부분(聲符) [   ] + 뜻 부분(意符) [   ]

7. 다음 중 "털, 수염"과 관계 없는 것은?

① 髟   ② 髮   ③ 彡   ④ 手

8. 다음 중 관계가 나머지 셋과 다른 것은?

① 鬚 - 髯   ② 毛 - 髮   ③ 殺 - 戮   ④ 前 - 後

◆ 다음 중 주어진 글자로 이루어지는 단어를 2개 이상 한자 또는 한글로 쓰시오.

9. 髮 - [   ]   10. 鬚 - [   ]

11. 髯 - [   ]

◆ 다음 글자의 훈과 음을 쓰시오.

( )毛( ) - ( )毫( ) - ( )尾( )

◆ 다음 글자를 소리 부분(聲符)과 뜻 부분(意符)으로 분해하시오.

1. 毫 = 소리 부분(聲符) [   ] + 뜻 부분(意符) [   ]

2. 尾 = 소리 부분(聲符) [   ] + 뜻 부분(意符) [   ]

3. "尾"자와 반대의 뜻을 가진 글자는?

① 手   ② 口   ③ 頭   ④ 止

◆ 다음 중 주어진 글자로 이루어지는 단어를 2개 이상 한자 또는 한글로 쓰시오.

4. 毛 - [   ]   5. 毫 - [   ]

6. 尾 –

❖ 다음 글자의 훈과 음을 쓰시오.

( )皮( ) – ( )被( ) – ( )疲( ) – ( )彼( ) – ( )頗( ) – ( )波( ) –
( )破( ) – ( )婆( )

❖ 다음 글자를 분해하시오.

1. 彼 = ☐ + ☐   2. 被 = ☐ + ☐

3. 疲 = ☐ + ☐   4. 波 = ☐ + ☐

❖ 다음 글자를 소리 부분(聲符)과 뜻 부분(意符)으로 분해하시오.

5. 被 = 소리 부분(聲符) ☐ + 뜻 부분(意符) ☐

6. 疲 = 소리 부분(聲符) ☐ + 뜻 부분(意符) ☐

7. 彼 = 소리 부분(聲符) ☐ + 뜻 부분(意符) ☐

8. 頗 = 소리 부분(聲符) ☐ + 뜻 부분(意符) ☐

9. 波 = 소리 부분(聲符) ☐ + 뜻 부분(意符) ☐

10. 破 = 소리 부분(聲符) ☐ + 뜻 부분(意符) ☐

11. 婆 = 소리 부분(聲符) ☐ + 뜻 부분(意符) ☐

12. "皮"자와 비슷한 뜻을 가진 글자는?
    ① 肉   ② 毛   ③ 革   ④ 氵

13. "疲"자와 반대의 뜻을 가진 글자는?
    ① 疒   ② 死   ③ 兄   ④ 活

14. 다음 중 "음"이 서로 다른 글자는?
    ① 被   ② 皮   ③ 波   ④ 避

15. 다음 중 서로 관계 없는 것은?
    ① 婆   ② 老   ③ 翁   ④ 少

◆ 다음 중 주어진 글자로 이루어지는 단어를 2개 이상 한자 또는 한글로 쓰시오.

16. 皮 -

17. 彼 -

18. 疲 -

19. 破 -

20. 頗 -

◆ 다음 글자의 훈과 음을 쓰시오.

( )禸( ) – ( )禺( ) – ( )遇( ) – ( )愚( ) – ( )寓( ) – ( )偶( ) –
( )隅( ) – ( )萬( ) – ( )離( ) – ( )禽( )

◆ 다음 글자를 분해하시오.

1. 離 =  + +    2. 遇 = +

3. 禽 =  +   4. 寓 = +

◆ 다음 글자를 소리 부분(聲符)과 뜻 부분(意符)으로 분해하시오.

5. 遇 = 소리 부분(聲符)  + 뜻 부분(意符)

6. 愚 = 소리 부분(聲符) + 뜻 부분(意符)

7. 寓 = 소리 부분(聲符) + 뜻 부분(意符)

8. 偶 = 소리 부분(聲符) + 뜻 부분(意符)

9. 隅 = 소리 부분(聲符) + 뜻 부분(意符)

10. 離 = 소리 부분(聲符) + 뜻 부분(意符)

11. 禽 = 소리 부분(聲符) + 뜻 부분(意符)

12. 다음 중 "음"이 서로 <u>다른</u> 글자는?
　① 禺　　　② 偶　　　③ 宙　　　④ 宇

13. "禸"자와 관계 깊은 것은?
　① 음식　　② 짐승　　③ 물고기　　④ 하늘

14. "寓"자와 비슷한 뜻을 가진 글자는?
  ① 留   ② 進   ③ 平   ④ 落

15. "愚"자와 <u>반대</u>의 뜻을 가진 글자는?
  ① 像   ② 智   ③ 一   ④ 勿

16. 다음 중 서로 관계 <u>없는</u> 것은?
  ① 離   ② 別   ③ 合   ④ 分

17. 다음 중 "禽"은 어느 것인가?
  ① 犭   ② 虍   ③ 鳥   ④ 鹿

◆ 다음 중 주어진 글자로 이루어지는 단어를 2개 이상 한자 또는 한글로 쓰시오.

18. 遇 –   19. 寓 –

20. 偶 –   21. 萬 –

22. 離 –   23. 禽 –

◆ 다음 글자의 훈과 음을 쓰시오.

(   )角(   ) – (   )解(   ) – (   )邂(   ) – (   )觸(   ) – (   )觴(   )

◆ 다음 글자를 분해하시오.

1. 解 =   +   +   2. 觸 =   +

3. 邂 =   +   4. 觴 =   +

◆ 다음 글자를 소리 부분(聲符)과 뜻 부분(意符)으로 분해하시오.

5. 邂 = 소리 부분(聲符)   + 뜻 부분(意符)

6. 觸 = 소리 부분(聲符)   + 뜻 부분(意符)

7. 觴 = 소리 부분(聲符)   + 뜻 부분(意符)

8. 다음 중 "음"이 서로 <u>다른</u> 글자는?
  ① 亥   ② 解   ③ 核   ④ 邂

9. "角"자와 관계 <u>없는</u> 것은?

① 牛   ② 羊   ③ 虎   ④ 鹿

10. "觴"자와 비슷한 뜻을 가진 글자는?

① 盞   ② 否   ③ 句   ④ 皿

◆ 다음 중 주어진 글자로 이루어지는 단어를 2개 이상 한자 또는 한글로 쓰시오.

11. 角 -

12. 解 -

13. 邂 -

14. 觸 -

15. 觴 -

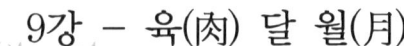

◆ 다음 글자의 훈과 음을 쓰시오.

```
(    )肉(  ) = (    )月(  ) – (    )腐(  )
```

◆ 다음 글자를 소리 부분(聲符)과 뜻 부분(意符)으로 분해하시오.

1. 腐 = 소리 부분(聲符) ▢▢▢▢ + 뜻 부분(意符) ▢▢▢▢

2. "腐"자와 반대의 뜻을 가진 글자는?
　① 万　　　　　② 活　　　　　③ 房　　　　　④ 支

◆ 다음 중 주어진 글자로 이루어지는 단어를 2개 이상 한자 또는 한글로 쓰시오.

3. 肉 – ▢▢▢▢▢▢▢▢　　　　4. 腐 – ▢▢▢▢▢▢▢

◆ 다음 글자의 훈과 음을 쓰시오.

```
(    )詹(  ) – (    )瞻(  ) –(   ) 擔(  ) – (    )膽(  )
```

◆ 다음 글자를 소리 부분(聲符)과 뜻 부분(意符)으로 분해하시오.

5. 瞻 = 소리 부분(聲符) ▢▢▢▢ + 뜻 부분(意符) ▢▢▢▢

6. 擔 = 소리 부분(聲符) ▢▢▢▢ + 뜻 부분(意符) ▢▢▢▢

7. 膽 = 소리 부분(聲符) ▢▢▢▢ + 뜻 부분(意符) ▢▢▢▢

8. 다음 중 서로 관계 없는 것은?
　① 膽　　　　　② 肝　　　　　③ 氵　　　　　④ 心

9. 다음 중 "음"이 서로 다른 글자는?
　① 尖　　　　　② 詹　　　　　③ 瞻　　　　　④ 擔

10. "擔"자와 비슷한 뜻을 가진 글자는?

① 斤   ② 赤   ③ 負   ④ 貝

◆ 다음 중 주어진 글자로 이루어지는 단어를 2개 이상 한자 또는 한글로 쓰시오.

11. 瞻 –

12. 擔 –

13. 膽 –

◆ 다음 글자의 훈과 음을 쓰시오.

(　　)月(　) – (　　)臟(　) – (　　)腑(　) – (　　)肢(　) – (　　)腦(　) – (　　)肋(　) –
(　　)肝(　) – (　　)肺(　) – (　　)背(　) – (　　)胃(　) – (　　)胸(　) – (　　)腎(　) –
(　　)膽(　) – (　　)腕(　) – (　　)腸(　) – (　　)脚(　) – (　　)腹(　) – (　　)腰(　) –
(　　)膚(　)

◆ 다음 글자를 분해하시오.

1. 臟 = 　　　　 + 　　　　 + 　　　　　　　2. 腸 = 　　　　 + 　　　

3. 腑 = 　　　　 + 　　　　　　　　　　　　4. 腦 = 　　　　 + 　　　

5. 胸 = 　　　　 + 　　　　 + 　　　　　　　6. 脚 = 　　　　 + 　　　

7. 胃 = 　　　　 + 　　　　　　　　　　　　8. 肢 = 　　　　 + 　　　

◆ 다음 글자를 소리 부분(聲符)과 뜻 부분(意符)으로 분해하시오.

9. 臟 = 소리 부분(聲符) 　　　　 + 뜻 부분(意符) 　　　

10. 腑 = 소리 부분(聲符) 　　　　 + 뜻 부분(意符) 　　　

11. 肢 = 소리 부분(聲符) 　　　　 + 뜻 부분(意符) 　　　

12. 肋 = 소리 부분(聲符) 　　　　 + 뜻 부분(意符) 　　　

13. 肝 = 소리 부분(聲符) 　　　　 + 뜻 부분(意符) 　　　

14. 背 = 소리 부분(聲符) 　　　　 + 뜻 부분(意符) 　　　

15. 胸 = 소리 부분(聲符) 　　　　 + 뜻 부분(意符)

16. 腎 = 소리 부분(聲符) [ ] + 뜻 부분(意符) [ ]

17. 膽 = 소리 부분(聲符) [ ] + 뜻 부분(意符) [ ]

18. 腕 = 소리 부분(聲符) [ ] + 뜻 부분(意符) [ ]

19. 腸 = 소리 부분(聲符) [ ] + 뜻 부분(意符) [ ]

20. 脚 = 소리 부분(聲符) [ ] + 뜻 부분(意符) [ ]

21. 腹 = 소리 부분(聲符) [ ] + 뜻 부분(意符) [ ]

22. 腰 = 소리 부분(聲符) [ ] + 뜻 부분(意符) [ ]

23. 膚 = 소리 부분(聲符) [ ] + 뜻 부분(意符) [ ]

24. "肢"자와 관계 깊은 것은?
   ① 눈과 귀   ② 팔과 다리   ③ 뼈와 고기   ④ 달과 나무

25. "腦"자와 관계 없는 것은?
   ① 首   ② 頁   ③ 申   ④ 頭

26. 다음 중 서로 관계 없는 것은?
   ① 肝   ② 胃   ③ 肢   ④ 腎

27. "胃"자와 관계 깊은 것은?
   ① 走   ② 食   ③ 土   ④ 見

28. "胸"자와 관계 깊은 것은?
   ① 忄   ② 止   ③ 辶   ④ 扌

29. "腕"자와 관계 깊은 것은?
   ① 耳   ② 肢   ③ 足   ④ 止

30. "脚"자와 관계 없는 것은?
   ① 步   ② 辶   ③ 目   ④ 走

31. "腹"자와 관계 깊은 것은?
   ① 心   ② 胃   ③ 亠   ④ 鼻

32. 다음 중 서로 관계 <u>없는</u> 것은?
　① 膚　　　　　　② 革　　　　　　③ 湖　　　　　　④ 皮

33. 다음 중 "사람의 몸"과 관계 <u>없는</u> 것은?
　① 腦　　　　　　② 腰　　　　　　③ 雨　　　　　　④ 胃

◆ 다음 중 주어진 글자로 이루어지는 단어를 2개 이상 한자 또는 한글로 쓰시오.

34. 臟 －

35. 腑 －

36. 肢 －

37. 腦 －

38. 肋 －

39. 肝 －

40. 肺 －

41. 背 －

42. 胃 －

43. 胸 －

44. 腎 －

45. 膽 －

46. 腕 －

47. 腸 －

48. 脚 －

49. 腹 －

50. 腰 －

51. 膚 －

◆ 다음 글자의 훈과 음을 쓰시오.

（　）胎（　）－（　）肥（　）－（　　）脫（　）－（　）肖（　）－（　）育（　）－（　）膝（　）

◆ 다음 글자를 분해하시오.

1. 胎 ＝ 　　　 ＋ 　　　 ＋ 　　　　　2. 肥 ＝ 　　　 ＋ 　　　

3. 肖 ＝ 　　　 ＋ 　　　　　　　　　　4. 育 ＝ 　　　 ＋ 　　　

◆ 다음 글자를 소리 부분(聲符)과 뜻 부분(意符)으로 분해하시오.

5. 胎 ＝ 소리 부분(聲符) 　　　　 ＋ 뜻 부분(意符) 　　　

6. 肥 ＝ 소리 부분(聲符) 　　　　 ＋ 뜻 부분(意符)

7. 脫 = 소리 부분(聲符) [　　　] + 뜻 부분(意符) [　　　]

8. 膨 = 소리 부분(聲符) [　　　] + 뜻 부분(意符) [　　　]

9. 다음 중 서로 관계 없는 것은?
   ① 兒　　　　　② 姙　　　　　③ 胎　　　　　④ 老

10. "脫"자와 반대의 뜻을 가진 글자는?
    ① 着　　　　　② 行　　　　　③ 示　　　　　④ 色

11. "肖"자와 반대의 뜻을 가진 글자는?
    ① 異　　　　　② 生　　　　　③ 眉　　　　　④ 김

12. "養"자와 비슷한 뜻을 가진 글자는?
    ① 捨　　　　　② 散　　　　　③ 育　　　　　④ 破

◆ 다음 중 주어진 글자로 이루어지는 단어를 2개 이상 한자 또는 한글로 쓰시오.

13. 胎 – [　　　　　　　　　]　　14. 肥 – [　　　　　　　　　]

15. 脫 – [　　　　　　　　　]　　16. 肖 – [　　　　　　　　　]

17. 育 – [　　　　　　　　　]

◆ 다음 글자의 훈과 음을 쓰시오.

```
( )彑( ) – ( )彔( ) – ( )剝( ) – ( )綠( ) – ( )錄( ) – ( )祿( ) –
( )緣( )
```

◆ 다음 글자를 분해하시오.

1. 綠 = [ ] + [ ] + [ ]   2. 錄 = [ ] + [ ]

3. 祿 = [ ] + [ ]   4. 緣 = [ ] + [ ]

5. 彑 = [ ] + [ ] + [ ]   6. 彔 = [ ] + [ ]

◆ 다음 글자를 소리 부분(聲符)과 뜻 부분(意符)으로 분해하시오.

7. 剝 = 소리 부분(聲符) [ ]   + 뜻 부분(意符) [ ]

8. 綠 = 소리 부분(聲符) [ ]   + 뜻 부분(意符) [ ]

9. 錄 = 소리 부분(聲符) [ ]   + 뜻 부분(意符) [ ]

10. 祿 = 소리 부분(聲符) [ ]   + 뜻 부분(意符) [ ]

11. 다음 중 "음"이 서로 다른 글자는?
 ① 彔　　　 ② 剝　　　 ③ 綠　　　 ④ 鹿

12. "剝"자와 비슷한 뜻을 가진 글자는?
 ① 脫　　　 ② 入　　　 ③ 乙　　　 ④ 夊

13. 다음 중 서로 관계 없는 것은?
 ① 綠　　　 ② 艸　　　 ③ 肉　　　 ④ 草

14. "祿"자와 비슷한 뜻을 가진 글자는?
 ① 友　　　 ② 曷　　　 ③ 福　　　 ④ 郎

◪ 다음 중 주어진 글자로 이루어지는 단어를 2개 이상 한자 또는 한글로 쓰시오.

15. 剝 –

16. 綠 –

17. 錄 –

18. 祿 –

19. 緣 –

확인학습문제

11강 – 조류/어패류/곤충

◆ 다음 글자의 훈과 음을 쓰시오.

|( )隹( ) – ( )鳥( ) – ( )乙( ) – ( )虫( ) – ( )巳( ) – ( )貝( )|

1. 다음 중 서로 관계 없는 것은?

① 飛   ② 隹   ③ 巳   ④ 鳥

2. 다음 중 "사람"을 나타내는 글자는?

① 鳥   ② 虫   ③ 儿   ④ 貝

◆ 다음 중 주어진 글자로 이루어지는 단어를 2개 이상 한자 또는 한글로 쓰시오.

3. 鳥 –

4. 乙 –

5. 虫 –

6. 巳 –

7. 貝 –

◪ 다음 글자의 훈과 음을 쓰시오.

( )隹( ) – ( )唯( ) – ( )雖( ) – ( )誰( ) – ( )惟( ) – ( )維( ) –
( )推( ) – ( )隻( ) – ( )雙( ) – ( )集( ) – ( )準( ) – ( )准( ) –
( )讐( )

◪ 다음 글자를 분해하시오.

1. 雙 = ☐ + ☐ + ☐   2. 讐 = ☐ + ☐

3. 隻 = ☐ + ☐   4. 准 = ☐ + ☐

5. 準 = ☐ + ☐ + ☐   6. 准 = ☐ + ☐

7. 集 = ☐ + ☐   8. 維 = ☐ + ☐

◪ 다음 글자를 소리 부분(聲符)과 뜻 부분(意符)으로 분해하시오.

9. 唯 = 소리 부분(聲符) ☐ + 뜻 부분(意符) ☐

10. 雖 = 소리 부분(聲符) ☐ + 뜻 부분(意符) ☐

11. 誰 = 소리 부분(聲符) ☐ + 뜻 부분(意符) ☐

12. 惟 = 소리 부분(聲符) ☐ + 뜻 부분(意符) ☐

13. 維 = 소리 부분(聲符) ☐ + 뜻 부분(意符) ☐

14. 推 = 소리 부분(聲符) ☐ + 뜻 부분(意符) ☐

15. 準 = 소리 부분(聲符) ☐ + 뜻 부분(意符) ☐

16. 讐 = 소리 부분(聲符) ☐ + 뜻 부분(意符) ☐

17. 다음 중 "음"이 서로 <u>다른</u> 글자는?

① 維　　　　　② 推　　　　　③ 唯　　　　　④ 油

18. "惟"자와 비슷한 뜻을 가진 글자는?
　　① 同　　　　　② 被　　　　　③ 思　　　　　④ 行

19. 다음 중 서로 관계 <u>없는</u> 것은?
　　① 雙　　　　　② 兼　　　　　③ 單　　　　　④ 竝

20. "集"자와 <u>반대</u>의 뜻을 가진 글자는?
　　① 協　　　　　② 散　　　　　③ 多　　　　　④ 羽

21. "准"자와 비슷한 뜻을 가진 글자는?
　　① 認　　　　　② 事　　　　　③ 字　　　　　④ 破

22. 다음 중 "음"이 서로 <u>다른</u> 글자는?
　　① 准　　　　　② 準　　　　　③ 維　　　　　④ 俊

◪ 다음 중 주어진 글자로 이루어지는 단어를 2개 이상 한자 또는 한글로 쓰시오.

23. 唯 –　　　　　　　　　　　24. 雖 –

25. 誰 –　　　　　　　　　　　26. 惟 –

27. 維 –　　　　　　　　　　　28. 推 –

29. 雙 –　　　　　　　　　　　30. 集 –

31. 準 –　　　　　　　　　　　32. 准 –

33. 讐 –

◪ 다음 글자의 훈과 음을 쓰시오.

```
(　　)雅(　) – (　　)進(　) – (　　)護(　) – (　　)獲(　) – (　　)穫(　) – (　　)雀(　) –
(　　)雌(　) – (　　)雄(　) – (　　)離(　) – (　　)羅(　) – (　　)奪(　) – (　　)奮(　)
```

◪ 다음 글자를 분해하시오.

1. 護 ＝ 　　　＋　　　＋　　　　　2. 奪 ＝ 　　　＋

3. 獲 = [　　] + [　　]

4. 奮 = [　　] + [　　]

5. 羅 = [　　] + [　　] + [　　]

6. 進 = [　　] + [　　]

7. 雅 = [　　] + [　　]

8. 雌 = [　　] + [　　]

9. 奮 = [　　] + [　　] + [　　]

10. 雄 = [　　] + [　　]

◆ 다음 글자를 소리 부분(聲符)과 뜻 부분(意符)으로 분해하시오.

11. 雅 = 소리 부분(聲符) [　　] + 뜻 부분(意符) [　　]

12. 獲 = 소리 부분(聲符) [　　] + 뜻 부분(意符) [　　]

13. 穫 = 소리 부분(聲符) [　　] + 뜻 부분(意符) [　　]

14. 雌 = 소리 부분(聲符) [　　] + 뜻 부분(意符) [　　]

15. 雄 = 소리 부분(聲符) [　　] + 뜻 부분(意符) [　　]

16. 離 = 소리 부분(聲符) [　　] + 뜻 부분(意符) [　　]

17. "進"자와 <u>반대</u>의 뜻을 가진 글자는?
　　① 退　　　　② 沒　　　　③ 宀　　　　④ 秋

18. "護"자와 비슷한 뜻을 가진 글자는?
　　① 放　　　　② 保　　　　③ 受　　　　④ 玩

19. 다음 중 서로 관계 <u>없는</u> 것은?
　　① 雀　　　　② 隹　　　　③ 馬　　　　④ 鳥

20. 다음 중 관계가 나머지 셋과 <u>다른</u> 것은?
　　① 脫 - 着　　② 雌 - 雄　　③ 天 - 地　　④ 興 - 奮

◆ 다음 중 주어진 글자로 이루어지는 단어를 2개 이상 한자 또는 한글로 쓰시오.

21. 雅 - [　　]

22. 進 - [　　]

23. 護 - [　　]

24. 獲 - [　　]

25. 穫 - [　　]

26. 雀 - [　　]

27. 雌 -
28. 雄 -
29. 離 -
30. 羅 -
31. 奪 -
32. 奮 -

◪ 다음 글자의 훈과 음을 쓰시오.

( )雇( ) - ( )顧( ) - ( )雁( ) - ( )應( ) - ( )稚( ) - ( )雜( ) -
( )難( )

◪ 다음 글자를 분해하시오.

1. 顧 = [   ] + [   ] + [   ]   2. 難 = [   ] + [   ]

3. 雇 = [   ] + [   ]   4. 稚 = [   ] + [   ]

◪ 다음 글자를 소리 부분(聲符)과 뜻 부분(意符)으로 분해하시오.

5. 顧 = 소리 부분(聲符) [   ] + 뜻 부분(意符) [   ]

6. 雁 = 소리 부분(聲符) [   ] + 뜻 부분(意符) [   ]

7. 應 = 소리 부분(聲符) [   ] + 뜻 부분(意符) [   ]

8. 稚 = 소리 부분(聲符) [   ] + 뜻 부분(意符) [   ]

9. 雜 = 소리 부분(聲符) [   ] + 뜻 부분(意符) [   ]

10. 다음 중 "음"이 서로 <u>다른</u> 글자는?
　① 雇　　　　② 顧　　　　③ 雀　　　　④ 古

11. 다음 중 서로 관계 <u>없는</u> 것은?
　① 雁　　　　② 羊　　　　③ 馬　　　　④ 牛

12. "稚"자와 관계 깊은 것은?
　① 長　　　　② 幼　　　　③ 成　　　　④ 紡

13. "難"자와 관계 <u>없는</u> 것은?

① 苦　　　　　② 患　　　　　③ 喜　　　　　④ 困

◆ 다음 중 주어진 글자로 이루어지는 단어를 2개 이상 한자 또는 한글로 쓰시오.

14. 顧 －　　　　　　　　　　　　　　15. 雁 －

16. 應 －　　　　　　　　　　　　　　17. 稚 －

18. 雜 －　　　　　　　　　　　　　　19. 難 －

◆ 다음 글자의 훈과 음을 쓰시오.

(　)隹(　) － (　)萑(　) － (　)歡(　) － (　)觀(　) － (　)權(　) － (　)勸(　)

◆ 다음 글자를 분해하시오.

1. 萑 ＝ 　　　　 ＋ 　　　　 ＋ 　　　　　2. 歡 ＝ 　　　　 ＋ 　　　　

3. 觀 ＝ 　　　　 ＋ 　　　　　　　　　　　4. 勸 ＝ 　　　　 ＋ 　　　　

5. 萑 ＝ 　　　　 ＋ 　　　

◆ 다음 글자를 소리 부분(聲符)과 뜻 부분(意符)으로 분해하시오.

6. 歡 ＝ 소리 부분(聲符) 　　　　 ＋ 뜻 부분(意符) 　　　　

7. 觀 ＝ 소리 부분(聲符) 　　　　 ＋ 뜻 부분(意符) 　　　　

8. 權 ＝ 소리 부분(聲符) 　　　　 ＋ 뜻 부분(意符) 　　　　

9. 勸 ＝ 소리 부분(聲符) 　　　　 ＋ 뜻 부분(意符) 　　　　

10. 다음 중 "음"이 서로 <u>다른</u> 글자는?
　　① 萑　　　　　② 艹　　　　　③ 袁　　　　　④ 卝

11. "舊"자와 <u>반대</u>의 뜻을 가진 글자는?
　　① 故　　　　　② 民　　　　　③ 新　　　　　④ 客

12. 다음 중 "음"이 서로 <u>다른</u> 글자는?
　　① 權　　　　　② 勸　　　　　③ 觀　　　　　④ 卷

13. "歡"자와 비슷한 뜻이 <u>아닌</u> 글자는?

① 喜   ② 樂   ③ 快   ④ 喪

◆ 다음 중 주어진 글자로 이루어지는 단어를 2개 이상 한자 또는 한글로 쓰시오.

14. 歡 -

15. 觀 -

16. 權 -

17. 勸 -

◆ 다음 글자의 훈과 음을 쓰시오.

( )崔( ) - ( )催( ) - ( )鶴( ) - ( )確( )

◆ 다음 글자를 분해하시오.

1. 確 =   +   +

2. 鶴 =   +

3. 崔 =   +

4. 催 =   +

◆ 다음 글자를 소리 부분(聲符)과 뜻 부분(意符)으로 분해하시오.

5. 催 = 소리 부분(聲符)   + 뜻 부분(意符)

◆ 다음 중 주어진 글자로 이루어지는 단어를 2개 이상 한자 또는 한글로 쓰시오.

6. 崔 -

7. 催 -

8. 鶴 -

9. 確 -

◆ 다음 글자의 훈과 음을 쓰시오.

( )鳥( ) - ( )鳴( ) - ( )烏( ) - ( )嗚( ) - ( )焉( ) - ( )舃( ) -
( )島( ) - ( )鷄( ) - ( )鶴( ) - ( )鴻( ) - ( )鳳( )

◆ 다음 글자를 분해하시오.

1. 鷄 = ⬜ + ⬜ + ⬜

2. 鴻 = ⬜ + ⬜

3. 鶴 = ⬜ + ⬜

4. 嗚 = ⬜ + ⬜

5. 烏 = ⬜ + ⬜

6. 島 = ⬜ + ⬜

7. 舃 = ⬜ + ⬜

8. 焉 = ⬜ + ⬜

◆ 다음 글자를 소리 부분(聲符)과 뜻 부분(意符)으로 분해하시오.

9. 鷄 = 소리 부분(聲符) ⬜ + 뜻 부분(意符) ⬜

10. 鶴 = 소리 부분(聲符) ⬜ + 뜻 부분(意符) ⬜

11. 鴻 = 소리 부분(聲符) ⬜ + 뜻 부분(意符) ⬜

◆ 다음 중 주어진 글자로 이루어지는 단어를 2개 이상 한자 또는 한글로 쓰시오.

12. 鳥 - ⬜

13. 嗚 - ⬜

14. 烏 –

15. 鳴 –

16. 焉 –

17. 舄 –

18. 島 –

19. 鷄 –

20. 鶴 –

21. 鴻 –

22. 鳳 –

◆ 다음 글자의 훈과 음을 쓰시오.

( )羽( ) – ( )習( ) – ( )弱( ) – ( )溺( ) – ( )曜( ) – ( )濯( ) –
( )擢( ) – ( )翼( ) – ( )翌( ) – ( )扇( ) – ( )煽( ) – ( )翁( )

◆ 다음 글자를 분해하시오.

1. 曜 = ☐ + ☐ + ☐   2. 翟 = ☐ + ☐

3. 擢 = ☐ + ☐   4. 濯 = ☐ + ☐

5. 煽 = ☐ + ☐ + ☐   6. 扇 = ☐ + ☐

7. 弱 = ☐ + ☐   8. 溺 = ☐ + ☐

9. 習 = ☐ + ☐   10. 翌 = ☐ + ☐

◆ 다음 글자를 소리 부분(聲符)과 뜻 부분(意符)으로 분해하시오.

11. 溺 = 소리 부분(聲符) ☐ + 뜻 부분(意符) ☐

12. 煽 = 소리 부분(聲符) ☐ + 뜻 부분(意符) ☐

13. 翁 = 소리 부분(聲符) ☐ + 뜻 부분(意符) ☐

◆ 다음 중 주어진 글자로 이루어지는 단어를 2개 이상 한자 또는 한글로 쓰시오.

14. 羽 – ☐   15. 習 – ☐

16. 弱 – ☐   17. 溺 – ☐

18. 曜 – ☐   19. 濯 – ☐

20. 擢 – ☐   21. 翼 – ☐

22. 翌 -

23. 扇 -

24. 煽 -

25. 翁 -

◆ 다음 글자의 훈과 음을 쓰시오.

( )非( ) - ( )悲( ) - ( )誹( ) - ( )排( ) - ( )徘( ) - ( )俳( ) -
( )輩( ) - ( )罪( ) - ( )飛( )

◆ 다음 글자를 분해하시오.

1. 悲 = ___ + ___

2. 誹 = ___ + ___

3. 俳 = ___ + ___

4. 徘 = ___ + ___

5. 輩 = ___ + ___

6. 罪 = ___ + ___

◆ 다음 글자를 소리 부분(聲符)과 뜻 부분(意符)으로 분해하시오.

7. 悲 = 소리 부분(聲符) ___ + 뜻 부분(意符) ___

8. 誹 = 소리 부분(聲符) ___ + 뜻 부분(意符) ___

9. 徘 = 소리 부분(聲符) ___ + 뜻 부분(意符) ___

10. 輩 = 소리 부분(聲符) ___ + 뜻 부분(意符) ___

◆ 다음 중 주어진 글자로 이루어지는 단어를 2개 이상 한자 또는 한글로 쓰시오.

11. 非 -

12. 悲 -

13. 誹 -

14. 排 -

15. 徘 -

16. 俳 -

17. 輩 -

18. 罪 -

19. 飛 -

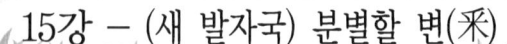
◆ 다음 글자의 훈과 음을 쓰시오.

( )釆( ) - ( )番( ) - ( )播( ) - ( )燔( ) - ( )飜( ) - ( )潘( ) - ( )審( ) - ( )奧( )

◆ 다음 글자를 분해하시오.

1. 審 = ☐ + ☐ + ☐   2. 飜 = ☐ + ☐

3. 番 = ☐ + ☐   4. 燔 = ☐ + ☐

5. 奧 = ☐ + ☐ + ☐   6. 播 = ☐ + ☐

7. 潘 = ☐ + ☐ + ☐   8. 釆 = ☐ + ☐

◆ 다음 글자를 소리 부분(聲符)과 뜻 부분(意符)으로 분해하시오.

9. 番 = 소리 부분(聲符) ☐ + 뜻 부분(意符) ☐

10. 播 = 소리 부분(聲符) ☐ + 뜻 부분(意符) ☐

11. 燔 = 소리 부분(聲符) ☐ + 뜻 부분(意符) ☐

12. 飜 = 소리 부분(聲符) ☐ + 뜻 부분(意符) ☐

13. 潘 = 소리 부분(聲符) ☐ + 뜻 부분(意符) ☐

14. 奧 = 소리 부분(聲符) ☐ + 뜻 부분(意符) ☐

◆ 주어진 글자로 이루어지는 단어를 2개 이상 한자 또는 한글로 쓰시오.

15. 釆 -

16. 番 -

17. 播 -

18. 燔 -

19. 飜 -

20. 潘 -

21. 審 -

22. 奧 -

◆ 다음 글자의 훈과 음을 쓰시오.

( )乙( ) - ( )乞( ) - ( )乾( ) - ( )乳( ) - ( )孔( ) - ( )亂( )

◆ 다음 글자를 분해하시오.

1. 乳 = ☐ + ☐ + ☐   2. 亂 = ☐ + ☐

3. 孔 = ☐ + ☐   4. 乞 = ☐ + ☐

◆ 다음 중 주어진 글자로 이루어지는 단어를 2개 이상 한자 또는 한글로 쓰시오.

5. 乙 - ☐   6. 乞 - ☐

7. 乾 - ☐   8. 乳 - ☐

9. 孔 - ☐   10. 亂 - ☐

◆ 다음 글자의 훈과 음을 쓰시오.

( )也( ) - ( )地( ) - ( )池( ) - ( )他( ) - ( )弛( ) - ( )施( )

◆ 다음 글자를 분해하시오.

1. 施 = ☐ + ☐ + ☐   2. 池 = ☐ + ☐

3. 弛 = ☐ + ☐   4. 地 = ☐ + ☐

5. 他 = ☐ + ☐

◆ 다음 중 주어진 글자로 이루어지는 단어를 2개 이상 한자 또는 한글로 쓰시오.

6. 地 - ☐   7. 池 - ☐

8. 他 －

9. 弛 －

10. 施 －

◆ 다음 글자의 훈과 음을 쓰시오.

( )九( ) － ( )丸( ) － ( )究( ) － ( )軌( ) － ( )染( )

◆ 다음 글자를 분해하시오.

1. 染 = ___ + ___ + ___

2. 軌 = ___ + ___

3. 究 = ___ + ___

4. 丸 = ___ + ___

◆ 다음 글자를 소리 부분(聲符)과 뜻 부분(意符)으로 분해하시오.

5. 究 = 소리 부분(聲符) ___ + 뜻 부분(意符) ___

6. 軌 = 소리 부분(聲符) ___ + 뜻 부분(意符) ___

◆ 다음 중 주어진 글자로 이루어지는 단어를 2개 이상 한자 또는 한글로 쓰시오.

7. 九 －

8. 丸 －

9. 究 －

10. 軌 －

11. 染 －

확인학습문제

17강 - 벌레 충(虫)

◆ 다음 글자의 훈과 음을 쓰시오.

( )虫( ) – ( )蟲( ) – ( )融( ) – ( )强( ) – ( )風( ) – ( )蜀( ) –
( )燭( ) – ( )觸( ) – ( )屬( ) – ( )濁( ) – ( )獨( )

◆ 다음 글자를 분해하시오.

1. 獨 =　　　　 +　　　　 +　　　　　　　　2. 燭 =　　　　 +

3. 蜀 =　　　　 +　　　　　　　　　　　　　4. 觸 =　　　　 +

5. 濁 =　　　　 +　　　　 +　　　　　　　　6. 融 =　　　　 +

7. 風 =　　　　 +　　　　　　　　　　　　　8. 屬 =　　　　 +

◆ 다음 글자를 소리 부분(聲符)과 뜻 부분(意符)으로 분해하시오.

9. 燭 = 소리 부분(聲符)　　　　 + 뜻 부분(意符)

10. 觸 = 소리 부분(聲符)　　　　 + 뜻 부분(意符)

11. 屬 = 소리 부분(聲符)　　　　 + 뜻 부분(意符)

12. 濁 = 소리 부분(聲符)　　　　 + 뜻 부분(意符)

13. 獨 = 소리 부분(聲符)　　　　 + 뜻 부분(意符)

◆ 다음 중 주어진 글자로 이루어지는 단어를 2개 이상 한자 또는 한글로 쓰시오.

14. 虫 –

15. 蟲 –

16. 融 –

17. 强 –

18. 風 –

19. 蜀 –

20. 燭 –

21. 觸 –

22. 屬 –

23. 濁 –

24. 獨 –

◆ 다음 글자의 훈과 음을 쓰시오.

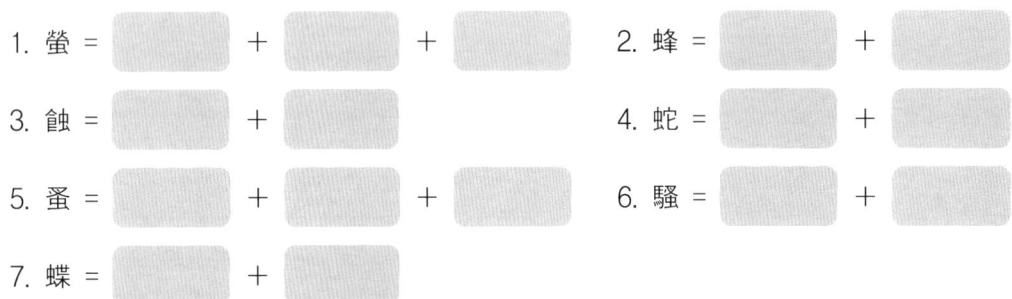

( )蚤( ) – ( )騷( ) – ( )蜂( ) – ( )蝶( ) – ( )螢( ) – ( )蝕( ) –
( )蛇( )

◆ 다음 글자를 분해하시오.

1. 螢 = ☐ + ☐ + ☐   2. 蜂 = ☐ + ☐

3. 蝕 = ☐ + ☐   4. 蛇 = ☐ + ☐

5. 蚤 = ☐ + ☐ + ☐   6. 騷 = ☐ + ☐

7. 蝶 = ☐ + ☐

◆ 다음 글자를 소리 부분(聲符)과 뜻 부분(意符)으로 분해하시오.

8. 騷 = 소리 부분(聲符) ☐ + 뜻 부분(意符) ☐

9. 蜂 = 소리 부분(聲符) ☐ + 뜻 부분(意符) ☐

10. 蝶 = 소리 부분(聲符) ☐ + 뜻 부분(意符) ☐

11. 蝕 = 소리 부분(聲符) ☐ + 뜻 부분(意符) ☐

◆ 다음 중 주어진 글자로 이루어지는 단어를 2개 이상 한자 또는 한글로 쓰시오.

12. 蚤 –

13. 騷 –

14. 蜂 –

15. 蝶 –

16. 螢 –

17. 蝕 –

18. 蛇 –

◆ 다음 글자의 훈과 음을 쓰시오.

( )魚( ) – ( )漁( ) – ( )鮮( ) – ( )蘇( ) – ( )鮑( ) – ( )鯨( )

◆ 다음 글자를 분해하시오.

1. 蘇 = ☐ + ☐ + ☐   2. 鮑 = ☐ + ☐

3. 鮮 = ☐ + ☐   4. 鯨 = ☐ + ☐

5. 漁 = ☐ + ☐ + ☐   6. 魚 = ☐ + ☐

◆ 다음 글자를 소리 부분(聲符)과 뜻 부분(意符)으로 분해하시오.

7. 漁 = 소리 부분(聲符) ☐ + 뜻 부분(意符) ☐

8. 鮑 = 소리 부분(聲符) ☐ + 뜻 부분(意符) ☐

9. 鯨 = 소리 부분(聲符) ☐ + 뜻 부분(意符) ☐

◆ 다음 중 주어진 글자로 이루어지는 단어를 2개 이상 한자 또는 한글로 쓰시오.

10. 魚 – ☐   11. 漁 – ☐

12. 鮮 – ☐   13. 蘇 – ☐

14. 鮑 – ☐   15. 鯨 – ☐

◆ 다음 글자의 훈과 음을 쓰시오.

( )貝( ) – ( )買( ) – ( )賣( ) – ( )讀( ) – ( )續( ) – ( )贖( )

◆ 다음 글자를 분해하시오.

1. 讀 = ☐ + ☐ + ☐   2. 買 = ☐ + ☐

3. 賣 = ⬜ + ⬜   4. 贖 = ⬜ + ⬜

5. 續 = ⬜ + ⬜ + ⬜

◆ 다음 중 주어진 글자로 이루어지는 단어를 2개 이상 한자 또는 한글로 쓰시오.

6. 貝 – ⬜   7. 買 – ⬜

8. 賣 – ⬜   9. 讀 – ⬜

10. 續 – ⬜   11. 贖 – ⬜

◆ 다음 글자의 훈과 음을 쓰시오.

( )賃( ) – ( )貸( ) – ( )貨( ) – ( )費( ) – ( )貢( ) – ( )賀( ) –
( )資( ) – ( )貧( ) – ( )賢( ) – ( )貪( ) – ( )貿( ) – ( )貫( ) –
( )慣( )

◆ 다음 글자를 분해하시오.

1. 賃 = ⬜ + ⬜   2. 貸 = ⬜ + ⬜

3. 貨 = ⬜ + ⬜   4. 貧 = ⬜ + ⬜

◆ 다음 글자를 소리 부분(聲符)과 뜻 부분(意符)으로 분해하시오.

5. 賃 = 소리 부분(聲符) ⬜ + 뜻 부분(意符) ⬜

6. 貸 = 소리 부분(聲符) ⬜ + 뜻 부분(意符) ⬜

7. 貨 = 소리 부분(聲符) ⬜ + 뜻 부분(意符) ⬜

8. 費 = 소리 부분(聲符) ⬜ + 뜻 부분(意符) ⬜

9. 貢 = 소리 부분(聲符) ⬜ + 뜻 부분(意符) ⬜

10. 賀 = 소리 부분(聲符) ⬜ + 뜻 부분(意符) ⬜

11. 資 = 소리 부분(聲符) ⬜ + 뜻 부분(意符) ⬜

12. 貧 = 소리 부분(聲符) ⬜ + 뜻 부분(意符) ⬜

13. 賢 = 소리 부분(聲符)　　　　+　뜻 부분(意符)

14. 貪 = 소리 부분(聲符)　　　　+　뜻 부분(意符)

15. 貿 = 소리 부분(聲符)　　　　+　뜻 부분(意符)

16. 慣 = 소리 부분(聲符)　　　　+　뜻 부분(意符)

◆ 다음 중 주어진 글자로 이루어지는 단어를 2개 이상 한자 또는 한글로 쓰시오.

17. 賃 -　　　　　　　　　　　　　　18. 貸 -

19. 貨 -　　　　　　　　　　　　　　20. 費 -

21. 貢 -　　　　　　　　　　　　　　22. 賀 -

23. 資 -　　　　　　　　　　　　　　24. 貧 -

25. 賢 -　　　　　　　　　　　　　　26. 貪 -

27. 貿 -　　　　　　　　　　　　　　28. 貫 -

29. 慣 -

◆ 다음 글자의 훈과 음을 쓰시오.

( )賈( ) - ( )價( ) - ( )貞( ) - ( )負( ) - ( )質( ) - ( )貴( ) -
( )遺( )

◆ 다음 글자를 분해하시오.

1. 價 =　　　　+　　　　+　　　　　2. 賈 =　　　　+

3. 貞 =　　　　+　　　　　　　　　4. 負 =　　　　+

5. 遺 =　　　　+　　　　+　　　　　6. 貴 =　　　　+

◆ 다음 중 주어진 글자로 이루어지는 단어를 2개 이상 한자 또는 한글로 쓰시오.

7. 賈 -　　　　　　　　　　　　　　8. 價 -

9. 貞 -　　　　　　　　　　　　　　10. 負 -

11. 質 – <!-- blank -->   12. 貴 –

13. 遺 –

◆ 다음 글자의 훈과 음을 쓰시오.

( )實( ) – ( )寶( ) – ( )賓( )

◆ 다음 글자를 분해하시오.

1. 寶 = ☐ + ☐ + ☐ + ☐

2. 實 = ☐ + ☐ + ☐   3. 賓 = ☐ + ☐ + ☐

◆ 다음 중 주어진 글자로 이루어지는 단어를 2개 이상 한자 또는 한글로 쓰시오.

4. 實 – ☐   5. 寶 – ☐

6. 賓 – ☐

◆ 다음 글자의 훈과 음을 쓰시오.

( )責( ) – ( )債( ) – ( )積( ) – ( )績( ) – ( )蹟( )

◆ 다음 글자를 소리 부분(聲符)과 뜻 부분(意符)으로 분해하시오.

1. 債 = 소리 부분(聲符) ☐ + 뜻 부분(意符) ☐

2. 積 = 소리 부분(聲符) ☐ + 뜻 부분(意符) ☐

3. 績 = 소리 부분(聲符) ☐ + 뜻 부분(意符) ☐

4. 蹟 = 소리 부분(聲符) ☐ + 뜻 부분(意符) ☐

◆ 다음 중 주어진 글자로 이루어지는 단어를 2개 이상 한자 또는 한글로 쓰시오.

5. 責 – ☐   6. 債 – ☐

7. 積 – ☐   8. 績 – ☐

9. 蹟 – ☐

◪ 다음 글자의 훈과 음을 쓰시오.

( )敗( ) – ( )財( ) – ( )貯( ) – ( )販( ) – ( )賦( ) – ( )購( ) –
( )賠( ) – ( )賜( ) – ( )賊( ) – ( )賤( ) – ( )贈( ) – ( )賴( ) –
( )貳( )

◪ 다음 글자를 분해하시오.

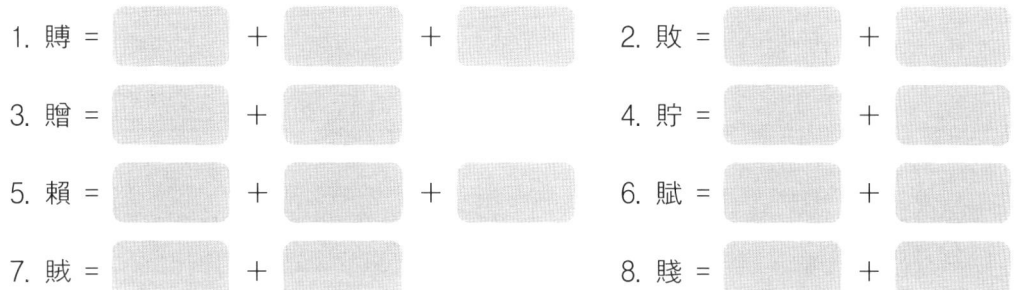

1. 購 = ___ + ___ + ___   2. 敗 = ___ + ___

3. 贈 = ___ + ___   4. 貯 = ___ + ___

5. 賴 = ___ + ___ + ___   6. 賦 = ___ + ___

7. 賊 = ___ + ___   8. 賤 = ___ + ___

◪ 다음 글자를 소리 부분(聲符)과 뜻 부분(意符)으로 분해하시오.

9. 敗 = 소리 부분(聲符) ___ + 뜻 부분(意符) ___

10. 貯 = 소리 부분(聲符) ___ + 뜻 부분(意符) ___

11. 販 = 소리 부분(聲符) ___ + 뜻 부분(意符) ___

12. 賦 = 소리 부분(聲符) ___ + 뜻 부분(意符) ___

13. 購 = 소리 부분(聲符) ___ + 뜻 부분(意符) ___

14. 賤 = 소리 부분(聲符) ___ + 뜻 부분(意符) ___

15. 贈 = 소리 부분(聲符) ___ + 뜻 부분(意符) ___

16. 貳 = 소리 부분(聲符) ___ + 뜻 부분(意符) ___

◪ 다음 중 주어진 글자로 이루어지는 단어를 2개 이상 한자 또는 한글로 쓰시오.

17. 敗 – ___   18. 財 – ___

19. 貯 – ___   20. 販 – ___

21. 賦 – ___   22. 購 – ___

23. 賠 – ___   24. 賜 – ___

25. 賊 - 　　　　　　　　　　26. 賤 - 　　　　　　　　　　

27. 贈 - 　　　　　　　　　　28. 賴 - 　　　　　　　　　　

29. 貳 - 　　　　　　　　　　

◪ 다음 글자의 훈과 음을 쓰시오.

(　　)卉(　) – (　　)奔(　) – (　　)賁(　) – (　　)噴(　) – (　　)憤(　) – (　　)墳(　) –
(　　)質(　) – (　　)贊(　) – (　　)讚(　)

◪ 다음 글자를 분해하시오.

1. 噴 = 　　　　 + 　　　　 + 　　　　　2. 憤 = 　　　　 + 　　　　

3. 墳 = 　　　　 + 　　　　　　　　　　4. 賁 = 　　　　 + 　　　　

◪ 다음 글자를 소리 부분(聲符)과 뜻 부분(意符)으로 분해하시오.

5. 噴 = 소리 부분(聲符) 　　　　 + 뜻 부분(意符) 　　　　

6. 憤 = 소리 부분(聲符) 　　　　 + 뜻 부분(意符) 　　　　

7. 墳 = 소리 부분(聲符) 　　　　 + 뜻 부분(意符) 　　　　

8. 贊 = 소리 부분(聲符) 　　　　 + 뜻 부분(意符) 　　　　

9. 讚 = 소리 부분(聲符) 　　　　 + 뜻 부분(意符) 　　　　

◪ 다음 중 주어진 글자로 이루어지는 단어를 2개 이상 한자 또는 한글로 쓰시오.

10. 卉 - 　　　　　　　　　　11. 奔 - 　　　　　　　　　　

12. 賁 - 　　　　　　　　　　13. 噴 - 　　　　　　　　　　

14. 憤 - 　　　　　　　　　　15. 墳 - 　　　　　　　　　　

16. 質 - 　　　　　　　　　　17. 贊 - 　　　　　　　　　　

18. 讚 -

◆ 다음 글자의 훈과 음을 쓰시오.

( )貝( ) - ( )敗( ) - ( )則( ) - ( )側(측) - ( )測( )

◆ 다음 글자를 분해하시오.

1. 側 = [　　　] + [　　　] + [　　　]　　2. 測 = [　　　] + [　　　]

3. 則 = [　　　] + [　　　]　　　　　　　4. 敗 = [　　　] + [　　　]

◆ 다음 글자를 소리 부분(聲符)과 뜻 부분(意符)으로 분해하시오.

5. 敗 = 소리 부분(聲符) [　　　] + 뜻 부분(意符) [　　　]

6. 側 = 소리 부분(聲符) [　　　] + 뜻 부분(意符) [　　　]

7. 測 = 소리 부분(聲符) [　　　] + 뜻 부분(意符) [　　　]

◆ 다음 중 주어진 글자로 이루어지는 단어를 2개 이상 한자 또는 한글로 쓰시오.

8. 貝 - [　　　　　　　　　]

9. 敗 - [　　　　　　　　　]

10. 則 - [　　　　　　　　　]

11. 側 - [　　　　　　　　　]

12. 測 - [　　　　　　　　　]

◆ 다음 글자의 훈과 음을 쓰시오.

( )貝( ) - ( )圓( ) - ( )損( ) - ( )賞( ) - ( )償( )

◆ 다음 글자를 분해하시오.

1. 償 = [　　] + [　　] + [　　]   2. 賞 = [　　] + [　　]

3. 損 = [　　] + [　　]   4. 圓 = [　　] + [　　]

◆ 다음 글자를 소리 부분(聲符)과 뜻 부분(意符)으로 분해하시오.

5. 圓 = 소리 부분(聲符) [　　] + 뜻 부분(意符) [　　]

6. 損 = 소리 부분(聲符) [　　] + 뜻 부분(意符) [　　]

7. 賞 = 소리 부분(聲符) [　　] + 뜻 부분(意符) [　　]

8. 償 = 소리 부분(聲符) [　　] + 뜻 부분(意符) [　　]

◆ 다음 중 주어진 글자로 이루어지는 단어를 2개 이상 한자 또는 한글로 쓰시오.

9. 員 – [　　]

10. 圓 – [　　]

11. 損 – [　　]

12. 賞 – [　　]

13. 償 – [　　]

山 뫼 산

| 山(산) | 仙(선) | 島(도) | 岸(안) | 崖(애) |
| 嶽(악) | 岳(악) | 崔(최) | 崩(붕) | 崇(숭) |

山

훈음 뫼 산 부수 제 부수
봉오리가 연이어 있는 산의 모습을 간략하게 정리한 모습이다.
●●●●● 山川草木(산천초목)/山河(산하)/山林(산림)/山村(산촌)

仙

훈음 신선 선 부수 사람 亻(인) ▶▶▶ 사람 亻(인) + 뫼 山(산) ➡ 산에 사는 사람
산(山)에 사는 사람(亻)이란 도사 아니면 산신령이므로 두 글자 모두 의미요소이다.
●●●●● 神仙(신선)/仙女(선녀)/仙遊(선유)

島

훈음 섬 도 부수 뫼 山(산) ▶▶▶ 새 鳥(조) + 뫼 山(산) ➡ 외로이 바다 한가운데 새처럼 떠 있는 산
섬은 홀로 바다 한가운데 山(산)과 같은 것이므로, 산이나 바위 위에 홀로 앉은 새 한 마리를 그려서 '섬'으로 글자를 만든 참으로 재미있는 구조의 글자로 두 글자 모두 의미요소이다.
●●●●● 孤島(고도)/島嶼僻地(도서벽지)/無人島(무인도)/半島(반도)

岸

훈음 언덕 안 부수 뫼 山(산)
▶▶▶ 뫼 山(산) + 낭떠러지 厂(엄) + 방패 干(간) ➡ 해안과 접하는 산처럼 높은 언덕
높은 언덕 특히 바다나 강과 맞닿아 있는 높은 바위언덕을 뜻하는 글자로 뫼 山(산)과 낭떠러지 厂(엄)이 의미요소로 干(간)은 발음기호로 쓰였다.
●●●●● 沿岸(연안)/海岸(해안)/接岸(접안)

崖

훈음 벼랑 애 부수 뫼 山(산) ▶▶▶ 뫼 山(산) + 언덕 厓(애) ➡ 산처럼 높은 절벽
벼랑이란 높은 낭떠러지를 말하므로 뫼 山(산)을 더하여 그 의미를 더욱 분명히 한 글자로 두 글자 모두 의미요소이고, 언덕 厓(애)는 발음기호를 겸한다.
●●●●● 斷崖(단애)

嶽

훈음 큰 산 악 부수 뫼 山(산) ▶▶▶ 뫼 山(산) + 옥 獄(옥) ➡ 등이 오싹해질 정도로 험한 산
절벽과 바위투성이 산을 우리는 嶽山(악산)이라 부르는데, 바로 그 산을 가리키는 말로 뫼 山(산)이 의미요소이고, 옥 獄(옥)은 발음기호이다.
●●●●● 山嶽(산악)/嶽山(악산)/雪嶽山(설악산)

岳

훈음 큰 산 악 부수 뫼 山(산) ▶▶▶ 언덕 丘(구) + 뫼 山(산) ➡ 구릉보다 큰 산
큰 산 嶽(악)의 俗字(속자)로 복잡한 嶽(악)자를 간략하게 만든 것인데 山(산) 위의 큰 언덕 丘(구)을 통해 험한 嶽山(악산)이나 큰 산을 적절하게 잘 나타냈다고 본다.
●●●●● 山岳地帶(산악지대)

崔 훈음 높을 최 부수 뫼 山(산) ➡ 성씨로 많이 쓰임

산 위 높이까지 나는 새를 그린 글자로 '높다'라는 뜻을 가졌으나, 성씨 등으로 많이 사용되며 높다는 뜻으로는 사용되지 않고 있다.

崩 훈음 무너질 붕 부수 뫼 山(산) ▶▶▶ 뫼 山(산) + 벗 朋(붕) ➡ 믿었던 친구처럼 산이 무너짐

산이 무너지는 것을 나타내기 위함이었으니 뫼 山(산)이 의미요소이고, 朋(붕)은 발음기호나 山(산)처럼 믿었던 또는 안정적이라 생각했던 것의 무너짐에도 사용되어서 임금님의 죽음을 일컫게 되었다.

●●●●● 崩壞(붕괴)/崩御(붕어)

崇 훈음 높을 숭 부수 뫼 山(산) ▶▶▶ 뫼 山(산) + 마루 宗(종) ➡ 숭배란 산만큼 높이 받드는 행위

숭배의 위치까지 차지한 높고 웅장하고 큰 산을 가리키는 말로, 뫼 山(산)과 으뜸 宗(종) 모두가 의미요소이며 마루 宗(종)이 발음에 영향을 미쳤을 것이다.

●●●●● 崇拜(숭배)/崇尚(숭상)/崇仰(숭앙)/崇高(숭고)/崇佛(숭불)

峽(협)   岐(기)   嶺(령)   峙(치)   峻(준)   峰(봉)

峽 훈음 골짜기 협 부수 뫼 山(산) ▶▶▶ 뫼 山(산) + 낄 夾(협) ➡ 산과 산 사이에 끼인 곳

골짜기란 산 사이에 끼인 곳을 말하므로 두 글자 모두 의미요소고 夾(협)은 발음기호를 겸하기도 한다.

●●●●● 峽谷(협곡)/大韓海峽(대한해협)

岐 훈음 갈림길 기 부수 뫼 山(산) ▶▶▶ 뫼 山(산) + 가를 支(지) ➡ 산 속에서 갈라진 길

갈라진(支) 산(山)이란 갈림길을 말하는 것으로 산(山)을 오르다 보면 여기저기 길이 갈라진(支) 곳이 나온다. 즉 갈림길이다.

●●●●● 岐路(기로)/多岐亡羊(다기망양)

嶺 훈음 재 령 부수 뫼 山(산) ▶▶▶ 뫼 山(산) + 우두머리 領(령) ➡ 산길 가운데 높은 곳

산길 중에 가장 높은 곳을 '재'라고 한다. 따라서 山(산)을 의미요소로 높다는 뜻의 領(령)도 의미요소 및 발음요소로 쓰인다.

●●●●● 大關嶺(대관령)/竹嶺(죽령)/嶺東(영동)

峙 훈음 우뚝 솟을 치 부수 뫼 山(산) ▶▶▶ 뫼 山(산) + 절 寺(사) ➡ 산 속에 우뚝 솟아있는 절

산 속에 우뚝우뚝 솟아 있는 뾰족한 산봉우리 등을 묘사한 글자로, 뫼 山(산)이 의미요소이고 절 寺(사)는 발음기호이다.

●●●●● 對峙(대치)/兩虎對峙(양호대치)   ※ 痔(치) – 치질 치 – 절에 너무 오래 앉아 있어 생기는 질병.

峻 훈음 높을 준 부수 뫼 山(산) ▶▶▶ 뫼 山(산) + 진실로 允(윤) + 뒤져서 올 夊(치) ➡ 오르기 정말 힘든 산

높은 산을 가리키는 말로 뫼 山(산)이 의미요소고 允(윤)이 발음요소이나, 진실한 사람이 점점 발전하듯이 산이 점점 높아져 간다는 뜻에서 의미요소에도 기여한다.

●●●●● 峻嶺(준령)/險峻(험준)/峻嚴(준엄)/泰山峻嶺(태산준령)

峰 훈음 봉우리 봉 부수 뫼 山(산) ▶▶▶ 뫼 山(산) + 끌 夆(봉) ➡ 산꼭대기

산의 정상 즉 봉우리를 뜻하는 글자이므로 뫼 山(산)이 의미요소이고, 夆(봉)은 발음기호이며 峯(봉)으로도 많이 쓰인다.

●●●●● 高峰峻嶺(고봉준령)/上峰(상봉)/最高峰(최고봉)

敢(감)	嚴(엄)	巖(암)	岩(암)

敢 훈음 감히 감 부수 칠 攵(복) ▶▶▶ 장인 工(공) + 귀 耳(이) + 칠 攵(복) → 손의 행위로 사용됨
옛 글자는 두 손(又)이 占(점)의 윗부분인 복(卜)자를 잡고 억지로 휘게 하는 모습으로 강제로 점괘를 바꾸려는 또는 이치에 맞지 않은 행동을 억지로 한다 하여 '감히'의 뜻으로 쓰였다.
●●●●● 敢行(감행)/勇敢(용감)/果敢(과감)

嚴 훈음 엄할 엄 부수 입 口(구) ▶▶▶ 입 口(구) + 낭떠러지 厂(엄) + 감히 敢(감) → 무당의 불호령
강제로 점괘를 바꾸려고 하자(敢) 巫堂(무당)으로부터 불호령(口)이 떨어지는 모습에서 '높다, 굳세다, 엄하다, 혹독하다, 조심하다'는 뜻이 파생됐다. 厂(엄)이 발음기호이고 나머지 글자들은 의미요소이다.
●●●●● 嚴罰(엄벌)/戒嚴(계엄)/嚴格(엄격)/嚴冬(엄동)/嚴斷(엄단)/嚴禁(엄금)/嚴選(엄선)/嚴妻侍下(엄처시하)

巖 훈음 바위 암 부수 뫼 山(산) ▶▶▶ 뫼 山(산) + 엄할 嚴(엄) → 무당의 불호령보다 더 험한 바위산
보기만 해도 위압감을 느끼는 커다란 바윗덩어리나 돌산을 묘사하는 글자로, 뫼 山(산)이 의미요소이고 엄할 嚴(엄)은 발음기호이다.
●●●●● 巖盤(암반)/巖石(암석)/奇巖怪石(기암괴석)

岩 훈음 바위 암 부수 뫼 山(산) −巖(암)의 속자
바위란 큰 돌을 말하는 것으로 주로 산에 많이 있으므로 뫼 山(산)과 돌 石(석)을 조합하여 복잡한 바위 巖(암)을 간략하게 잘 정리한 글자이다.
●●●●● 岩壁(암벽)

岡(강)	崗(강)	剛(강)	綱(강)	鋼(강)

岡 훈음 산등성이 강 부수 뫼 山(산) ▶▶▶ 그물 网(망) + 뫼 山(산) → 얽히고설킨 산등성이
얽히고설킨 산등성을 나타내는 말로 뫼 山(산)이 의미요소이고, 그물 网(망)이 발음 겸 의미요소이나 단독 사용은 드물고 발음기호 역할로 많이 쓰이며 같은 의미의 강(岡)의 속자(俗字)인 산(山)등성이 강(崗)자도 있다.
●●●●● 岡陵(강릉)

剛 훈음 굳셀 강 부수 칼 刂(도) ▶▶▶ 산등성이 岡(강) + 칼 刂(도) → 칼로도 끊어지지 않는 그물
굳셀 岡(강)의 원글자는 그물 网(망)이었다. 따라서 칼로도 끊어지지 않는 단단하고 굳센 밧줄로 된 그물을 나타내고자 하였으며 후에 网(망)이 岡(강)으로 바뀌면서 발음기호 역할을 했다.
●●●●● 剛健(강건)/剛直(강직)/金剛石(금강석)/外柔內剛(외유내강)

綱 훈음 벼리 강 부수 실 糸(사) ▶▶▶ 실 糸(사) + 산등성이 岡(강) → 그물의 뼈대가 되는 밧줄(끈)
그물의 뼈대 즉 주축을 이루는 줄은 테두리나 위쪽을 지탱하는 줄로써 '벼리'라고 한다. 모든 그물을 구성하는 실들은 바로 그 굵은 벼리 줄에 연결되며 힘을 받고 균형을 잡게 된다. 여기서 '규율, 잡아 묶다, 다스리다' 등의 뜻이 파생되었으므로 실 糸(사)가 의미요소이고 岡(강)은 발음기호이다.
●●●●● 紀綱(기강)/大綱(대강)/三綱五倫(삼강오륜)/要綱(요강)

鋼
훈음 강철 강　부수 쇠 金(금)　▶▶▶ 쇠 金(금) + 산등성이 岡(강) → 강한 금속

굳세고 질기게 만든 쇠 즉 鐵鋼(철강)을 뜻하기 위한 것이었으니, 쇠 金(금)이 의미요소로 쓰였고 岡(강)이 발음기호이다.

▶▶▶▶▶ 鋼鐵(강철)/鐵鋼(철강)/鋼板(강판)/製鋼(제강)/鍊鋼(연강)

谷(곡)　欲(욕)　慾(욕)　浴(욕)　俗(속)　裕(유)　溶(용)　容(용)　鎔(용)

谷
훈음 골 곡　부수 제 부수　▶▶▶ 여덟 八(팔) + 입 口(구) → 얼굴의 코 주위와 흡사한 골짜기

골짜기(八)와 계곡 입구(口)의 모양을 단순화한 글자로 계곡의 입구(口) 모양과 물이 흘러나오는 계곡(八)의 모습이 글자와 상당히 비슷하다.

▶▶▶▶▶ 溪谷(계곡)/峽谷(협곡)/進退維谷(진퇴유곡)/深山幽谷(심산유곡)

欲
훈음 하고자할 욕　부수 하품 欠(흠)방　▶▶▶ 계곡/골/좁을 길 谷(곡) + 하품 欠(흠) → 탐나서 입을 벌림

계곡(谷)이 하품(欠)을 한다. 그럴 수는 없고 사람이 무엇인가를 탐낼 때 '입을 벌리다'라고 하듯 입 벌린 모습인 하품 欠(흠)자를 통해 사람의 욕구와 욕망을 나타낸 글자다. 欠(흠)이 의미요소이며 谷(곡)은 발음기호이다.

▶▶▶▶▶ 欲求(욕구)/欲求不滿(욕구불만)/欲情(욕정)

慾
훈음 욕심 욕　부수 마음 心(심)　▶▶▶ 하고자 할 欲(욕) + 마음 心(심) → 마음에서 욕심이 생김

욕망은 근원지인 마음 心(심)을 더하여 뜻을 더 분명히 한 글자로, 하고자 할 欲(욕)과 혼동되어 쓰이기도 한다. 欲(욕)이 발음기호이다.

▶▶▶▶▶ 慾望(욕망)/貪慾(탐욕)/私利私慾(사리사욕)

浴
훈음 목욕할 욕　부수 물 氵(수)변　▶▶▶ 물 氵(수) + 골 谷(곡) → 계곡물에 몸을 씻음

무더운 여름날 계곡(谷)물(氵)에 몸 담그고 멱을 감으면 대통령도 안 부럽다. 따라서 두 글자 모두 의미요소이며 谷(곡)이 발음기호이다.

▶▶▶▶▶ 沐浴(목욕)/日光浴(일광욕)/浴室(욕실)/浴湯(욕탕)

俗
훈음 풍속 속　부수 사람 亻(인)변　▶▶▶ 사람 亻(인) + 골 谷(곡) → 계곡에 모여 사는 사람

계곡(谷)에 모여 사는 사람들만의 '고유한 사는 모습'이 풍습이 되고 이어져 내려가며 풍속이 된다. 골짜기에 사는 사람들마다 풍속과 풍습이 조금씩 틀린다. 후에 '천하다'로도 가차되어 쓰인다.

▶▶▶▶▶ 俗物(속물)/風俗(풍속)/俗世(속세)/土俗(토속)

裕
훈음 넉넉할 유　부수 옷 衣(의)
▶▶▶ 옷 衤(의) + 계곡/골짜기 谷(곡) → 계곡의 끝자락에 넓게 펼쳐진 모양과 비슷한 치마폭

마치 사람의 치맛자락(衤(의)이 아래로 내려오면서 펼쳐져 넓어지듯이, 골짜기(谷(곡) 역시 아래로 내려올수록 점점 커지고 넓어져 '여유롭고 넉넉하다'의 뜻이 파생되었다. 따라서 두 글자 모두 의미요소에 기여한다.

▶▶▶▶▶ 裕福(유복)/富裕(부유)/餘裕(여유)

溶
훈음 질펀히 흐를 용　부수 물 氵(수)변
▶▶▶ 물 氵(수) + 얼굴 容(용) → 얼굴에서 눈물이 흐르다

계곡에(谷) 물 흐르듯 얼굴(容)에 눈물(氵(수)범벅이 된 모습에서 '질펀히 흐르다, 녹다'로 쓰이게 되었으며, 물 氵(수)가 의미요소이고 容(용)이 발음기호이다.

▶▶▶▶▶ 溶液(용액)/溶解(용해)

훈음 얼굴 용 **부수** 갓머리 宀(면) ▶▶▶ 집 宀(면) + 계곡 谷(곡) → 얼굴과 머리

모든 것을 다 수용하는 넉넉한 人地(대지)와 같은, 어머니의 품과 같은 '사람을 포함 온갖 잡동사니가 다 들어찬 집(宀)'이라는 의미에서 '받아들이다'는 뜻이 생겼다. 훗날 글자의 모양이 사람의 얼굴과 비슷하다 하여 '얼굴'로도 널리 사용됐다.

●●●●● 容顔(용안)/容貌端正(용모단정)/容態(용태)/容恕(용서)

 훈음 녹일 용 **부수** 쇠 金(금)변 ▶▶▶ 쇠 金(금) + 얼굴 容(용) → 쇠도 녹아내림

금속이 고열에 녹으면서 흘러내리는 모습을 나타낸 글자로 쇠 金(금)이 의미요소고 容(용)은 발음기호이다.

●●●●● 鎔解(용해)/鎔鑛爐(용광로)

石 돌 석

| 石(석) | 碎(쇄) | 破(파) | 砲(포) | 砂(사) |
| 磁(자) | 拓(탁) | 拓(척) | 妬(투) | 碧(벽) |

石 훈음 돌 석 부수 제 부수 ▶▶▶ 厂(엄) + 口(구) ➡ 흙과 함께 있는 돌
인류가 가장 먼저 사용하던 재료인 '돌'을 나타낸 글자로 돌 모서리를 다듬거나 날카롭게 하여 이용한 모습이 입 口(구) 위에 있는 厂(엄)자의 모습에 나타나 있다. 이 글자에서 '돌, 단단하다, 쓸모없다, 용량이나 무게의 단위'가 탄생하였다.
●●●●● 他山之石(타산지석)/金石之交(금석지교)/石頭(석두)/萬石(만석)

碎 훈음 부술 쇄 부수 돌 石(석)
▶▶▶ 돌 石(석) + 군사 卒(졸) ➡ 갑옷처럼 찢어진 돌
옷이나 천이 갈기갈기 찢어지듯이 돌을 아주 잘게 부수는 것을 의미하므로, 두 글자 모두 의미요소이며 卒(졸)이 발음기호 역할을 하였다. ※ 醉(취) - 취할 취/埣(쇄) - 푸석한 흙 쇄
●●●●● 粉碎(분쇄)/碎氷船(쇄빙선)/粉骨碎身(분골쇄신)

破 훈음 깨뜨릴 파 부수 돌 石(석) ▶▶▶ 돌 石(석) + 가죽 皮(피) ➡ 돌을 깨뜨림
돌을 깨뜨리다가 본뜻이므로 돌 石(석)이 의미요소이고, 皮(피)는 발음기호이다.
●●●●● 破壞(파괴)/爆破(폭파)/破損(파손)/破顔大笑(파안대소)

砲 훈음 돌쇠뇌 포 부수 돌 石(석) ▶▶▶ 돌 石(석) + 쌀 包(포) ➡ 돌대포알
돌대포를 나타내기 위한 글자이므로 돌 石(석)을 의미요소로 包(포)는 발음기호로 쓰였다.
●●●●● 投砲丸(투포환)/砲擊(포격)/砲彈(포탄)/迫擊砲(박격포)

砂 훈음 모래 사 부수 돌 石(석) ▶▶▶ 돌 石(석) + 적을 少(소) ➡ 작은 돌이 곧 모래
돌을 잘게 나눈 것이 모래이다. 따라서 두 글자 모두 의미요소이며 少(소)가 발음기호이다.
●●●●● 砂漠(사막)/砂糖(사탕)/砂防工事(사방공사)/砂金(사금)

磁 훈음 자석 자 부수 돌 石(석) ▶▶▶ 돌 石(석) + 이 玆(자)
금속성분을 끌어당기는 힘을 가진 돌인 자석을 의미하는 글자로, 돌 石(석)이 의미요소고 이 玆(자)는 발음기호다. 이 玆(자)가 '검다'의 뜻을 가지므로 자석은 대개 검은색이므로 의미요소에도 일부 관여한 듯하다.
●●●●● 磁石(자석)/磁氣(자기)/磁性(자성)/電磁波(전자파)

拓 훈음 박을 탁/넓힐 척 부수 손 手(수) ▶▶▶ 손 手(수) + 돌 石(석)
돌(石) 위에 손으로(扌) 쪼아서 글씨 새기는 것을 탁본(拓本) 박을 탁(拓)이요 손(扌)으로 돌(石)을 골라내 밭을 만드는 것을 척식(拓植)/개척(開拓)의 주울 척(拓)이라 하며 질투(嫉妬)하는 여자(女)는 돌(石)로 쳐 죽이기도 하였으므로 시샘할 투(妬)자가 만들어졌다.
●●●●● 干拓(간척)/開拓(개척)

碧 훈음 푸를 벽　부수 돌 石(석)　▶▶▶ 구슬 玉(옥) + 흰 白(백) + 돌 石(석)

청백색의 옥돌을 가리키는 말이므로 모든 글자가 다 의미요소이며 흰 白(백)이 발음을 겸한 듯싶으나 다른 예가 없다.

●●●●● 碧溪水(벽계수)/碧玉(벽옥)/碧眼(벽안)/桑田碧海(상전벽해)

碩(석)	磐(반)	礁(초)	確(확)	硬(경)
硏(연)	磨(마)	礎(초)	碑(비)	碍(애)

碩 훈음 클 석　부수 돌 石(석)　▶▶▶ 돌 石(석) + 머리 頁(혈) ➡ 머리가 돌만큼 크다

머리가 돌만하다 하면 예전엔 머리가 크다로 인식했었나 보다. 바로 '머리가 크다'를 나타내기 위한 글자이므로 머리 頁(혈)이 의미요소고 돌 石(석)은 발음기호이다.

●●●●● 碩學(석학)/碩士(석사)

磐 훈음 너럭바위 반　부수 돌 石(석)　▶▶▶ 돌 般(반) + 돌 石(석) ➡ 쟁반처럼 너른 바위

쟁반처럼 생긴 넓은 바위를 나타내는 글자로 돌 石(석)이 의미요소로 般(반)을 발음기호로 했다.

●●●●● 巖盤(암반)/磐石(반석)

礁 훈음 물속 돌 초　부수 돌 石(석)　▶▶▶ 돌 石(석) + 그을릴 焦(초) ➡ 물 속 바위

물 속에 있는 산호초 같은 돌을 의미하는 것으로 돌 石(석)이 의미요소고 焦(초)는 발음기호이다.

●●●●● 暗礁(암초)/珊瑚礁(산호초)/環礁(환초)

確 훈음 굳을 확　부수 돌 石(석)　▶▶▶ 돌 石(석) + 높이 날 隺(확) ➡ 단단한 돌

단단한 돌을 의미하는 글자이므로 돌 石(석)이 의미요소고 隺(확)은 발음기호이다.

●●●●● 確固(확고)/明確(명확)/確約(확약)/確定(확정)/確答(확답)

硬 훈음 굳을 경　부수 돌 石(석)　▶▶▶ 돌 石(석) + 고칠 更(경) ➡ 단단한 돌

단단한 돌을 뜻하는 말이므로 돌 石(석)이 의미요소고 更(경)은 발음기호이다.

●●●●● 硬石(경석)/硬度(경도)/硬直(경직)/強硬(강경)/動脈硬化(동맥경화)/硬水(경수)/硬性(경성)

硏 훈음 갈 연　부수 돌 石(석)

▶▶▶ 돌 石(석) + 평평할 幵(견) ➡ 돌을 갈다

돌을 갈다가 원뜻이므로 돌 石(석)이 의미요소고 幵(견)이 발음기호이다. 도구를 만들기 위해 돌을 갈거나 정으로 쪼는 일은 단순작업이 아니라 많이 생각하고 궁리해야만 필요한 도구가 탄생함으로 '갈다'에서 '깊이 생각하다'로 의미 발전했다. ※ 姸(연) - 고울 연

●●●●● 硏磨(연마)/硏究(연구)/硏修(연수)

磨 훈음 갈 마　부수 돌 石(석)

▶▶▶ 삼 麻(마) + 돌 石(석) ➡ 돌을 갈고 다듬다

돌도끼나 돌칼 같은 돌연장이 '갈다'는 뜻을 갖게 된 글자로 돌 石(석)이 의미요소이고 麻(마)는 발음기호이다. 삼 麻(마)도 계속 삶고 두들기고 문질러서 섬유질을 얻어내어 밧줄이나 직물로 사용하는 것을 연관시켜서 글자를 구성했을 것으로 추정된다.

●●●●● 硏磨(연마)/切磋琢磨(절차탁마)/磨耗(마모)/磨斧爲針(마부위침)

훈음 주춧돌 초 **부수** 돌 石(석)   ▶▶▶ 돌 石(석) + 모형 楚(초) ➡ 집터를 떠받치는 주춧돌

기둥의 받침돌 즉 주춧돌을 뜻하기 위한 글자이므로, 돌 石(석)이 의미요소고 楚(초)는 발음기호로 여기서 '근본'이라는 뜻이 파생되어 나왔다.

●●●●● 基礎(기초)/礎石(초석)/柱礎(주초)

훈음 돌기둥 비 **부수** 돌 石(석)

▶▶▶ 돌 石(석) + 낮을 卑(비) ➡ 죽은 사람을 기념하는 돌기둥

죽은 사람을 묻고 그 무덤 앞에 세워 놓는 비석을 가리키는 글자로 돌 石(석)이 의미요소고 낮을 卑(비)는 발음기호이다. 돌(石)이 많아 울퉁불퉁 길은 노인들에게 방해(礙)가 되므로 거리낄 애(礙)라는 글자가 만들어 졌는데 이 글자의 속자(俗字)가 장애(障碍)의 거리낄 애(碍)

●●●●● 碑石(비석)/碑文(비문)/墓碑(묘비)/碑銘(비명)

玉 구슬 옥

| 玉(옥) | 現(현) | 理(리) | 王(왕) | 珍(진) | 璧(벽) |
| 環(환) | 還(환) | 玩(완) | 班(반) | 瑞(서) | 弄(롱) |

玉 훈음 옥 옥 부수 구슬 玉(옥)
둥근 옥 여러 개를 동전처럼 끈으로 꿰어 놓은 모양을 그린 그림 글자로 '구슬, 옥'을 가리킨다. 王(왕)과 구별하기 위해 점(丶)을 하나 더 찍었다는 설 등등이 있다.
••••• 碧玉(벽옥)/玉童子(옥동자)/玉石(옥석)/金科玉條(금과옥조)

現 훈음 나타날 현 부수 구슬 玉(옥) ▶▶▶ 구슬 玉(옥) + 볼 見(견) ➡ 옥에 나타나는 푸른빛을 자세히 보다
자세히 보면(見) 옥(玉)에서 푸른빛을 포함 여러 가지 빛이 나타난다 하여, 구슬 玉(옥)이 의미요소고, 볼 見(견)은 발음 겸 의미보조이다.
••••• 現代(현대)/現在(현재)/實現(실현)/表現(표현)/現狀(현상)/現象(현상)/現像(현상)/現況(현황)/出現(출현)

理 훈음 다스릴 리 부수 구슬 玉(옥) ▶▶▶ 구슬 玉(옥) + 마을 里(리) ➡ 옥을 잘 다루다 - 의미 + 발음
구슬(玉) 즉 '옥을 다루다'가 원뜻이므로 구슬 玉(옥)이 의미요소고 마을 里(리)는 발음기호이다. '구슬을 다룬다는 것'은 돌과 뒤섞인 옥돌을 잘 다루어 玉器(옥기) 즉 쓸만한 물건을 만들어 내는 것을 말한다. 여기서 '장식, 길, 이해' 등의 뜻이 파생되었다.
••••• 理性(이성)/合理的(합리적)/理念(이념)/攝理(섭리)

王 훈음 임금 왕 부수 구슬 玉(옥)
자루를 끼지 않은 큰 도끼의 상형으로 '무력, 권력'의 상징으로 자연스럽게 최고 지도자를 의미하게 되어 '임금, 왕'의 뜻으로 굳어졌다.
••••• 王宮(왕궁)/王室(왕실)/聖王(성왕)/王妃(왕비)

珍 훈음 보배 진 부수 구슬 玉(옥) ▶▶▶ 구슬 玉(옥) + 진(人+彡) ➡ 옥은 보석의 일종으로 보배다
귀한 옥 종류의 보배나 보석을 뜻하기 위한 것이므로 구슬 玉(옥)이 의미요소고 나머지는 발음기호이다. 점차로 '귀중하다, 맛있는 음식' 등으로 의미 확대됐다.
••••• 珍珠(진주)/珍羞盛饌(진수성찬)/山海珍味(산해진미)

璧 훈음 둥근 옥 벽 부수 구슬 玉(옥) ▶▶▶ 허물/임금 辟(벽) + 구슬 玉(옥) ➡ 둥글고 넓적한 옥
辟(벽)을 발음기호로 구슬 玉(옥)을 의미요소로 사용하여 둥글고 넓적한 옥을 나타냈다.
••••• 完璧(완벽)/雙璧(쌍벽)

環 훈음 고리 환 부수 구슬 玉(옥) ▶▶▶ 구슬 玉(옥) + 볼 睘(경) ➡ 옥 단추
상의에 달린 '옥 단추'나 '옥 목걸이'를 쳐다보는 눈(目)으로 구성된 글자였으나 가운데 冂(구)자가 玉(옥)임을 분명히 하기 위해 후에 玉(옥)이 추가되었다. 옥 단추나 옥구슬 모두 둥글고, 둥그렇게 둘러야 하므로 '고리, 사방, 두르다, 둘러싸다'로 의미 발전되었다.
••••• 環太平洋(환태평양)/環境(환경)/循環(순환)

還 훈음 돌아올 환　부수 갈 辶(착)
▶▶▶ 갈 辶(착) + 눈 目(목) + 옷 衣(의) + 입 口(玉 단추?) ➡ 제자리로 돌아가다
제자리로 돌아오다가 본뜻이므로 갈 辶(착)이 의미요소이고 나머지는 발음요소이다. 이 글자가 참으로 적절한 조합인 것은 옥이나 목걸이는 둥글어서 본디 제자리로 돌아오게 되어 있으므로 의미를 추측하기 쉽도록 해 준다.
●●●●● 還送(환송)/歸還(귀환)/還甲(환갑)/返還(반환)/奪還(탈환)

- -

玩 훈음 희롱할 완　부수 구슬 玉(옥)　▶▶▶ 구슬 玉(옥) + 元(원) ➡ 옥을 가지고 놀다
고대에 구슬(玉)은 노리개의 대명사였다. 따라서 '가지고 놀다'의 뜻을 나타내기 위해 구슬 玉(옥)을 의미요소로 元(원)은 발음기호로 했다.
●●●●● 玩具(완구)/愛玩(애완)동물
※ 弄(롱) - 희롱할 롱 - 구슬을 양 손으로 들고 있는 모습.

- -

班 훈음 나눌 반　부수 구슬 玉(옥)　▶▶▶ 구슬 玉(옥) + 칼 刂(도) ➡ 옥을 둘로 쪼개다
구슬이나 옥(玉)을 칼(刂)로 반으로 쪼개는 모습으로 두 글자 모두 의미요소이다. 나누어서 상품·중품 구별하여 등급을 정하니까 '차례, 지위, 순서' 등의 뜻이 파생됐다.
●●●●● 班列(반열)/班次(반차)/兩班(양반)

- -

瑞 훈음 상서/조짐 서　부수 구슬 玉(옥)
▶▶▶ 구슬 玉(옥) + 시초 耑(단) ➡ 옥으로 만든 홀을 건네받는 순간부터 앞날이 밝아지다
제후를 봉할 때 信標(신표)로 주는 玉(옥)으로 만든 홀(圭)을 뜻하기 위한 글자이므로 玉(옥)자가 의미요소로, 또한 그 信標(신표)를 받는 순간부터 出世(출세)가 시작됨으로 실마리의 뜻을 갖는 시초 耑(단)도 의미요소로 사용되었다. '조짐, 길조'로 의미 확대됐다.
●●●●● 祥瑞(상서)롭다/瑞夢(서몽)/瑞光(서광)

- -

弄 훈음 희롱할/가지고 놀 롱　부수 두 손 廾(공)　▶▶▶ 구슬 玉(옥) + 두 손 廾(공) ➡ 옥구슬을 가지고 놀다
꽃을 따 목걸이를 하고 놀듯이 옥구슬을(玉) 두 손(廾)으로 꿰어 구슬목걸이를 만들어 가지고 노는 모습에서 '가지고 놀다, 희롱하다'의 뜻으로 발전됐다.
●●●●● 戲弄(희롱)/弄談(농담)/嘲弄(조롱)

- -

金(금) 銀(은) 銅(동) 鉛(연) 錫(석) 鐵(철) 錦(금) 鑛(광) 鋼(강)

金

훈음 쇠 금/성 김 **부수** 제 부수

정설은 없다. 쇠로 어떠한 물건을 주조하기 위한 틀과 그 만들어진 주조물이라는 설과 덮여 있는 흙 속에 들어 있는 광물이라는 설이 현재까지 가장 유력한 설들이다. 金(금)은 처음에 銅(동)을 가리키다가 점차로 모든 금속을 지칭하게 되었다.

●●●●● 金屬(금속)/黃金(황금)/金鑛(금광)/金錢(금전)/金銀(금은)

銀

훈음 은 은 **부수** 쇠 金(금) ▶▶▶ 쇠 金(금) + 어긋날 艮(간) ➡ 금보다 가치가 낮은 금속

은을 나타내기 위한 글자로 처음엔 흰빛을 띤 금속이라 하여 白金(백금)으로 불렸다. 쇠 金(금)이 의미요소 고 艮(간)이 발음기호임은 끝 垠(은)에서도 알 수 있다.

●●●●● 銀粧刀(은장도)/銀貨(은화)

銅

훈음 구리 동 **부수** 쇠 金(금) ▶▶▶ 쇠 金(금) + 한 가지 同(동) ➡ 가치에 있어 은 다음인 금속

붉은 금속이어서 처음에 金(금)으로 불렸다. 따라서 赤金(적금)이라 불렸던 금속으로 쇠 金(금)이 의미요소 이고 同(동)은 발음기호이다.

●●●●● 銅錢(동전)/靑銅(청동)

鉛

훈음 납 연 **부수** 쇠 金(금) ▶▶▶ 쇠 金(금) + (八 + 口) ➡ 납도 금속이다

'납'이라는 금속을 뜻하기 위한 글자이므로 쇠 金(금)이 의미요소고, 나머지가 발음기호임은 따를 沿(연)에 서도 알 수 있다. 예전엔 靑金(청금)으로 불렸다.

●●●●● 鉛筆(연필)/亞鉛(아연)/黑鉛(흑연)

錫

훈음 주석 석 **부수** 쇠 金(금) ▶▶▶ 쇠 金(금) + 바꿀 易(역) ➡ 주석도 금속이다

금속의 표면도금제로 혹은 합금으로서의 용도를 갖는 금속으로, 쇠 金(금)이 의미요소고 바꿀 易(역)은 발음기호이다.

●●●●● 朱錫(주석)

鐵

훈음 쇠 철 **부수** 쇠 金(금) ▶▶▶ 쇠 金(금) + 呈(정) + 哉 – 금속의 대표 주자

검은 쇠를 본뜻으로 하는 글자이므로 쇠 金(금)이 의미요소이며 나머지는 발음기호이다. 예전에는 빛이 검 어 黑金(흑금)으로 불렸다.

●●●●● 鐵器(철기)/鐵道(철도)/製鐵(제철)/鋼鐵(강철)/古鐵(고철)

錦

훈음 비단 금 **부수** 쇠 金(금) ▶▶▶ 쇠 金(금) + 비단 帛(백) ➡ 황금처럼 빛나는 천 비단

형형색색의 무늬를 넣어 짠 비단 즉 실크를 뜻하기 위한 글자이므로 비단 帛(백)이 의미요소고 쇠 金(금)은 발음기호이다. 그러나 쇠 金(금)은 누런 금속으로 여겨지던 것이었으므로, 황금빛의 비단옷을 상징하는데 적합한 글자로 의미요소에도 기여하고 있음을 알 수 있다.

●●●●● 錦繡江山(금수강산)/錦上添花(금상첨화)/錦衣還鄕(금의환향)

훈음 쇳돌 광 **부수** 쇠 金(금) ▶▶▶ 쇠 金(금) + 넓을 廣(광) ➡ 금속 성분을 포함하고 있는 돌
각종 금속 성분을 포함하고 있는 돌 즉 鑛石(광석)이나 鑛物(광물)을 나타내는 글자이므로 쇠 金(금)이 의미요소고 廣(광)은 발음기호이다.
●●●●● 鑛山(광산)/鑛夫(광부)/鐵鑛石(철광석)/炭鑛(탄광)

 훈음 강철 강 **부수** 쇠 金(금) ▶▶▶ 쇠 金(금) + 산등성이 岡(강) ➡ 산등성이처럼 단단한 금속
굳세고 질기게 만든 쇠 즉 鐵鋼(철강)을 뜻하기 위한 것이었으니, 쇠 金(금)이 의미요소로 쓰였고 岡(강)이 발음기호이다.
●●●●● 鋼鐵(강철)/鐵鋼(철강)/鋼板(강판)/製鋼(제강)/鍊鋼(연강)

| 鑄(주) | 鎔(용) | 鍛(단) | 鍊(련) | 銷(소) | 銘(명) | 錄(록) |
| 鍍(도) | 銳(예) | 錯(착) | 鈍(둔) | 鋪(포) | 鎭(진) | 鎖(쇄) |

 훈음 쇠 부어 만들 주 **부수** 쇠 金(금)
▶▶▶ 쇠 金(금) + 목숨 壽(수) ➡ 쇠를 녹여 제품을 만듦 – 발음+의미
쇠를 녹여 주조하고자 하는 제품의 형틀에 넣어 금속제품을 만드는 장면을 의미하는 글자로 쇠 金(금)이 의미요소고 목숨 壽(수)는 발음기호이다.
●●●●● 鑄造(주조)/鑄貨(주화)

 훈음 녹일 용 **부수** 쇠 金(금) ▶▶▶ 쇠 金(금) + 얼굴 容(용) ➡ 금속을 녹임
금속이 고열에 녹으면서 질펀히 흘러내리는 모습을 나타낸 글자로 쇠 金(금)이 의미요소고 容(용)은 발음기호이다.
●●●●● 鎔解(용해)/鎔鑛爐(용광로)

 훈음 쇠 불릴 단 **부수** 쇠 金(금)
▶▶▶ 쇠 金(금) + 구분 段(단) ➡ 불순물을 제거하기 위해 쇠를 열에 불림
쇠를 불에 달구어 두들겨 불순물을 제거하여 순도 높은 강철을 만드는 장면에서 나온 글자로 쇠 金(금)이 의미요소고 段(단)은 발음기호이다.
●●●●● 鍛鍊(단련)/鍊鍛(연단)/鍛工(단공)

 훈음 단련할/불릴 련 **부수** 쇠 金(금)
▶▶▶ 쇠 金(금) + 분간 할 柬(간) ➡ 더 좋은 쇠를 구별해 냄(만들어 냄)
광석을 불에 달구어 쇠를 만들다가 원뜻이므로 쇠 金(금)이 의미요소요 柬(간)은 음 차이는 있지만 발음기호인 것은 익힐 練(련)에서도 알 수 있다. 점차로 '익히다, 연마하다'로 뜻이 확대되었다.
●●●●● 鍊金術(연금술)/鍊磨(연마)/敎鍊(교련)/修鍊(수련)

 훈음 녹일 소 **부수** 쇠 金(금) ▶▶▶ 쇠 金(금) + 닮을 肖(초) ➡ 금속을 녹이면 줄어든다.
금속이 녹으면서 줄어들거나 사라지는 모습을 의미하는 글자이므로 쇠 金(금)이 의미요소고 肖(초)는 발음기호이다.
※ 消(소) – 사라질 소
●●●●● 意氣銷沈(의기소침)

銘 훈음 새길 명　부수 쇠 金(금)　▶▶▶ 쇠 金(금) + 이름 名(명) ➡ 금속에 이름을 새겨 넣다

청동기물에 글자를 새겨 기록을 남기는 풍습을 의미하는 글자로, '새기다'가 본뜻으로 쇠 金(금)이 의미요소이고 이름 名(명)은 발음기호이다.

●●●●● 銘心(명심)/感銘(감명)/座右銘(좌우명)/銘旌(명정)

錄 훈음 기록할 록　부수 쇠 金(금)　▶▶▶ 쇠 金(금) + 새길 彔(록) ➡ 금속에 글자를 새겨 넣다

인쇄가 발달하기 전 금속이나 돌에 글자를 새기는 것이 기록의 한 방편이었던 시절의 시대상황을 알려주는 글자로, 금속을 상징하는 쇠 金(금)이 의미요소고 彔(록)은 발음기호 겸 의미보조이다.

●●●●● 記錄(기록)/錄音(녹음)/世宗實錄(세종실록)/目錄(목록)

鍍 훈음 도금할 도　부수 쇠 金(금)　▶▶▶ 쇠 金(금) + 법도 度(도) ➡ 금속으로 표면을 처리함

금·은·니켈 따위의 금속을 녹여서 얇게 하여 다른 금속의 표면에 덧씌우는 것을 도금이라 하는데, 바로 그 글자를 만든 것이므로 쇠 金(금)이 의미요소고 度(도)는 단순 발음기호이다.

●●●●● 鍍金(도금)

銳 훈음 날카로울 예　부수 쇠 金(금)　▶▶▶ 쇠 金(금) + 기쁠 兌(태) ➡ 날카로운 금속

금속의 날카로운 성질을 나타내고자 함으로 쇠 金(금)이 의미요소로 兌(태)는 발음기호이다.

※ 稅(세) - 구실 세/悅(열) - 기쁠 열

●●●●● 銳利(예리)/尖銳(첨예)/精銳(정예)/銳鋒(예봉)

錯 훈음 섞일 착　부수 쇠 金(금)　▶▶▶ 쇠 金(금) + 예 昔(석) ➡ 금속을 섞다

금속을 섞는 일과 도금을 뜻하는 글자였으므로 쇠 金(금)이 의미요소고, 예 昔(석)은 발음기호로 '섞다, 어긋나다, 틀리다'로 의미 확대된 글자다.　※ 削(착) - 벨 착

●●●●● 錯覺(착각)/錯雜(착잡)/性倒錯(성도착)/施行錯誤(시행착오)

鈍 훈음 무딜 둔　부수 쇠 金(금)　▶▶▶ 쇠 金(금) + 진칠 屯(둔) ➡ 금속의 날카로운 부분이 무뎌짐

쇠로 만든 칼이나 연장의 날과 끝이 무뎌진 것을 나타내고자 한 글자다. 쇠 金(금)이 의미요소고 屯(둔)은 단순 발음기호이며 '둔하다, 굼뜨다' 등으로 뜻이 확대됐다.

●●●●● 鈍感(둔감)/愚鈍(우둔)/鈍器(둔기)

鋪 훈음 펼 포　부수 쇠 金(금)　▶▶▶ 쇠 金(금) + 클 甫(보) ➡ 농기구 등을 펼쳐 놓음

옛날엔 농사가 주산업이었기에 농기구를 만드는 대장간이 가장 큰 사업체이자 대표적인 점포였다. 따라서 대장간에서 만들던 농기구의 주재료인 쇠 金(금)이 의미요소고 클 甫(보)가 발음기호 겸 의미보조였다. 시골 장터에 장이 서면 대장간 앞에 많은 농기구 등을 펼쳐 놓고 장사하던 모습들을 연로한 분들은 쉽게 떠올릴 수 있을 것이다. 거기에서 店鋪(점포)가 유래한 것이다.

●●●●● 店鋪(점포)/道路鋪裝(도로포장)

鎭 훈음 진압할/누를/진정할 진　부수 쇠 金(금)　▶▶▶ 쇠 金(금) + 참 眞(진) ➡ 무력으로 진압함

예로부터 상대방을 강제로 누르고 진압하기 위해서 무기를 사용했을 것이므로, 쇠 金(금)을 의미부수로 眞(진)은 발음기호로 쓰였으며 자잘한(小+貝=잘다 쇄) 금속(金)이 鎖國(쇄국)의 쇠사슬 鎖(쇄)자로 되었다.

●●●●● 鎭壓(진압)/鎭靜劑(진정제)/鎭痛劑(진통제)/鎖骨(쇄골)/封鎖(봉쇄)/閉鎖(폐쇄)

銃(총)　　針(침)　　鍼(침)　　釜(부)　　釣(조)

錢(전)　　鍵(건)　　鏡(경)　　鐘(종)　　鑑(감)

銃 훈음 총 총 부수 쇠 金(금) ▶▶▶ 쇠 金(금) + 찰 充(충) ➡ 철로 만든 총
총을 나타내는 글자로 총의 성분인 쇠 金(금)을 의미요소로 充(충)은 발음기호로 했다.
●●●●● 拳銃(권총)/獵銃(엽총)/銃聲(총성)

針 훈음 바늘 침 부수 쇠 金(금) ▶▶▶ 쇠 金(금) + 열 十(십) ➡ 쇠로 만든 바늘
바늘 針(침)은 침 鍼(침)자의 俗字(속자)로 쓰이기 시작하여 안방을 차지한 글자로 바늘의 재료인 쇠 金(금)이 의미요소고, 열 十(십) 역시 실에 바늘을 꿴 모습을 간결하게 묘사하므로 의미요소 겸 발음기호이다. 이 글자는 주로 바느질하는 바늘로 많이 쓰이고 있다.
●●●●● 指針(지침)/針小棒大(침소봉대)/磨斧爲針(마부위침)

鍼 훈음 침 침 부수 쇠 金(금) ▶▶▶ 쇠 金(금) + 다 咸(함) ➡ 죄인의 이마에 묵형을 가하던 침
다 咸(함)은 역시 도끼(戌)(술) 앞에서 떨고 있는 포로나 죄수(口)에게 형벌을 가하려고 하는 모습이었을 것이다. 당시 형벌은 墨刑(묵형)이라 하여 죄수의 이마나 몸을 찔러 글자를 새겨 모든 사람이 알게 하는 방식이 있었다. 바로 그 문신용 바늘을 나타내려고 하던 글자에서 치료하는 침술용 바늘 즉 '침'으로 의미가 발전된 글자로 따라서 바늘의 재료인 금속성분을 나타내는 쇠 金(금)도 의미요소로 쓰였다.
●●●●● 鍼術(침술)/一鍼二藥(일침이약)/鍼灸(침구)

釜 훈음 가마 부 부수 쇠 金(금) ▶▶▶ 아비 父(부) + 쇠 金(금) ➡ 쇠로 만든 큰 솥
무엇을 삶는 큰 쇠솥을 의미하는 글자이므로 솥의 재료인 쇠 金(금)이 의미요소로 父(부)는 발음기호로 사용됐다.
●●●●● 釜中生魚(부중생어)/釜山(부산)

釣 훈음 낚시 조 부수 쇠 金(금) ▶▶▶ 쇠 金(금) + 구기 勺(작) ➡ 금속으로 만든 낚싯바늘
낚싯바늘을 뜻하는 글자였으므로 쇠 金(금)이 의미요소고, 구기 勺(작)은 잡은 고기를 뜰채로 떠올리는 장면을 연상하면 외우기 쉬울 것이다.
●●●●● 釣況(조황)/釣魚(조어)/釣竿(조간)

錢 훈음 돈 전 부수 쇠 金(금) ▶▶▶ 쇠 金(금) + 해칠 戔(잔) ➡ 얇은 쇳조각이 곧 돈
쇠로 만들어진 돈을 가리키는 말로 그 재질인 쇠 金(금)이 의미요소고 해칠 戔(잔)은 발음기호이다. 해칠 잔/쌓일 전(戔)은 창(戈) 두 개를 그려 놓았으니 분명 싸움과 관련이 있을 것이고, 발음기호로 사용된 글자들이 모두 적고/가볍고/얇고 등의 뜻으로 사용됨에 유의하자. 따라서 이 글자를 직역하면 얇은 쇳조각이 된다.
●●●●● 金錢(금전)/換錢(환전)/無錢旅行(무전여행)/銅錢(동전)

鍵 훈음 열쇠 건 부수 쇠 金(금) ▶▶▶ 쇠 金(금) + 세울 建(건) ➡ 쇠로 만든 열쇠와 자물통
열쇠를 뜻하는 글자이므로 열쇠와 자물통의 재료인 쇠 金(금)이 의미요소고 建(건)은 발음기호이다.
●●●●● 鍵盤(건반)/關鍵(관건)

鏡 훈음 거울 경 부수 쇠 金(금) ▶▶▶ 쇠 金(금) + 다할 竟(경) ➡ 청동으로 만든 거울
竟(경)을 발음기호로 쇠 金(금)을 의미요소로 사용하여 과거 청동거울을 포함 유리거울이 나오기 전엔 금속을 닦아서 거울대용으로 사용하였기에 의미요소로 쇠 金(금)이 사용됐다.
●●●●● 破鏡(파경)/眼鏡(안경)/顯微鏡(현미경)

鐘 훈음 종 종 부수 쇠 金(금) ▶▶▶ 쇠 金(금) + 아이 童(동) ➡ 쇠로 만든 종
쇠로 만든 종을 가리키는 글자로 쇠 金(금)이 의미요소고 아이 童(동)이 발음기호이다.
●●●●● 自鳴鐘(자명종)/卦鐘(괘종)/打鐘(타종)

鑑 훈음 거울 감 부수 쇠 金(금) ▶▶▶ 쇠 金(금) + 볼 監(감) ➡ 청동으로 만든 거울
대야의 재질이 청동임을 밝히는 쇠 金(금)을 더하여 이 글자가 사물을 비쳐보는(監) 청동거울임을 알 수 있다. 반짝반짝하게 윤이 나게 닦아서 오늘날의 거울 대용으로 사용됐다.
●●●●● 龜鑑(귀감)/鑑別師(감별사)/鑑定(감정)/鑑識(감식)/鑑賞(감상)

工 장인 공

工(공)　空(공)　控(공)　腔(강)　貢(공)　功(공)　恐(공)　攻(공)

工

훈음 장인 공　**부수** 제 부수

도구를 만들기 위한 工具(공구)의 모양으로 여겨진다. 물건을 만들기 위해 필요한 선을 긋는 '자'의 모습이라는 설과 벌목을 위한 '도끼'의 모습이라는 설 등이 있다. 아무튼 생활에 필요한 도구를 만드는 장인과 관련된 물건에서 나왔음은 거의 확실하다.

●●●●● 工場(공장)/工事(공사)/士農工商(사농공상)/工具(공구)/人工衛星(인공위성)/木工(목공)/陶工(도공)

空

훈음 빌 공　**부수** 구멍 穴(혈)　▶▶▶ 구멍 穴(혈) + 工(공) ➡ 언덕에 움집을 만들기 위해 구멍을 냄

움집이나 토굴은 언덕이나 산자락에 구멍을 내거(工)나 땅을 파서(工) 만들어야(工) 한다. 따라서 속이 빈(工) 집(穴)이나 구멍을 나타내는 글자로 장인 工(공)은 발음기호이다.

●●●●● 空港(공항)/空間(공간)//空手來空手去(공수래공수거)

控

훈음 당길 공　**부수** 손 扌(수)　▶▶▶ 손 扌(수) + 빌 空(공) ➡ 끌어당겨 자기편으로 – 발음 + 의미

손으로 잡아당기다가 본뜻이므로 손 扌(수)가 의미요소요 빌 空(공)이 발음기호이며 '끌어당기다, 하소연하다'로 의미확대됐다.

●●●●● 控除(공제)/控訴(공소)

腔

훈음 속 빌 강　**부수** 고기 肉(육)　▶▶▶ 육(肉)달 월(月) + 빌 空(공) ➡ 몸 속에 비어 있는 공간들

사람의 신체 중에서 비어 있는 공간을 의미하는 말로, 신체를 구성하는 글자의 의미요소로 쓰이는 육(肉)달 월(月)이 의미요소이고 빌 空(공)이 의미 겸 발음요소이다.

●●●●● 口腔(구강)/腹腔(복강)/胸腔(흉강)

貢

훈음 바칠 공　**부수** 조개 貝(패)　▶▶▶ 공 工(공) + 조개 貝(패) ➡ 윗선에 재물을 바침

누군가에 특히 나라에 세금 따위를 바치는 것을 나타낸 글자로 조개 貝(패)가 의미요소고 공 工(공)이 발음기호이다.

●●●●● 貢獻(공헌)/貢物(공물)

功

훈음 공/공로/일 공　**부수** 힘 力(력)　▶▶▶ 장인 工(공) + 힘 力(력) ➡ 공을 세우는데 힘이 든다

공을 세우다가 원뜻이므로 工(공)을 발음기호로 했고, 힘을 써야 업적을 세울 수 있으므로 힘 力(력)이 의미요소로 쓰였다. 후에 '애쓰다, 보람' 등으로 의미 확대됐다.

●●●●● 功勞(공로)/成功(성공)/論功行賞(논공행상)

恐

훈음 두려울 공　**부수** 마음 心(심)　▶▶▶ 공 工(공) + 무릇 凡(범) + 마음 心(심) ➡ 마음에 공포심을 느낌

두렵고 겁나는 마음을 뜻하는 글자이므로 마음 心(심)이 의미요소고 나머지가 발음요소이다.

이 글자를 직역하면 '공구를 잡고 있는 손'이 된다. 무릇 凡(범)자의 소전체를 보면 구부리고 앉은 사람이 두 손을 내민 모습으로 잡을 執(집)의 丸(환)과 같은 꼴이다.

●●●●● 恐怖(공포)/恐慌(공황)/惶恐無地(황공무지)/恐妻家(공처가)

攻
훈음 칠 공 / 부수 칠 攵(복) / ▶▶▶ 장인 工(공) + 칠 攵(복) → 적을 쳐서 공격함
적을 쳐서 공격한다는 뜻이므로 칠 攵(복)을 의미요소로 工(공)을 발음기호로 했다.
●●●●● 攻擊(공격)/攻勢(공세)/攻防(공방)/專攻(전공)/難攻不落(난공불락)/攻略(공략)/侵攻(침공)/恐喝(공갈)

江(강)　　紅(홍)　　鴻(홍)　　肛(항)　　項(항)　　缸(항)

江
훈음 강 강 / 부수 물 氵(수) / ▶▶▶ 물 氵(수) + 장인 工(공) → 물길이 흐르는 곳
물(氵)이 만들어 내는(工) 최대의 걸작품 중의 하나는 물줄기가 山河(산하)를 가로질러 흐르는 강줄기 이다. 따라서 물 氵(수)가 의미요소고 工(공)은 발음기호이다.
●●●●● 江邊(강변)/洛東江(낙동강)/江村(강촌)

紅
훈음 붉을 홍 / 부수 실 糸(사) / ▶▶▶ 실 糸(사) + 장인 工(공) → 실이나 천을 붉게 물들임
실이나 천에 물감을 들여 색을 표현했던 옛사람들의 생활상을 알려주는 글자로 물감들일 천이나 실을 나타내는 실 糸(사)가 의미요소고 장인 工(공)은 발음기호이다.
●●●●● 滿山紅葉(만산홍엽)/紅柿(홍시)/紅燈街(홍등가)/眞紅色(진홍)

鴻
훈음 큰 기러기 홍 / 부수 새 鳥(조) / ▶▶▶ 강 江(강) + 새 鳥(조) → 강가에 사는 기러기 새
주로 강에 서식하며 강이나 강물에 사는 고기를 잡아먹고 사는 목이 긴 큰 새를 총칭하는 말. 두 글자 모두 의미요소며 江(강)이 발음기호이다. 후에 '크다'는 뜻을 갖게 됐다.
●●●●● 鴻雁(홍안)/魚網鴻離(어망홍리)/雪泥鴻爪(설니홍조)

肛
훈음 똥구멍 항 / 부수 고기 肉(육) / ▶▶▶ 육(肉)달 월(月) + 장인 工(공) → 신체의 일부인 항문
신체기관 중 항문을 나타내는 글자이므로 육(肉)달 월(月)이 의미요소고 工(공)은 발음기호이다.
●●●●● 肛門(항문)/脫肛(탈항)

項
훈음 목 항 / 부수 머리 頁(혈) / ▶▶▶ 장인 工(공) + 머리 혈(頁) → 머리에 붙어 있는 목
신체와 머리(頁) 부분을 이어주는 목 뒷덜미 부분과 발음요소인 工(공)자의 합자로 '항목'으로 의미 확대됐다.
●●●●● 項目(항목)/事項(사항)/項羽壯士(항우장사)

缸
훈음 항아리 항 / 부수 그릇 缶(부) / ▶▶▶ 장군/그릇 缶(부) + 장인 工(공) → 항아리도 그릇임
항아리를 뜻하는 글자로 그릇 缶(부)가 의미요소고 工(공)은 발음기호다. 工(공)이 항으로 발음되는 글자들이다.
●●●●● 缸胎(항태)

巧(교)　　巨(거)　　拒(거)　　距(거)　　式(식)　　拭(식)
左(좌)　　佐(좌)　　差(차)　　巫(무)　　誣(무)

巧
훈음 공교할 교 / 부수 장인 工(공) / ▶▶▶ 장인 工(공) + 어조사 丂(우)의 약자 → 물건을 잘 만들었다
특별한 솜씨를 나타낸 말이므로 장인 工(공)이 의미요소고, 오른편은 발음기호로 '말솜씨, 약삭빠름, 꾀'등으로 의미 확대됐다.
※ 夸(과) - 자랑할 과
●●●●● 工巧(공교)/巧妙(교묘)/技巧(기교)/精巧(정교)

巨 훈음 클 거 부수 장인 工(공) 工(공) + 又(우) ➡ 공구를 잡고 있는 손

공구(工)를 잡고 있는 大人(대인)의 손(크)의 모습에서 큰 大(대)가 빠진 꼴로 '크다, 거대하다'로 뜻이 파생됐다. 본뜻인 큰 자의 의미는 곱자 矩(구)가 대신하고 있고 발자국(足)과 발자국 사이를 재는(巨) 모습이 거리(距離)의 떨어질 거(距)자라면, 기준(巨)에 달하지 못하는 것을 배척(扌)하는 모습이 거부(拒否)의 막을 거(拒)자이다.

ᐅᐅᐅᐅᐅ 巨匠(거장)/巨軀(거구)/巨物(거물)/巨富(거부)/巨視的(거시적)/巨額(거액)/巨船(거선)

式 훈음 법 식 부수 주살 弋(익) ᐅᐅᐅ 장인 工(공) + 주살 弋(익) ➡ 주살을 만드는 방식

길고 짧음은 재보면 안다. 마찬가지로 어떠한 사물이 제대로 만들어졌는지의 여부는 '본보기'가 되는 즉 모체가 되는 것과 비교해 보면 된다. 바로 이 법 式(식)자는 그러한 '본보기, 모델'을 상징하기 위한 글자이다. 만들어진 주살을 곱자(工)로 재어 보는 데서 유래했다.

ᐅᐅᐅᐅᐅ 法式(법식)/式順(식순)/儀式(의식)

拭 훈음 닦을 식 부수 손 扌(수) ᐅᐅᐅ 손 扌(수) + 법 式(식) ➡ 손으로 닦아 내다

닦아 없애다가 원뜻이므로 손 扌(수)가 의미요소고 式(식)은 발음기호이다.

ᐅᐅᐅᐅᐅ 拂拭(불식)/拭目(식목)

左 훈음 왼 좌 부수 장인 工(공) ᐅᐅᐅ 왼손 ナ(좌) + 공구 工(공) ➡ 왼손에 공구를 들고 있다

오른손과 대칭되는 왼손을 표현하기 위해 왼손으로 공구를 들고 있는 모습을 그린 글자로, 왼쪽을 뜻한다. 오른쪽은 '옳다'로, 왼쪽은 '그르다'로 의미가 확대되어 사용된다.

ᐅᐅᐅᐅᐅ 左便(좌편)/左翼(좌익)/左邊(좌변)

佐 훈음 도울 좌 부수 사람 亻(인) ᐅᐅᐅ 亻(인) + 左(좌) ➡ 왼편에서 보좌하는 사람

도울 佑(우)와 맥락을 같이 하는 글자로 돕는 일은 사람이 하므로 사람 亻(인)을 의미요소로 左(좌)를 발음기호로 사용했다.

ᐅᐅᐅᐅᐅ 輔佐官(보좌관)

差 훈음 어긋날 차 부수 장인 工(공)

신에게 바치는(式) 제물(羊→禾)이 원래 드려야 할 온전한 것과 차이가 난다하여 차이(差異)/오차(誤差)의 어긋날 차(差)/신에게 제물을 드리는 것이므로 차출(差出)의 바칠 차(差)

ᐅᐅᐅᐅᐅ 差異(차이)/偏差(편차)/差減(차감)/差等(차등)/誤差(오차)/差出(차출)/差度(차도)

巫 훈음 무당 무 부수 장인 工(공) ᐅᐅᐅ 장인 工(공) + 사람 人(인) ➡ 조상과 후손을 이어주는 사람

갑골문에서는 히틀러의 휘장이었던 십자표시와 비슷한 꼴을 하고 있었으나, 소전에 와서 하늘과 땅 그리고 두 사람을 이어주는 선을 통해 무속인이 하는 일을 상징하게 되었다. 학자들은 점칠 때 쓰는 도구라고 한다. 엉터리(言) 점괘(巫)로 속이는 것을 혹세무민(惑世誣民)의 속일/무고할 무(誣)라 하며, 기우제(雨) 지내는(口) 무속인(巫)의 모습에서 영혼(靈魂)의 신령 령(靈)자가

ᐅᐅᐅᐅᐅ 巫堂(무당)/巫俗(무속)/巫女(무녀)/誣告(무고)/誣告罪(무고죄)/靈感(영감)/神靈(신령)

誣 훈음 무고할/거짓 무 부수 말씀 言(언) ᐅᐅᐅ 말씀 言(언) + 무당 巫(무) ➡ 엉터리 점괘로 사람을 속임

직역하면 무당이 하는 말 즉 점괘를 의미하는 것으로 옛부터 엉터리 점쟁이가 많아 엉터리 점괘를 이야기해 주고 돈을 받아 챙겼나보다. 따라서 지혜롭던 사람들은 무속인들의 말을 거짓으로 보았던 것 같으며 두 글자 모두 의미요소이며 무당 巫(무)가 발음기호이다.

ᐅᐅᐅᐅᐅ 誣告(무고)/惑世誣民(혹세무민)

水(수)   氵(수)   氺(수)   永(영)   泳(영)   詠(영)   氷(빙)   脈(맥)   派(파)

훈음 물 수 **부수** 제 부수

물 흐르는 모습을 그대로 간략하게 만든 글자로, 주로 '물'로 사용되나 羊水(양수)에서 보듯 액체를 나타내기도 하며 水平(수평)에서처럼 물의 특징을 나타내기도 하며 山戰水戰(산전수전)에서 보듯 호수나 바다 등을 의미하기도 한다.

●●●●● 水資源(수자원)/水質(수질)/洪水(홍수)/水災(수재)/水魔(수마)

훈음 물 수 **부수** 제 부수

물 水(수)의 다른 형태로 주로 변으로 사용되며 따라서 '삼수변'이란 이름을 갖고 있으며 단독 사용은 없다.

훈음 물 수 **부수** 제 부수

물 水(수)의 또 다른 형태로 주로 글자의 아랫부분에 사용되는 경우가 많다.

훈음 길 영 **부수** 물 水(수)

▶▶▶ 물 水(수) + 자축거릴 彳(척) + 사람 人(인) ➡ 물에서 헤엄치는 사람

현재의 글자꼴로는 '물+길+사람'의 형태로 보이지 않으나 갑골문은 그렇게 나누어져 있다. 따라서 물에서 헤엄치는 사람을 나타낸 글자였으나 발음이 같다는 이유로 '길다'라는 뜻으로 쓰이자 '헤엄치다'라는 본뜻을 살린 글자가 아래의 헤엄칠 泳(영)자이다.

●●●●● 永遠(영원)/永生(영생)/永久不變(영구불변)

훈음 헤엄칠 영 **부수** 물 水(수) ▶▶▶ 물 氵(수) + 길 永(영) ➡ 물에서 헤엄치다

물에서 헤엄친다는 뜻을 분명히 하기 위해 물 氵(수)를 추가한 글자로 두 글자 모두 의미요소이며, 길 永(영)이 발음기호를 겸하고 있다.

●●●●● 水泳(수영)/泳法(영법)/背泳(배영)/蝶泳(접영)/平泳(평영)

훈음 읊을 영 **부수** 말씀 言(언) ▶▶▶ 말씀 言(언) + 길 永(영) ➡ 늘어지게 길게 내빼다

'노래나 가락이나 시조' 등을 길게 늘여가며 읊조리는 것을 나타낸 글자로 言(언)을 의미요소로 길 永(영)을 의미보조 겸 발음기호로 사용하여 만든 글자다.

●●●●● 吟詠(음영)/詠歌(영가)/詠歎(영탄)

훈음 얼음 빙 **부수** 물 水(수) ▶▶▶ 점 丶(주) + 물 水(수) ➡ 강물에 떠내려가는 얼음덩어리

해빙기에 강물(水)에 떠내려가는 얼음(丶)덩어리를 그대로 간략하게 옮긴 그림 글자로, 원래는 冰(빙)으로 썼으나 줄인 것이 氷(빙)자이고 더 줄인 것이 氵(빙)자이다.

●●●●● 氷水(빙수)/氷原(빙원)/碎氷船(쇄빙선)/氷上(빙상)/氷板(빙판)/氷河(빙하)/解氷(해빙)/結氷(결빙)/氷山(빙산)

脈 훈음 맥맥 부수 고기 肉(육)

▶▶▶ 육(肉)달 월(月) + 길 永(영)의 異體字(이체자) ➡ 몸 속의 물길이란 혈관을 말함

피가 몸으로 순환하는 혈관을 나타낸 글자로 몸 전체에 걸쳐 길게 이어진 혈관과 그 속을 흐르는 혈액을 길 永(영)이 잘 나타낸 글자로 두 글자 모두 의미요소이다.

●●●●● 脈搏(맥박)/診脈(진맥)/脈絡(맥락)/文脈(문맥)/一脈相通(일맥상통)/動脈(동맥)

派 훈음 물갈래 파 부수 물 水(수) ▶▶▶ 물 氵(수) + 길 永(영)의 변화형 - 여러 갈래로 갈라지는 물길

강물은 本流(본류)가 있고 길게(永) 내려오면서 여러 支流(지류)가 합류함으로 그 모습을 그린 글자로 '물갈래'가 본래 의미이며 '분파, 가르다, 내보내다' 등으로 의미 확대되었으며 모든 글자가 다 의미요소이다.

●●●●● 派閥(파벌)/分派(분파)/派兵(파병)/派生(파생)/宗派(종파)

沃(옥)　畓(답)　灌(관)　漑(개)　氾(범)　濫(람)　洪(홍)

沃 훈음 기름질/물댈 옥 부수 물 氵(수) ▶▶▶ 물 氵(수) + 어릴 夭(요) ➡ 물이 있어 풀이 무성히 자라는 곳

엉겅퀴 芺(요)가 어릴 夭(요)로 생략된 형태로, 왕성하게 자라는 풀인 엉겅퀴와 물이 풍성하여 풀이 무성히 자란다는 사상을 합하여 만든 글자로 두 글자 모두 의미요소이며 어릴 夭(요)가 발음에 영향을 미친 듯하다.

※ 鋈(옥) - 도금 옥

●●●●● 門前沃畓(문전옥답)/沃土(옥토)/肥沃(비옥)

畓 훈음 논 답 부수 밭 田(전) ▶▶▶ 물 水(수) + 밭 田(전) ➡ 물을 필요로 하는 밭

물이 없는 곳에는 논(畓)을 만들 수 없다. 논에는 물대기가 필수임으로 물대는/물이 필요한 농경지라 하여 물 水(수)와 밭 田(전) 모두가 의미요소로 사용됐다. 밭은 물이 고여 있지 않은 농경지요, 논은 늘 물이 고여 있는 농경지를 말한다.

●●●●● 門前沃畓(문전옥답)/田畓(전답)

灌 훈음 물댈 관 부수 물 氵(수) ▶▶▶ 물 氵(수) + 황새/왕골 풀 藋(관)

논밭에 물대는 것을 뜻하는 글자이므로 물 氵(수)가 의미요소고 藋(관)은 발음기호이다.

●●●●● 灌漑(관개)/灌木(관목)/灌口地獄(관구지옥)

漑 훈음 물댈 개 부수 물 氵(수) ▶▶▶ 물 氵(수) + 이미 旣(기) ➡ 논에 물을 대다

물길을 트고 농토에 물대는 것을 나타내기 위함으로 물 氵(수)가 의미요소고 旣(기)는 발음기호이다.

●●●●● 灌漑施設(관개시설)

氾 훈음 넘칠 범 부수 물 氵(수) ▶▶▶ 물 氵(수) + 병부 卪(절) ➡ 물이 둑을 넘어버리다

물이 넘쳐흐름을 나타내고자 함으로 물 氵(수)가 의미요소고 卪(절)이 발음기호이다.

원형은 물이 넘쳐 무엇인가 파손된(卪) 모습을 하고 있다.

●●●●● 氾濫(범람)

濫 훈음 퍼질 람/넘칠 람 부수 물 氵(수) ▶▶▶ 물 氵(수) + 볼 監(감) ➡ 대야에 물이 넘치다

볼 監(감)을 발음요소라 하였으나 대야(皿)에 물이 넘치면 거울의 역할도 할 수 없음을 나타내기 위해 물 氵(수)를 첨가하여 강물이 넘친다는 뜻을 만들어 냈다.

●●●●● 氾濫(범람)/濫用(남용)

洪 훈음 큰 물 홍 부수 물 氵(수) ▶▶▶ 물 氵(수) + 함께 共(공) ➡ 모두가 당하는 물난리

홍수란 물난리이므로 물 氵(수)가 의미요소로 共(공)은 발음기호로 했다.

●●●●● 洪水(홍수)

泉(천)	沼(소)	澤(택)	池(지)	江(강)	河(하)
湖(호)	洋(양)	海(해)	深(심)	潭(담)	淵(연)

泉

훈음 샘 천 부수 물 氵(수) ▶▶▶ 흰 白(백) + 물 水(수) → 틈새에서 샘물이 솟아나오다
바위틈에서 샘솟는 샘물이(水) 햇빛을 받아 반짝반짝 빛나는(白) 모습을 그린 글자이다.
••••• 溫泉(온천)/黃泉(황천)

沼

훈음 늪 소 부수 물 氵(수) ▶▶▶ 물 氵(수) + 부를 召(소) → 늘 물이 고여 있는 곳
물(氵)을 부르는(召) 곳, 즉 물을 불러들여서 한번 들어가면 물이 나오지 않는 늪을 말한다. 물 氵(수)가 의미요소고 부를 召(소)는 발음기호이다.
••••• 沼澤地(소택지)/沼湖(소호)

澤

훈음 못 택 부수 물 氵(수) ▶▶▶ 물 氵(수) + 엿볼 睪(역) → 늘 물이 고여 있는 곳 – 발음 + 의미
작은 연못이나 물이 고여 있는 늪을 의미하므로 물 氵(수)가 의미요소고 睪(역)이 발음기호이다.
••••• 沼澤地(소택지)/潤澤(윤택)/光澤(광택)

池

훈음 못 지 부수 물 氵(수) ▶▶▶ 물 氵(수) + 어조사 也(야) → 늘 축축한 곳
물이 많이 고인 못이나 연못 혹은 웅덩이를 뜻하는 것이었으므로 물 氵(수)가 의미요소고 也(야)는 발음기호이다. 여성의 음부(也)가 늘 陰濕(음습)하므로 땅 地(지)도 마찬가지다.
••••• 潢池(황지)/電池(전지)/酒池肉林(주지육림)/貯水池(저수지)

江

훈음 강 강 부수 물 氵(수) ▶▶▶ 물 氵(수) + 장인 工(공) → 물길이 만드는 걸작품
물(氵)이 만들어 내는(工) 최대의 걸작품 중의 하나는 물줄기가 山河(산하)를 가로질러 흐르는 강줄기 이다. 따라서 물 氵(수)가 의미요소고 工(공)은 발음기호이다.
••••• 江邊(강변)/洛東江(낙동강)/江村(강촌)

河

훈음 강 이름 하 부수 물 氵(수) ▶▶▶ 물 氵(수) + 옳을 可(가) → 넓은 물길
可(가)를 발음기호로 氵(수)를 의미부호로 했다. 입을 크게 벌리는(可) 것처럼 물(氵)가 넓은 내를 강이라 하며 아래로 내려갈수록 강폭이 넓어져서 생긴 글자다.
••••• 沿河(연하)/河口(하구)/山河(산하)

湖

훈음 호수 호 부수 물 氵(수) ▶▶▶ 물 氵(수) + 턱밑 살 胡(호) → 물이 고여 있는 곳
호숫가에 생기는 물결(氵)이 턱밑에 잡히는 턱밑 주름살(胡)과 같다고 하여 胡(호)를 발음기호로 물 氵(수)를 의미요소로 사용했다.
••••• 湖水(호수)/湖畔(호반)/江湖之樂(강호지락)

洋

훈음 바다 양 부수 물 氵(수) ▶▶▶ 양 羊(양) + 물 氵(수) → 많은 양떼 같은 너른 바다
초원에 흩어져 풀을 뜯고 있는 양(羊)무리가 마치 푸르고 드넓은 바닷물결(氵) 같다고 하여 두 글자 모두 의미요소이며 羊(양)은 발음기호를 겸했다.
••••• 大洋(대양)/海洋(해양)/太平洋(태평양)

海

훈음 바다 해 부수 물 氵(수) ▶▶▶ 물 氵(수) + 매양 每(매) → 늘 한결같은 바닷물
바다를 표현하는 글자이므로 물 氵(수)가 의미요소고 每(매)가 발음기호이다. 늘 변함없는 모습이라는 뜻의 每(매)가 줄지도 않고 늘지도 않는 바다의 모습을 적절히 대변하고 있어 의미요소에도 간접기여를 하고 있다고 보여진다.
••••• 海洋(해양)/海水(해수)/山海珍味(산해진미)/海軍(해군)

深 [훈음] 깊을 심 [부수] 물 氵(수)

▶▶▶ 물 氵(수) + 구멍 穴(혈) + 나무 木(목) ➡ 깊은 땅 속에 떨어지는 물방울

원래의 글자는 갱(穴) 속에서 땀을 흘리며 일하는 사람의 모습을 그렸으나 땀 흘려 일하는 사람의 모습이 나무 木(목)이라는 글자꼴로 바뀌었다. 여기에 물 氵(수)가 첨가된 것은 흘리는 땀방울인지 갱처럼 땅 속 깊은 곳에 고여 있는 물을 의미하는 것인지 모르겠으나 아무튼 여기 나오는 글자 모두가 의미요소에 관여한다. 맑은 물(氵)이 고여 있는 깊은 못이나 소를 나타내기 위해 미칠 담(覃)을 발음기호로 담수(潭水)/청담(靑潭)의 깊을 담(潭)과 깊은 우물의 모습에서 심연(深淵)의 못 연(淵)자가

●●●●● 深海(심해)/深山幽谷(심산유곡)/深奧(심오)

| 港(항) | 灣(만) | 沿(연) | 浦(포) | 津(진) |
| 泊(박) | 沈(침) | 沒(몰) | 歿(몰) | 溺(익) |

港 [훈음] 항구 항 [부수] 물 氵(수)

▶▶▶ 물 氵(수) + 거리 巷(항) ➡ 물과 마을이 있는 항구

항구란 배들이 드나드는 곳이므로 물 氵(수)와 사람들이 오가는 거리나 마을의 뜻이 있는 거리 巷(항)을 합하여 만든 글자로 共(공)이 巷(항)의 발음기호로 巷(항)이 港(항)의 발음기호로 사용됐다.

●●●●● 港口(항구)/美港(미항)/空港(공항)/港灣(항만)

灣 [훈음] 물굽이 만 [부수] 물 氵(수) ▶▶▶ 물 氵(수) + 굽을 彎(만) ➡ 자연 항구

물 氵(수)를 의미부호로 굽을 彎(만)을 발음요소로 사용하여 육지를 향해 활처럼 휘어져 배가 정박하기 쉬운 모양을 하고 있는 또는 그런 모양을 하고 있는 해변을 나타냈다.

●●●●● 臺灣(대만)/港灣(항만)

沿 [훈음] 따를/물가 연 [부수] 물 氵(수) ▶▶▶ 물 氵(수) + (八+口) ➡ 물길 따라 나 있는 물가

좁고 긴 물길과 접하는 물가나 길가를 가리키는 글자로 물 氵(수)가 의미요소고 나머지는 발음기호이다.

●●●●● 沿岸(연안)/沿邊(연변)/沿道(연도)/沿海(연해)/沿革(연혁)

浦 [훈음] 개 포 [부수] 물 氵(수)변 ▶▶▶ 물 氵(수) + 클 甫(보) ➡ 강물이 바다로 들어가는 어귀

강물이나 냇물이 바다로 들어가는 어귀를 '개어귀' 또는 '포구'라고 하는데 대개 강이나 냇가들이 바다로 오면서 그 입구가 넓어지는데 바로 그 모습을 의미하는 글자다. 두 글자 모두 의미요소이며 클 甫(보)가 발음기호이다.

※ 捕(포) - 사로잡을 포/鋪(포) - 펼/점포 포

●●●●● 浦口(포구)/浦村(포촌)/三浦(삼포)

津 [훈음] 나루 진 [부수] 물 氵(수) ▶▶▶ 물 氵(수) + 붓 聿(율) ➡ 배가 건너다니는 곳

나루터란 배가 건너다니는 곳으로 물 氵(수)가 의미요소고, 음이 다르긴 하지만 聿(율)이 발음기호이다.

●●●●● 노량진(津)/삼랑진(津)/津液(진액)/津口(진구)/津船(진선)

泊 [훈음] 배 댈 박 [부수] 물 氵(수) ▶▶▶ 물 氵(수) + 흰 白(백) ➡ 배를 고정시킴

'물가에 배를 정박시키다'라는 뜻이므로 물 氵(수)가 의미요소고 白(백)은 발음기호이다.

●●●●● 碇泊(정박)/宿泊(숙박)/淡泊(담박)

※ 拍(박) - 칠 박/迫(박) - 다그칠 박

沈 훈음 잠길 침/성 심 부수 물 氵(수) ▶▶▶ 물 氵(수) + 머뭇거릴 冘(유) → 물 속에 가라앉음
물(氵) 속에 빠져 허우적대는 소(冘)를 가리키는 말로서 '가라앉다, 담그다'의 뜻이 파생됐다. 소가 물속에서 머뭇거리면 당연히 물에 빠진다.
••••• 沈黙(침묵)/沈滯(침체)/沈着(침착)/沈氏(심씨)

沒 훈음 가라앉을 몰 부수 물 氵(수) ▶▶▶ 물 氵(수) + 人(回(회) + 손 又(우) → 물에 빠져 손을 흔들어 댐
사람이 빙빙(回) 도는 물(氵)에 빠져 살려 달라고 손(又)을 흔들며 허우적대는 모습을 실감나게 그린 글자다. 물이 도는 모습의 回(회)가 불편한 사람 人(인)의 모습으로 바뀌었다.
••••• 沈沒(침몰)/沒殺(몰살)/沒收(몰수)

歿 훈음 죽을 몰 부수 부서진 뼈 歹(알) ▶▶▶ 歹(알) + 回(회) + 又(우) → 물에 빠져 죽음
물에 빠져(回) 허우적대다(又) 결국은 죽는(歹) 사람을 사실적으로 묘사한 글자다.
••••• 戰歿(전몰)/戰歿將兵(전몰장병)

溺 훈음 물에 빠질 익(닉) 부수 물 氵(수) ▶▶▶ 물 氵(수) + 약할 弱(약) → 물에 빠진 생쥐
물에 빠져 허우적거리는 모습을 나타낸 것이므로 물 氵(수)가 의미요소고 弱(약)은 발음기호이다. 날개가 물에 젖어 버리면 아무짝에도 소용이 없으므로 적절한 조합을 이룬 글자이다.
••••• 溺死(익사)/耽溺(탐닉)

波(파)   濤(도)   泡(포)   沫(말)   漲(창)   溢(일)   滿(만)   潮(조)

波 훈음 물결 파 부수 물 氵(수) ▶▶▶ 물 氵(수) + 가죽 皮(피) → 물결이 일렁이다
바닷물이나 강물의 일렁임을 나타내는 '물결'을 의미하는 글자이므로 물 氵(수)가 의미요소고 가죽 皮(피)는 발음기호이다.
••••• 波濤(파도)/風波(풍파)/波浪注意報(파랑주의보)/世波(세파)/波高(파고)

濤 훈음 큰 물결 도 부수 물 氵(수) ▶▶▶ 물 氵(수) + 목숨 壽(수) → 큰 물결이 일다
큰 파도와 큰 물결을 나타내는 글자로 물 氵(수)가 의미요소며, 壽(수)는 발음요소이나 오래 산다는 측면에서는 '크다'에 영향을 준 것 같다.
••••• 波濤(파도)/疾風怒濤(질풍노도)

泡 훈음 거품 포 부수 물 氵(수) ▶▶▶ 물 氵(수) + 안을 包(포) → 파도가 칠 때 생기는 물보라
거품을 나타내기 위한 글자이므로 물 氵(수)가 의미요소로 包(포)는 발음기호로 쓰였다.
거품이나 물보라는 물이 바위에 부딪히면서 생기는 작은 물 알갱이다.
••••• 泡沫(포말)/氣泡(기포)/水泡(수포)

沫 훈음 거품 말 부수 물 氵(수) ▶▶▶ 물 氵(수) + 끝 末(말) → 파도가 치면 생기는 거품
거품을 나타내기 위한 글자이므로 물 氵(수)가 의미요소고 末(말)은 발음기호이다.
••••• 泡沫(포말)/噴沫(분말)/飛沫(비말)

溢 훈음 넘칠 일 부수 물 氵(수) ▶▶▶ 물 氵(수) + 더할 益(익) → 그릇에 물이 넘치듯 넘치는 물
해안(氵)을 초토화시키는(張-베풀 장) 바닷물을 창일(漲溢)의 불을 창(漲)자이며, 더할 益(익) 자체가 그릇 皿(명)의 물 水(수)로 물이 넘치는 모습을 그렸으나 '더하다'의 뜻으로 쓰이자 물 氵(수)를 첨가하여 물이 넘치는 모습을 분명히 한 글자가 漲溢(창일)의 넘칠 溢(일)자이다.
••••• 漲溢(창일)/海溢(해일)

潮 훈음 조수 조 부수 물 氵(수) ▶▶▶ 물 氵(수) + 아침 朝(조) ➡ 바다와 뭍을 넘나드는 물

조수(氵)가 육지 깊숙이 올라온 상황을 수레를 가득 채운(雨)채운 것에 비하여 만조(滿潮)의 찰 만(滿)자라 하며 육지로 밀려 올라오는 조류(氵)를 아침 조(朝)를 발음으로 조수(潮水) 조(潮)

▪▪▪▪▪ 潮水(조수)/潮流(조류)/頹廢風潮(퇴폐풍조)/滿潮(만조)/干潮(간조)/充滿(충만)

汗(한) 泌(비) 漏(누) 泄(설) 泣(읍) 活(활) 液(액) – 몸에서 나오는 분비물

汗 훈음 땀 한 부수 물 氵(수) ▶▶▶ 물 氵(수) + 방패 干(간) ➡ 몸을 방어해 주는 땀

몸에서 흐르는 땀을 가리키는 말로 땀의 성분인 물 氵(수)를 의미요소로 干(간)은 발음기호로 사용된 글자. 땀은 몸을 지켜주고 보호해 주는 방패 역할을 한다.

▪▪▪▪▪ 汗蒸幕(한증막)/冷汗(냉한)/汗馬之勞(한마지로)

泌 훈음 샘물 흐르는 모양 비 부수 물 氵(수) ▶▶▶ 물 氵(수) + 반드시 必(필) ➡ 몰래 흐르는 물

샘물이든 눈물이든 흐르는 것은 액체이므로 물 氵(수)를 의미요소로 必(필)을 발음기호로 했다.

▪▪▪▪▪ 分泌物(분비물)/泌尿器科(비뇨기과)

漏 훈음 샐 루(누) 부수 물 氵(수) ▶▶▶ 물 氵(수) + 주검 尸(시) + 비 雨(우) ➡ 지붕에서 물이 새다

집 천장에 틈이 생겨 그 사이로 빗물 등이 새는 모습을 그린 글자로, 모든 글자가 다 의미요소이며 물 氵(수)를 뺀 부분이 발음기호이다. 주검 尸(시)는 집 옥(屋)에서 보듯 사람 이외에 집으로도 사용되므로 집(尸) 지붕에서 새는 빗(雨)물(氵)로 직역이 가능하다.

▪▪▪▪▪ 漏泄(누설)/漏落(누락)/漏水(누수)/脫漏(탈루)

泄 훈음 샐 설 부수 물 水(수) ▶▶▶ 물 氵(수) + 세상 世(세) ➡ 틈새로 물이 새다

물이 틈새나 구멍으로 새는 것을 뜻하므로 물 氵(수)가 의미요소고 世(세)는 발음기호이다.

※ 疶(설) – 이질 설

▪▪▪▪▪ 漏泄(누설)/排泄(배설)/泄精(설정)/泄瀉(설사)

泣 훈음 울 읍 부수 물 氵(수) ▶▶▶ 물 氵(수) + 설 立(립) ➡ 어깨를 들먹이며 울다

사람이 흘리는 눈물이라는 의미에서 서 있는 사람 立(립)과 눈물에 해당하는 물 氵(수)가 의미요소로 사용 되었으며 설 立(립)이 발음기호이다.

▪▪▪▪▪ 泣訴(읍소)/感泣(감읍)/泣斬馬謖(읍참마속)

活 훈음 살 활 부수 물 氵(수) ▶▶▶ 물 氵(수) + 혀 舌(설) ➡ 혀가 촉촉함

침(氵) 튀겨가며 활기차게 혀(舌)를 놀려 대는 모습에서 活力(활력)이 느껴진다.

▪▪▪▪▪ 活氣(활기)/生活(생활)/活力(활력)/活動的(활동적)/活性(활성)

液 훈음 진 액 부수 물 氵(수) ▶▶▶ 물 氵(수) + 밤 夜(야) ➡ 끈끈하게 흐르는 액체

물보다 진한 액체를 뜻하기 위한 글자로 물 氵(수)가 의미요소고 밤 夜(야)는 발음기호이다.

※ 腋(액) – 겨드랑이 액

▪▪▪▪▪ 液汁(액즙)/液體(액체)/溶液(용액)/血液(혈액)/粘液(점액)

川(천) 巛(천) 順(순) 巡(순) 訓(훈) 州(주) 洲(주) 災(재) 巢(소)

川

훈음 내 천 부수 제 부수
구불구불하게 흐르는 강물의 흐름을 단순 간결하게 그린 글자다.
●●●●● 山川草木(산천초목)/晝夜長川(주야장천)/川邊(천변)

巛

훈음 개미허리 천 부수 제 부수 – 내 川(천)의 원글자
내 川(천)과 동일한 의미의 글자로 글자의 모양새가 중간이 구부러져 있다고 '개미허리'라는 이름을 갖게 된 것이며, 단독 쓰임은 없고 偏旁字(편방자)로만 쓰인다.

順

훈음 순할 순 부수 머리 頁(혈) ▶▶▶ 내 川(천) + 머리 頁(혈) ➡ 머리의 지시에 따르는 것이 물 흐르듯 흐르는 순리
물(川) 흘러가듯 머리가 지시하는 대로 순순히 따르는 것이 순리요 바람직하다 하여 만들어진 글자다. 두 글자 모두 의미요소이며 내 川(천)이 발음에 영향을 주었을 것이다.
●●●●● 順從(순종)/順産(순산)/順序(순서)/順理(순리)/順調(순조)

巡

훈음 돌 순 부수 내 巛(천) ▶▶▶ 내 巛(천) + 갈 辶(착) ➡ 물길이 굽이굽이 돌며 가는 모습
물길이 굽이굽이 돌아가는 모습에서 '오며가며 살피다'의 뜻이 파생된 글자로, 중국에서는 갈 辶(착)이 부수자이며 의미요소이나 한국에서는 내 巛(천)이 부수자로 쓰였다. 아무튼 모든 글자가 다 의미요소이며, 내 巛(천)이 발음기호임은 순할 順(순)에서도 알 수 있다.
●●●●● 巡廻(순회)/巡警(순경)/巡訪(순방)/巡察(순찰)

訓

훈음 가르칠 훈 부수 말씀 言(언) ▶▶▶ 말씀 言(언) + 내 川(천) ➡ 훈계란 물 흐르듯 순리에 맞아야 한다
남을 가르치려면 물 흐르듯(川) 순리에 맞는 말(言)을 해야 한다. 그렇지 못할 때 訓戒(훈계)는 아무런 효과를 거두지 못한다. 따라서 두 글자 모두 의미요소이다.
●●●●● 訓戒(훈계)/敎訓(교훈)/訓放(훈방)/訓練(훈련)/山上垂訓(산상수훈)

州

훈음 고을 주 부수 내 巛(천) ▶▶▶ 점 丶(주) + 내 川(천) ➡ 강 하구에 생긴 모래섬
내(川) 사이사이에 생겨난 모래 언덕(丶)으로 위에서 떠내려온 모래(丶)가 강 하구에 쌓인 三角洲(삼각주)를 뜻하기 위한 글자였으나 '고을, 마을'로 더 쓰이게 되자 본래의 의미를 보존한 글자가 모래섬 洲(주)이다. 점 丶(주)는 발음기호이다.
●●●●● 州郡(주군)/濟州(제주)/州知事(주지사)/三角洲(삼각주)

洲

훈음 모래섬 주 부수 물 氵(수) ▶▶▶ 물 氵(수) + 고을 州(주) ➡ 강 하구에 생긴 모래섬
강 하구에 생겨난 모래섬인 삼각주를 뜻하기 위한 글자로 물 속에 생기는 섬이나 땅이라 하여 물 氵(수)가 의미요소로 추가되었으며, 두 글자 모두 의미요소이며 州(주)가 발음기호이다.
●●●●● 三角洲(삼각주)/五大洋五大洲(오대양오대주)

災

훈음 재앙 재 부수 불 火(화) ▶▶▶ 내 巛(천) + 불 火(화) ➡ 가장 무서운 홍수와 화재
홍수(巛)와 화재(火)로 인한 재앙이 가장 흔하면서 가장 무서운 재앙이었으므로 두 글자를 합하여 '재앙'이라는 글자를 만들어 냈다.
●●●●● 災殃(재앙)/火災(화재)/水災(수재)

巢
훈음 집 소 　부수 내 巛(천)　▶▶▶ 내 巛(천) + 실과 果(과) ➡ 새의 가족들의 따뜻한 사랑이 피어나는 모습
새집을 나타내고자 하였으므로 나무(木) 위의 둥지(臼)와 둥지에서 피어 오르는 훈기(巛)를 더하여 새의
둥지를 나타낸 글자로 모든 글자가 의미요소다. 巢(소) 속의 果(과)자는 나무 목(木) + 절구 구(臼)다.
***** 巢窟(소굴)/鳩居鵲巢(구거작소)

巠(경)　徑(경)　經(경)　輕(경)　頸(경)　痙(경)　腦(뇌)　惱(뇌)

巠
훈음 지하수 경 　부수 개미허리 巛(천)
▶▶▶ 한 一(일) + 내 巛(천) + 장인 工(공) ➡ 베틀에 달려 있는 늘어진 실 모양
王(임)을 베틀의 상형으로 보고 그 베틀에 날줄을 걸어 놓은 모습의 상형을 巠(경)으로 본다. 따라서 이 글
자는 냇가나 강물 등과는 하등의 관계가 없고 늘어진 실을 나타낸 것이다.

徑
훈음 지름길 경 　부수 길 갈 彳(척)　▶▶▶ 길 彳(척) + 지하수 巠(경) ➡ 좁고 협착한 길
수레가 다닐 수 없는 '좁고 협착한 길'을 뜻하는 것으로 길 갈 彳(척)이 의미요소이고 지하수 巠(경)은 발음
요소이다. 후에 '지름길 곧다'로 확대 사용됐다.
***** 捷徑(첩경)/直徑(직경)/徑路(경로)

經
훈음 날/세로 경 　부수 실 糸(사)변　▶▶▶ 실 糸(사) + 지하수 巠(경) ➡ 씨줄이 날줄 사이를 지나가며 피륙이 짜여감
'한 타래 실'의 상형인 실 糸(사)에 베틀과 날줄의 상형인 巠(경)을 더한 글자가 날 經(경)자로, 이 베틀에
걸려 있는 세로실인 날줄에 씨줄을 교차시키면 천이나 피륙이 짜어 지는 것이다. 여기에서 '다스리다, 변함
없다' 등의 뜻이 파생되었다. 따라서 두 글자 모두 의미요소다.
***** 橫經(횡경)/經緯(경위)/經歷(경력)/經濟(경제)

輕
훈음 가벼울 경 　부수 수레 車(거)　▶▶▶ 수레 車(거) + 지하수 巠(경) ➡ 수레처럼 날렵한 베틀의 움직임
날렵한(巠) 수레(車) 즉 당시 사람들이 보기에 馬車(마차)가 빨리 달리므로 수레(車)가 날렵해 보였을 것이
다. 여기서 '가볍다, 가벼이 하다, 경솔하다' 등의 뜻이 파생됐다.
　巠(경)은 베틀의 날실과 씨실을 팽팽하게 한 모습으로 천 짜는 과정의 베틀이 마치 빠른 마차
(車)처럼 날렵하고 빠르게 움직이므로 두 글자를 조합시켰다. 巠(경)이 발음기호이다.
***** 輕擧妄動(경거망동)/輕率(경솔)/輕重(경중)/輕快(경쾌)

頸
훈음 목 경 　부수 머리 頁(혈)방　▶▶▶ 지하수 巠(경) + 머리 頁(혈) ➡ 머리로 가는 모든 관은 목을 통과
뇌로 가는 미세한 혈관은 모두 목을 통과하며 바로 그 가느다란 목 부위를 나타내는 글자로 두 글자 모두
의미요소로 쓰였으며 巠(경)이 발음기호이다.
***** 頸椎(경추)/頸部(경부)/頸骨(경골)

痙
훈음 심줄 당길 경 　부수 병 질 疒(엄)　▶▶▶ 병들 疒(녁) + 지하수 巠(경) ➡ 혈관 장애
혈관의 흐름이 막히면(疒) 순환계통에 문제가 오며 몸이 마비될 수도 있다. 바로 그러한 상황을 나타낸 글
자로 질병과 관련된 글자인 병들 疒(녁)이 의미요소고 巠(경)은 발음기호이다.
***** 痙攣(경련)

腦
훈음 뇌 뇌 　부수 고기 肉(육)　▶▶▶ 육 달 月(월) + 내 巛(천) + 정수리 囟(신) ➡ 순환이 활발한 곳
순환(巛)이 가장 활발한(囟) 신체(月)기관이 두뇌(頭腦)의 뇌 뇌(腦)자이고 정수리(囟)가 바쁘다(巛)는 것
은 고민이(忄)있다는 것으로 번뇌(煩惱)의 괴로워할 뇌(惱)자이다.
***** 洗腦(세뇌)/腦卒中(뇌졸중)/腦溢血(뇌일혈)/腦震蕩(뇌진탕)/惱殺(뇌쇄)/百八煩惱(백팔번뇌)

雨(우)　雲(운)　露(로)　霧(무)　雹(박)　雪(설)　電(전)　雷(뇌)　霜(상)

雨
훈음 비 우　부수 제 부수
빗방울(丶)이 하늘(一)에서 흘러 떨어지는 모습을 사실적으로 나타낸 그림 글자다.
•••• 雨傘(우산)/雨期(우기)/降雨量(강우량)/暴雨(폭우)

훈음 구름 운　부수 비 雨(우)　▶▶▶ 비 雨(우) + 이를 云(운) ➡ 비가 오겠다고 말해주는 것은 구름
구름을 의미하는 글자로 비 雨(우)가 의미요소고 이를 云(운)은 발음기호이나, 구름은 마치 비(雨)가 올 것
이라고 미리 말(云)하는 것과 같으므로 두 글자 모두 의미요소로 봐도 무방하다.
•••• 雲霧(운무)/風雲兒(풍운아)/靑雲萬里(청운만리)/雲集(운집)

훈음 이슬 로　부수 비 雨(우)　▶▶▶ 비 雨(우) + 길 路(로) ➡ 모든 길까지 적시는 이슬
투명한 물방울을 이슬이라 하며 주로 '아침 이슬'이란 표현으로 많이 쓰이는데 밤새 소리 없이 그림자도 형
태도 없는 곳에서 생긴다 하여 '나타나다'의 뜻으로 많이 쓰인다.
•••• 草露人生(초로인생)/露出(노출)/露骨(노골)/露店(노점)

霧
훈음 안개 무　부수 비 雨(우)　▶▶▶ 비 雨(우) + 힘쓸 務(무) ➡ 안개 낀 날에 앞으로 나아가려면 힘깨나 써야 함
안개를 나타내는 글자이므로 비 雨(우)가 의미요소로 힘쓸 務(무)는 발음기호로 쓰였다.
•••• 雲霧(운무)/霧散(무산)/五里霧中(오리무중)

雹
훈음 누리 박　부수 비 雨(우)　▶▶▶ 비 雨(우) + 쌀 包(포) ➡ 얼음에 쌓여 떨어지는 비
봄여름에 천둥 번개와 함께 쏟아지는 우박을 나타내는 글자다. 천둥이나 번개가 감싸고 있다는 뜻으로 쌀
包(포)가 첨가된 글자로 두 글자 모두 의미요소며 包(포)가 발음기호이다.
•••• 雨雹(우박)/風飛雹散(풍비박산)
※ 颮(박) – 날개 치는 소리 박

훈음 눈 설　부수 비 雨(우)　▶▶▶ 비 雨(우) + 손 우(彐=又) ➡ 만질 수 있는 비
눈 雪(설)자를 직역하면 '만질(彐) 수 있는 비(雨)'로 풀이가 되므로 뭉치고 굴려 눈사람을 만들기 위해서는
손으로 눈을 만지고 잡을 수 있어야 하므로 참으로 적절한 조합이다. 따라서 두 글자 모두 의미요소이다.
•••• 雪原(설원)/暴雪(폭설)/雪糖(설탕)/雪景(설경)/嚴冬雪寒(엄동설한)/殘雪(잔설)/螢雪之功(형설지공)

훈음 번개 전　부수 비 雨(우)　▶▶▶ 비 雨(우) + 펼 申(신) ➡ 들판에 떨어지며 펼쳐지는 비
주로 비(雨) 올 때 들판이나 논밭에 떨어지며 퍼지는 번갯불의 모양(申)을 나타낸, 다시 말해 '번개가 번쩍
이면서 갈라지는' 모습을 나타낸 글자로 두 글자 모두 의미요소이다.
•••• 電氣(전기)/電光石火(전광석화)/電燈(전등)/電磁波(전자파)

훈음 우레 뢰　부수 비 雨(우)　▶▶▶ 비 雨(우) + 밭 田(전) ➡ 벼락이 떨어지는 소리
천둥소리를 의미하는 글자로 번개가 번쩍이며 퍼지는 모습인 申(신)자 위에 번개가 치고 바로 따라서 들리
는 천둥소리를 상징하는 표시를 한 글자로, 밭 田(전)으로 정리돼서 번개에 이어 나는 엄청난 천둥소리를
나타냈다. 따라서 두 글자 모두 의미요소이다.
•••• 雷聲(뇌성)/魚雷(어뢰)/附和雷同(부화뇌동)/地雷(지뢰)

霜
훈음 서리 상 부수 비 雨(우) ▶▶▶ 비 雨(우) + 서로 相(상) ➡ 백발과 서로 비슷
겨울철에 내리는 서리를 나타낸 글자로 비 雨(우)가 의미요소고 서로 相(상)이 발음기호이다.
••••• 萬古風霜(만고풍상)/雪上加霜(설상가상)/霜菊(상국)

需(수) 儒(유) 懦(나) 震(진) 霹(벽) 靂(력) 靈(령) 漏(루) 零(령)

需
훈음 구할/쓰일 수 부수 비 雨(우) ▶▶▶ 비 雨(우) + 수염/말 이을 而(이) ➡ 비 오기를 바라는 모습
'비 오기를 간청하던 기우제를 올리던 무당'의 요청대로 비가 억수같이 쏟아져 수염까지 젖게 된 모습에서
비 즉 물을 '구하다, 필요하다, 쓰이다'로 의미 확대됐다.
••••• 需給(수급)/內需(내수)

儒
훈음 선비 유 부수 사람 亻(인) ▶▶▶ 사람 亻(인) + 구할 需(수) ➡ 사회에 필요한 사람
당대의 최고 학자들이었던 사회에 필요한 유능한 사람들을 가리키는 말로 사람 亻(인)이 의미요소이고, 需(수)가
발음기호이나 선비는 사회에 필요한(쓰임새 있는-需) 사람(亻)이란 뜻에서 의미요소에 관여했음을 알 수 있다.
••••• 儒敎(유교)/崇儒(숭유)/儒生(유생)

懦
훈음 나약할 나 부수 마음 忄(심) ▶▶▶ 마음 忄(심) + 구할 需(수) ➡ 심성이 너무 나약한 사람
심성이나 정신이 너무 유약하고 나약한 사람을 나타낸 글자. '나약함은 정신 상태의 문제이므로' 마음 忄
(심)이 의미요소고 길게 자란 힘없는 긴 수염을 나타내는 需(수) 역시 부드러움이라는 뜻으로, 또한 그러한
긴 수염을 기른 사람이란 선비들을 주로 가리키므로 글만 읽고 다른 일은 할 줄 모르는 선비를 나타내는
需(수) 역시 의미요소로 작용되었다.
••••• 懦弱(나약)/懦夫(나부)

震
훈음 벼락 진 부수 비 雨(우) ▶▶▶ 비 雨(우) + 지지 辰(진) ➡ 신이 노하면 떨어야 함
비가 오면서 벼락도 치는 상황을 나타내는 글자이므로 비 雨(우)가 의미요소고 별이름 辰(진)은 발음기호이
다. 벼락을 신이 내리는 재앙이나 신의 경고로 보고서 '떨다, 흔들리다'라는 뜻으로 의미 확대되었고, 임금
님(辟)의 호통소리는(雨) 청천벽력(靑天霹靂)의 벼락 벽(霹)으로 번개(雨)가 지나간(歷)다음 들리는 소리가
청천벽력(靑天霹靂)의 벼락 력(靂)으로
••••• 地震(지진)/震動(진동)/震怒(진노)/震天動地(진천동지)

靈
훈음 신령 령 부수 비 雨(우) ▶▶▶ 비 올 霝(령) + 무당 巫(무) ➡ 기우제를 주재하는 무당
신령 靈(령)은 비(雨)와 세 개의 입(口)으로 구성된 글자로 많은 사람이 주문을 외우며 비가 내리기를 기원
하는 모습을 담은 글자다. 그러나 무당에 의해 祈雨祭(기우제)가 주도되었기에 이후 무당 巫(무)가 더해졌
으며 '신을 부르는 무당, 신령, 영혼' 등으로 의미가 확대되었다.
••••• 靈魂(영혼)/神靈(신령)/靈驗(영험)/靈的(영적)/靈物(영물)/靈柩車(영구차)

漏
훈음 샐 루 부수 물 氵(수) ▶▶▶ 물 氵(수) + 주검 尸(시) + 비 雨(우) ➡ 천장에서 비가 새는 모습
집 천장에 틈이 생겨 그 사이로 빗물 등이 새는 모습을 그린 글자로, 모든 글자가 다 의미요소이며 물 氵
(수)를 뺀 부분이 발음기호이다. 주검 尸(시)는 집 옥(屋)에서 보듯 사람 이외에 집으로도 사용되므로 집(尸)
지붕에서 새는 빗(雨)물(氵)로 직역이 가능하다.
••••• 漏泄(누설)/漏落(누락)/漏水(누수)

零
훈음 조용히 오는 비/떨어질 령 부수 비 雨(우) ▶▶▶ 비 雨(우) + 명령 令(령) ➡ 명령이 떨어지듯
'조용히 오는 비나 떨어지다'를 나타내는 글자이므로 비 雨(우)가 의미요소고 令(영)은 발음기호로 사용됐
다. '명령이 떨어졌다'라는 표현으로 봐서 令(영)도 의미에 기여함을 알 수 있다.
••••• 零下(영하)/零細民(영세민)

氵(빙)　氷(빙)　冬(동)　冷(냉)　凍(동)　寒(한)　凌(능)　凉(량)　凝(응)

氵
훈음 얼음 빙　**부수** 물 水(수)
간략하게 써서 얼음덩어리만 강조한 글자가 얼음 빙(氵)

氷
훈음 얼음 빙　**부수** 물 水(수)　▶▶▶ 점 丶(주) + 물 水(수) ➡ 강물에 떠내려가는 얼음덩어리
해빙기에 강물(水)에 떠내려가는 얼음(丶)덩어리를 그대로 간략하게 옮긴 그림 글자로, 원래는 冰(빙)으로
썼으나 줄인 것이 氷(빙)자이고 더 줄인 것이 氵(빙)자이다.
●●●●● 氷水(빙수)/氷原(빙원)/碎氷船(쇄빙선)/氷上(빙상)/氷板(빙판)/氷河(빙하)/解氷(해빙)/結氷(결빙)/
氷山(빙산)/薄氷(박빙)

冬
훈음 겨울 동　**부수** 얼음 氵(빙)　▶▶▶ 夂(치) + 얼음 氵(빙) ➡ 앙상한 나뭇가지 모양
현재의 글꼴은 뒤져서 올 夂(치)자이나 아무런 관련이 없는 글자로 갑골문을 보면 마치 '앙상한 나뭇가 지'
의 모양을 그린 것이라는 설과, '마칠 終(종)자'에서 실의 양쪽 끝 즉 '실 끝'이 본뜻이라는 설도 있다. '앙상
한 나뭇잎이나 실 끝' 역시 모두 마지막을 의미하므로 후에 얼음 氵(빙)을 추가하여 겨울 冬(동)으로 가차
하여 사용하였다.
●●●●● 春夏秋冬(춘하추동)/冬至(동지)/嚴冬雪寒(엄동설한)

冷
훈음 찰 냉(랭)　**부수** 얼음 氵(빙)　▶▶▶ 얼음 氵(빙) + 하여금 令(령) ➡ 얼음처럼 차가운 명령
옛날부터 명령(令)이나 지시는 얼음(氵)처럼 차갑고 무서운 것으로 여겼나 보다. 그렇다면 두 글자 모두 의
미요소이며 영 令(령)이 발음기호를 겸한다.
●●●●● 冷氣(냉기)/冷藏庫(냉장고)/寒冷前線(한랭전선)

凍
훈음 얼 동　**부수** 얼음 氵(빙)　▶▶▶ 얼음 氵(빙) + 동녘 東(동) ➡ 의미 + 발음
얼음이 얼다 또는 사물이 꽁꽁 얼어붙다가 본뜻으로 얼음氵(빙)이 의미요소로 동녘 東(동)이 발음기호로 쓰
였다.
●●●●● 凍結(동결)/凍死(동사)/凍傷(동상)/凍土(동토)/冷凍(냉동)

寒
훈음 찰 한　**부수** 집 宀(면)　▶▶▶ 宀(면) + 卄(입) + 共(공) + 얼음 氵(빙) ➡ 너무나 추운 집
볏짚 더미 속에 들어가 바들바들 떨고 있는 사람의 모습을 그린 글자에서 '차다'라는 뜻이 생겼으나 현재의
글자로는 얼음 氵(빙) 정도로 그 의미를 알아낼 수 있을 정도다.
●●●●● 寒波(한파)/寒流(한류)/寒氣(한기)/避寒(피한)

凌
훈음 능가할 능　**부수** 얼음 氵(빙)　▶▶▶ 얼음 氵(빙) + 언덕 夌(릉) ➡ 얼음이 상징하는 난관을 이겨냄
夌(릉)은 무거운 물건을 머리에 이고 흙계단을 오르는 사람의 상형인 큰 언덕 陵(릉)의 약자이다. 따라서
얼음덩어리가 상징하는 난관을 '넘어 오르다, 이겨내다, 능가하다'의 뜻이 파생되었다.
●●●●● 凌駕(능가)/凌蔑(능멸)/凌辱(능욕)/凌遲處斬(능지처참)

凉

훈음 서늘할 량 **부수** 얼음 冫(빙)

▶▶▶ 얼음 冫(빙) + 서울/클 京(경) ➡ 큰 집은 여름에도 얼음처럼 시원하다

사람이 위축되면 언다고 하듯 시골영감 처음 온 서울(京)의 모습에 기가 죽어 얼어(冫) 버린 모습에서 서늘하다/춥다가 탄생한 회의문자다. 京(경)은 발음기호이며, 凉(량)의 俗字(속자)이다.

●●●●● 淸凉飮料(청량음료)/荒凉(황량)/納凉(납량)/凄凉(처량)

凝

훈음 엉길 응 **부수** 얼음 冫(빙) ▶▶▶ 얼음 冫(빙) + 의심할 疑(의) ➡ 모든 것을 엉기게 하는 얼음덩어리

한 곳에 모이고 집결한다는 뜻을 나타내기 위해 덩어리를 상징하는 얼음 冫(빙)을 의미요소로, 한 곳에 머물러 천천히 움직이는 노인네의 모습을 암시하는 의심할 疑(의)도 의미보조로 쓰였다.

●●●●● 凝固(응고)/凝視(응시)/凝結(응결)

艸(철)   艹(초)   艸(초)   草(초)   卉(훼)   茻(망)   不(불)   春(춘)

훈음 싹 날 철 **부수** 제 부수 ▶▶▶ 새싹 한 개
초목이 처음으로 싹튼 모양을 본뜬 글자로 부수자도 아니며 단독으로 쓰이는 글자도 아니다. 그러나 풀 艸(초)는 두 개의 풀을 그린 글자라면 싹 날 철(艸)은 새싹 한 개만 그려놓은 글자로서 다른 글자의 구성에 관계하고 있다.

훈음 풀 초 **부수** 제 부수 ▶▶▶ 새싹 두 개
두 포기 풀의 모양에서 이뤄진 글자로 오로지 부수자로만 쓰이는 글자가 풀 艸(초)자이며 따로 있으나 단독 쓰임이 없고, 풀 草(초)가 풀의 의미로 쓰이는 글자이며 타 글자와 함께 쓰일 때는 초두머리라고 하는 풀 초(艹)를 사용한다.

훈음 풀 훼 **부수** 열 十(십) ▶▶▶ 싹 날 철(艸) + 풀 艹(초) ➡ 새싹 세 개
무성히 돋아난 풀의 상형으로 특히 무덤을 덮고 있는 무성한 풀밭을 생각하면 된다.
●●●●● 花卉(화훼)

훈음 잡풀 우거질 망 **부수** 풀 艸(초) ▶▶▶ 싹 날 철(艸) ➡ 새싹 네 개
풀이 무성히 나 있는 모양으로 사방이 풀로 뒤덮인 모습 혹은 풀숲을 말한다.
●●●●● 草莽(초망)

훈음 풀 초 **부수** 풀 艸(초) ▶▶▶ 풀 艹(초) + 이를 부(早) ➡ 제법 자란 풀 모양
풀 艸(초)자가 단독 사용이 없어지자 음을 나타내는 새벽 부(早)를 더하여 '풀 초'자를 만들어낸 글자로 두 포기 풀의 모양이 상징하는 모든 풀의 총칭으로 사용된다.
●●●●● 草根木皮(초근목피)/草原(초원)/山川草木(산천초목)

훈음 아니 불 **부수** 한 一(일)
땅 속에 있는 나무나 풀의 뿌리를 상형화한 글자로 땅 속(一)을 뚫고 나오려고 하는 모습인데, 아직은 뚫고 나오지 못한 싹이나 움이므로 '아니다'로, 일설에는 부정을 나타내는 말의 발음과 같아서 가차되었다고도 한다.
●●●●● 不足(부족)/不當(부당)/不調和(부조화)/過猶不及(과유불급)

훈음 봄 춘 **부수** 해 日(일) ▶▶▶ 풀 艸(초) + 진칠 屯(둔) + 해 日(일) ➡ 새싹이 움트는 계절
겨우내 얼었던 대지가 봄 햇살에 두꺼운 땅거죽을 뚫고 새싹이 올라오는 모습을 그린 글자로 모든 글자가 다 의미요소이다. 현재의 글자 형태는 바뀐 것이나 두꺼운 대지(二)를 뚫고 나오는 새싹(艸)과 그것을 가능케 한 따사로운 봄 햇살(日)로 보면 적절한 변화로 보인다. 여기서 진칠 屯(둔)은 대지를 뚫고 나와 발아한 새싹을 그린 글자이다.
●●●●● 春困(춘곤)/春秋(춘추)/春三月(춘삼월)/立春大吉(입춘대길)/一場春夢(일장춘몽)/二八靑春(이팔청춘)

世(세)　貰(세)　泄(설)　茱(엽)　葉(엽)　蝶(접)　棄(기)

世
훈음 세상 세 부수 한 一(일) ▶▶▶ 한 一(일) + 풀 卄(초) ➡ 나뭇가지에 움트는 모양
봄이 되면 온 나뭇가지에 움이 돌아 금세 싹이 트고 새싹이 나와 나무 전체가 푸르러져 가는 모습을 그린 글자로 '움이 돌아나는 나뭇가지'가 원뜻이며 새로이 밖으로 나왔다 하여 '세상'이라는 말이, 새로운 생명이 시작된다 하여 '세대'라는 말이 파생되었다.
●●●●● 世上(세상)/世界(세계)/後世(후세)/惑世誣民(혹세무민)
※ 서른 즉 삼십을 말하는 서른 삽(卅)의 변형으로 봐 한 세대는 30년으로 보는 설도 있는데, 이 경우는 스물 卄(입) 마흔 卌(십)의 연장으로 생각했다.

貰
훈음 세낼 세 부수 조개 貝(패) ▶▶▶ 세상 世(세) + 조개 貝(패) ➡ 집세를 돈으로 치러야 한다
물건을 빌리거나 방을 빌리고 대금을 지불하는 것을 뜻하는 글자로 돈을 상징하는 조개 貝(패)가 의미요소고 世(세)는 단순 발음기호이다.
●●●●● 傳貰(전세)/月貰(월세)

泄
훈음 샐 설 부수 물 水(수) ▶▶▶ 물 氵(수) + 세상 世(세) ➡ 물이 틈새로 새어나감
물이 틈새나 구멍으로 새는 것을 뜻하므로 물 氵(수)가 의미요소고 世(세)는 발음기호이다.
●●●●● 漏泄(누설)/排泄(배설)/泄精(설정)/泄瀉(설사)
※ 泄(설) - 이질 설

葉
훈음 잎 엽 부수 풀 艸(초) ▶▶▶ 풀 초(卄) + 세상 세(世) + 나무 목(木) ➡ 나무에서 자라 나오는 풀
봄이 되면 새싹(世)과 움이 나무(木)에서 나오므로 잎사귀 엽(茱)자가 만들어 졌으며 단독 사용이 없자 풀 초(卄)를 더한 글자가 滿山紅葉의 잎 엽(葉)자이고, 나무(木)에서 생기는(世) 벌레(虫)가 접영(蝶泳)의 나비 접(蝶)자요, 점점 자라(充) 마침내 어미를 떠나는(茱) 모습이 폐기(廢棄)의 버릴 기(棄)자이다.
●●●●● 枝葉的(지엽적)/落葉(낙엽)/葉書(엽서)/葉茶(엽차)/紅葉(홍엽)/抛棄(포기)

芝(지)　芭(파)　菊(국)　葛(갈)　葡(포)　藤(등)　蘭(란)　蓮(련) - 식물/꽃/과일 등

芝
훈음 지초 지 부수 풀 艸(초) ▶▶▶ 풀 艸(초) + 갈 之(지) ➡ 상서로운 풀
상서로운 풀로 여기는 神草(신초)로 버섯의 일종이다. 따라서 풀 艸(초)가 의미요소이고 之(지)가 발음기호다.
●●●●● 靈芝(영지)/芝草(지초)/芝蘭之交(지란지교)

芭
훈음 파초 파 부수 풀 卄(초) ▶▶▶ 풀 卄(초) + 큰 뱀 巴(파) ➡ 잎이 큰 풀(꽃)
잎이 큰 여러해살이풀을 가리키는 것이므로 풀 卄(초)가 의미요소고, 巴(파)는 발음기호이다.
●●●●● 芭蕉(파초)

菊
훈음 국화 국 부수 풀 卄(초) ▶▶▶ 풀 卄(초) + 움킬 匊(국) ➡ 속이 꽉 찬 꽃망울을 가진 풀(꽃)
국화란 풀의 일종이므로 풀 卄(초)가 의미요소로 匊(국)은 발음기호로 쓰였다.
●●●●● 菊花(국화)/秋菊(추국)/白菊(백국)/十日之菊(십일지국)

葛 훈음 칡 갈 부수 풀 艹(초) ▶▶▶ 풀 艹(초) + 어찌 曷(갈) ➡ 사방천지로 뿌리를 내리는 풀
칡은 풀뿌리의 일종이므로 풀 艹(초)를 의미요소고 曷(갈)을 발음기호다. 미친년 날뛰듯이 죽은 아들 살려
내라고(曷) 이 사람 저 사람 붙잡고 통곡하는 여인네의 모습이 마치 사방천지로 뿌리를 뻗어내는 풀(艹)인
칡과 같다 하여 칡 葛(갈)자가 만들어졌다.
▪▪▪▪▪ 葛藤(갈등)/葛根(갈근)/諸葛孔明(제갈공명)

葡 훈음 포도 포 부수 풀 艹(초) ▶▶▶ 풀 艹(초) + 길 匍(포) ➡ 넝쿨로 자라는 식물 포도
포도넝쿨에서 암시하듯 포도를 식물로 보아 풀 艹(초)를 의미요소로 匍(포)는 발음기호로 쓰였다.
　여기서 길 匍(포)가 몸을 둥그렇게 하여 기어가는 모습이, 포도넝쿨 올라가는 모습과 비슷하여
발음기호 및 의미요소에도 사용됐다.
▪▪▪▪▪ 葡萄(포도)/葡萄糖(포도당)

藤 훈음 등나무 등 부수 풀 艹(초) ▶▶▶ 풀 艹(초) + 물 솟을 滕(등) ➡ 기둥을 타고 올라가는 풀
마을의 정자 주위에 심어져 넝쿨을 만들며 사방의 기둥을 휘감고 타고 올라가 주변에 시원한 그늘을 제공
하는 등나무를 의미하는 글자다. 그러나 옛 사람들은 등나무를 마치 풀의 일종으로 여겨 풀 艹(초)를 의미
요소로 물 솟을 滕(등)을 발음기호로 하여 만든 글자다.
▪▪▪▪▪ 葛藤(갈등)/藤牌(등패)

蘭 훈음 난초 난(란) 부수 풀 艹(초) ▶▶▶ 풀 艹(초) + 가로막을 闌(란) ➡ 풀의 일종인 난초
풀의 일종인 난초를 뜻하는 말로 풀 艹(초)가 의미요소고 가로막을 闌(란)은 발음기호이다.
▪▪▪▪▪ 蘭草(난초)/芝蘭之交(지란지교)

蓮 훈음 연꽃 련 부수 풀 艹(초) ▶▶▶ 풀 艹(초) + 잇닿을 連(련) ➡ 연달아 이어져서 피는 꽃
연꽃의 열매가 본뜻이나 연꽃을 이르는 글자가 됐다. 풀 艹(초)가 의미요소고 連(련)은 발음기호이다.
▪▪▪▪▪ 蓮花(연화)/蓮根(연근)/白蓮(백련)/垂蓮(수련)/蓮池(연지)

花(화)　藥(약)　芽(아)　芳(방)　英(영)　蔘(삼)　苗(묘)　茶(차)　蔬(소)

花 훈음 꽃 화 부수 풀 艹(초) ▶▶▶ 艹(초) + 化(화) ➡ 풀이 변하여 꽃이 되고
꽃도 '풀'의 일종이므로 풀 艹(초)가 의미요소고 될 化(화)가 발음요소이나 풀(艹)이 변하면(化) 즉 시간이
지나면 풀도 꽃이 되므로 의미 있는 결합의 글자이다.
▪▪▪▪▪ 花草(화초)/菊花(국화)/花信(화신)/花粉(화분)/開花(개화)

藥 훈음 약 약 부수 풀 艹(초) ▶▶▶ 풀 艹(초) + 즐길 樂(락) ➡ 풀을 먹고 병이 나으니 사람이 즐거워지고
약이 될 수 있는 풀이나 약초를 뜻하기 위한 글자로 풀 艹(초)가 의미요소고 즐길 樂(락)은 발음요소다. 병
이 나아 몸이 즐거워지는 풀이 곧 약초이므로 두 글자 모두 의미요소에 기여했다고도 볼 수 있다.
▪▪▪▪▪ 藥草(약초)/名藥(명약)/死後藥方文(사후약방문)/良藥(양약)

芽 훈음 싹 아 부수 풀 艹(초) ▶▶▶ 풀 艹(초) + 어금니 牙(아) ➡ 단단한 대지를 뚫고 올라와 싹을 틔우고
어금니 아(牙)를 발음기호로 풀 艹(초)를 의미요소로 사용하여 만든 글자이나 두 글자 모두 의미에 직 간접
적으로 기여하였다. 풀(艹)과 어금니(牙) 모두 굳은 곳을 뚫고 올라오는 모습이 비슷함으로 서로 조합을 한
것 같다.
▪▪▪▪▪ 發芽(발아)/麥芽(맥아)/萌芽(맹아)

芳 훈음 꽃다울/향기 방 부수 풀 艹(초)
▶▶▶ 풀 艹(초) + 모 方(방) ➡ 사방팔방으로 풀 내음(향기)이 진동하고
향기란 풀(艹) '내음' 즉 좋은 냄새가 사방팔방(方)으로 퍼지는 것을 뜻하므로 냄새의 주체인 풀 艹(초)를
의미요소로 모 方(방)은 의미보조 겸 발음요소로 했다.
••••• 芳年(방년)/芳香劑(방향제)

英 훈음 꽃부리/뛰어날 영 부수 풀 艹(초) ▶▶▶ 풀 艹(초) + 가운데 央(앙) ➡ 풀 한가운데 꽃이 피고
꽃은 언제나 식물(艹)의 한가운데(央)에서 피어나므로 꽃부리는 식물의 한가운데 늘 오게 마련이다. 따라서
풀 艹(초)와 가운데 央(앙)이 다 의미요소이지만 央(앙)은 발음도 겸한다.
••••• 英雄(영웅)/英才(영재)/英國(영국)

蔘 훈음 인삼 삼 부수 풀 艹(초) ▶▶▶ 풀 艹(초) + 석 參(삼) ➡ 잔털이 많은 식물
한국의 특산품인 인삼을 나타내려고 한국에서 만든 글자로, 인삼이 식물의 일종이므로 풀 艹(초)는 의미요
소고 參(삼)은 발음기호이다. 재미있는 것은 參(삼) 자체가 사람을 닮았고, 잔털이 많은 인삼의 모습을 닮았
다는 사실이다.
••••• 人蔘(인삼)/山蔘(산삼)

苗 훈음 묘종 묘 부수 풀 艹(초) ▶▶▶ 풀 艹(초) + 밭 田(전) ➡ 밭에 심어 놓은 풀(묘종)
옮겨심기 위해 밭에다 심어 놓은 어린 식물 즉 모종을 가리키는 글자로 둘 다 의미요소이다. 고추나 벼도
논이나 밭에 바로 씨를 뿌리는 것이 아니라 어느 정도 키워 옮겨 심는데 바로 그 옮겨 심는 상태의 종자를
苗種(묘종)이라 한다.
••••• 苗木(묘목)/種苗(종묘)/苗板(묘판)/苗種(묘종)

茶 훈음 차 차/다 부수 풀 艹(초)
••••• 綠茶(녹차)/紅茶(홍차)/茶室(다실)/茶道(다도)/茶菓(다과)/茶飯事(다반사)/葉茶(엽차)

蔬 훈음 푸성귀 소 부수 풀 艹(초) ▶▶▶ 풀 艹(초) + 트일 疏(소) ➡ 먹을 수 있는 풀의 총칭
먹을 수 있는 풀, 즉 나물을 뜻하므로 풀 艹(초)가 의미요소고 트일 疏(소)는 발음기호이다.
••••• 菜蔬(채소)

丰(봉)　　奉(봉)　　俸(봉)　　棒(봉)　　夆(봉)　　峰(봉)　　蜂(봉)

縫(봉)　　逢(봉)　　害(해)　　割(할)　　轄(할)　　憲(헌)

丰 훈음 예쁠/풀 무성할 봉 부수 뚫을 丨(곤) - 발음기호 및 의미요소로 쓰임
▶▶▶ 나무 木(목) + 흙 土(토) ➡ 풀이 무성하게 자란 모습
흙덩이 즉 뿌리와 한그루 나무의 상형으로 시작하지만, 소전에서는 풀이 무성하게 자란 모습으로 변했으며
'풀 무성하다'라는 의미와 '봉'의 발음으로 기여하는 것이 이 글자의 역할이다.

奉 훈음 받들 봉 부수 큰 大(대) ▶▶▶ 풀 무성할 丰(봉) + 두 손 받들 廾(공) ➡ 여러 사람이 받드는 모습
갑골문에는 丰(봉)자의 형태가 손(手)임을 알 수 있다. 따라서 두 손(廾)과 또 한 손을 첨가하여 귀한물건을
들어 올리는 형태를 하여 '받들다'라는 의미로 발전됐다.
••••• 奉仕者(봉사자)/奉獻(봉헌)/奉養(봉양)

俸 훈음 녹 봉 부수 사람 亻(인)
▶▶▶ 사람 亻(인) + 받들 奉(봉) ➡ 여러 사람을 섬기는 관리에게 관에서 녹을 내림
백성을 위해 관청의 일을 받드는(奉) 사람(亻)에겐 나라에서 祿(녹)을 내렸는데 이것이 지금은 봉급으로 바뀌었다. 두 글자 모두 의미요소이며 奉(봉)이 발음기호이다.
●●●●● 祿俸(녹봉)/薄俸(박봉)/俸給(봉급)/減俸(감봉)/本俸(본봉)

棒 훈음 몽둥이 봉 부수 나무 木(목) ▶▶▶ 나무 木(목) + 끌 奉(봉) ➡ 나무몽둥이
둥글고 굵은 나무막대기나 몽둥이를 뜻하므로 나무 木(목)이 의미요소고 奉(봉)이 발음기호이다.
●●●●● 針小棒大(침소봉대)/棍棒(곤봉)/鐵棒(철봉)

夆 훈음 이끌다/만날 봉 부수 夂(치) ▶▶▶ 뒤져서 올 夂(치) + 어여쁠 丰(봉)
풀(丰)이 우거진 풀밭으로 향하는 발(夂)을 그려 사람 눈을 피해 풀 무성한 곳에서 누군가를 '만나다'라는 뜻에서 '만나다, 발이 이끌리다'의 뜻이 탄생했다.

峰 훈음 봉우리 봉 부수 뫼 山(산) ▶▶▶ 뫼 山(산) + 끌 夆(봉) ➡ 산이 서로 만나는 곳, 즉 봉우리
산의 정상 즉 봉우리를 뜻하는 글자이므로 뫼 山(산)이 의미요소고, 夆(봉)은 발음기호이며 峯(봉)으로도 많이 쓰인다.
●●●●● 高峰峻嶺(고봉준령)/上峰(상봉)/最高峰(최고봉)

蜂 훈음 벌 봉 부수 벌레 虫(충) ▶▶▶ 벌레 虫(충) + 끌 夆(봉) ➡ 벌도 벌레다
벌을 나타내므로 벌레 虫(충)이 의미요소고 끌 夆(봉)이 발음기호이다.
●●●●● 蜜蜂(밀봉)/養蜂(양봉)/蜂起(봉기)/蜂蝶(봉접)

縫 훈음 꿰맬 봉 부수 실 糸(사)
▶▶▶ 실 糸(사) + 만날 逢(봉) ➡ 실로 두 천을 만나게 하다
천을 덧대거나 잇기 위해 꿰매는 것을 의미하는 글자로, '두 개의 천이 만나서 하나가 됨으로' 실 糸(사)는 당연히 의미요소이며 만날 逢(봉)도 발음기호 겸 의미요소에 기여한다.
●●●●● 縫製(봉제)/裁縫師(재봉사)/縫合(봉합)/彌縫策(미봉책)/天衣無縫(천의무봉)

逢 훈음 만날 봉 부수 갈 辶(착)
▶▶▶ 갈 辶(착) + 끌 夆(봉) ➡ 길에서 만나다.
길을 가다가 우연히 만나다가 본뜻이었으니, 길갈 辶(착)이 의미요소고 夆(봉)은 발음기호이다.
●●●●● 相逢(상봉)/逢着(봉착)/逢變(봉변)

害 훈음 해칠 해 부수 집 宀(면)
▶▶▶ 집 宀(면) + 풀 무성할 丰(봉) + 口(구) ➡ 싹이 웃자란 종자를 넣어 두는 창고
집 안(宀)에 저장해 둔(口) 종자에서 싹이 웃자란(丰) 모습으로 음식으로 쓰기에도 해롭고 종자로 쓰기에도 어려워진 모습에서 '해롭다, 해치다'의 뜻이 파생되었으며 해로운(害) 것을 잘라(刂) 버리는 장면이 할복자살(割腹自殺)의 나눌 할(割)자요 해로운(害) 일이 마을에 일어나지 않도록 순찰(車)하는 모습에서 관할(管轄) 할(轄)자가 만들어졌다.
●●●●● 害蟲(해충)/害惡(해악)/損害(손해)/無害(무해)/割賦(할부)/割禮(할례)/直轄市(직할시)

憲 훈음 법 헌 부수 마음 心(심)
▶▶▶ 해칠 害(해) + 눈 目(목) + 마음 心(심) ➡ 사람들이 관찰하여 해로운 것
사람들의 눈(目)과 마음(心)으로 보기에 해(害)로운 것에서 파생된 글자다. '모두가 공통적으로 나쁘다고 생각하는 것'은 처벌의 대상이요, '규정'으로 삼아 처벌의 본보기로 해야 한다 하여 '법, 본보기'의 뜻으로 의미 확대됐다.
●●●●● 憲法(헌법)/立憲(입헌)/憲兵(헌병)/改憲(개헌)

音(부)　　倍(배)　　培(배)　　賠(배)　　部(부)　　剖(부)

倍
훈음 곱/더할 배　부수 사람 亻(인) ▶▶▶ 사람 인(亻) + 부풀 부(音) ➡ 사람이 배로 늘어남
이 부풀 부(立+口=音)라는 글자는 식물이 발아하여 대지를 뚫고 나와 부풀어 오르는 모습에서 '부풀다, 늘어나다'의 뜻을 가지고 있는 글자다. 사람 인(亻)을 추가하여 사람이 불어나는 모습을 묘사한 글자에서 '곱절, 더하다'의 뜻으로 파생됐다.
●●●●● 倍數(배수)/倍前(배전)/勇氣百倍(용기백배)

培
훈음 북돋을 배　부수 흙 土(토) ▶▶▶ 흙 土(토) + 부풀 부(音) ➡ 흙을 두텁게 쌓아올림
흙을 식물뿌리 주위로 쌓아올려 식물을 잘 자라게 하는 모습에서 '북돋다, 가꾸다' 등의 뜻이 나온 글자다. 흙 土(토) 및 부풀 부(立+口)가 다 의미요소이고 부(立+口)는 발음으로도 사용됐다.
●●●●● 培養(배양)/培植(배식)

賠
훈음 물어줄 배　부수 조개 貝(패) ▶▶▶ 조개 貝(패) + 부풀 부(音) ➡ 배로 돈을 물어줌
물어주고 배상하기 위해선 갑절로 해야 하는 경우가 많다. 따라서 금전을 상징하는 조개 貝(패)를 의미요소로 '부풀어 오르다'의 뜻을 갖는 부(立+口)가 의미요소 및 발음기호로 쓰였다.
●●●●● 賠償(배상)/賠償金(배상금)

部
훈음 거느릴/나눌 부　부수 고을 읍(阝=邑) ▶▶▶ 부풀 부(音) + 고을 읍(阝) ➡ 마을이 배로 커짐
부풀어 오른(立+口) 즉 커진 마을(阝)을 잘 다스리기 위해 잘게 나누어 조직한다는 뜻을 나타내기 위한 글자이므로, 양쪽 다 의미요소로 쓰였고 부(立+口)는 발음요소로도 쓰였다.
●●●●● 部隊(부대)/部署(부서)/外務部(외무부)

剖
훈음 쪼갤 부　부수 칼 刂(도) ▶▶▶ 부풀 부(音) + 칼 刂(도) ➡ 반으로 자름
둘로 '나누다/쪼개다'의 뜻을 위한 글자이므로 칼 刂(도)가 의미요소고, 부(立+口)는 발음기호이다.
●●●●● 解剖(해부)

生 날 생

| 生(생) | 姓(성) | 性(성) | 星(성) | 産(산) | 靑(청) |

生

훈음 날 생 　부수 제 부수 ▶▶▶ 싹 날 철(屮) + 흙 土(토) ➡ 생명이 솟아나는 모양

만물이 소생하는 따뜻한 봄날에 땅 속(土)을 뚫고 나오는 푸른 풀(屮)이나 새싹의 모양을 그린 글자로, 윗부분이 풀잎의 상형인 싹 날 철(屮)이고 아랫부분이 흙덩어리를 상징하는 흙 土(토)자이다. 한편으로는 대지를 뜻하는 一(일)과 철(屮)의 합자로 보기도 한다.

●●●●● 生命(생명)/同生(동생)/生産(생산)/生活(생활)

姓

훈음 성 성 　부수 계집 女(여) ▶▶▶ 계집 女(여) + 날 生(생) ➡ 어느 여자에게서 출생했느냐?

姓氏(성씨)에서 姓(성)이란 어느 여자(女)에게서 태어났느냐(生) 즉 어머니가 누구인가를 묻는 것이고 氏(씨)는 아버지가 누구냐를 나타내주는 것이다. 지금은 姓氏(성씨)라고 하면 아버지의 성을 묻는 것으로 바뀌었다.

●●●●● 姓名(성명)/姓氏(성씨)/姓銜(성함)/同姓(동성)/百姓(백성)

性

훈음 성품/성질 성 　부수 마음 忄(심) ▶▶▶ 마음 忄(심) + 날 生(생) ➡ 성품은 마음에서 나오는 것

성품이란 마음(忄)에서 나오는(生) 태도나 행위의 밑바탕이므로 마음 忄(심)을 의미요소로 날 生(생)을 발음기호로 하여 만든 글자다.

●●●●● 性品(성품)/性格(성격)/腦性(뇌성)/性敎育(성교육)

星

훈음 별 성 　부수 해 日(일) ▶▶▶ 해 日(일) + 날 生(생) ➡ 해처럼 밝은 별이 생기다

직역하면 해(日)가 나다 즉 '별이 해처럼 밤하늘에 생겼다(生)'해서 만들어진 글자로 두 글자 모두 의미요소이며 날 生(생)이 발음기호이다. 원래 갑골문의 모습은 '밤하늘을 수놓는 무수한 별들'을 여러 개의 동그라미나 정사각형을 그린 것을 세 개로 정리한 晶(정)자였으나, 이 글자가 모두 밝고 빛나는 것을 의미하게 되자 '별'의 의미만 가진 글자를 따로 만든 것이 지금의 별 星(성)자이다.

●●●●● 金星(금성)/星雲(성운)/衛星(위성)/恒星(항성)/行星(행성)/彗星(혜성)

産

훈음 낳을 산 　부수 날 生(생) ▶▶▶ 선비 彦(언) + 날 生(생) ➡ 산모는 훌륭한 사람을 낳고자 함

문무를 겸비한 인재의 출현이 본뜻으로 "무엇인가 좋고 훌륭한 것이 나타났다"에서 '낳다, 생산, 재물'의 뜻으로 확대되었으며, 여기서 선비 彦(언)자는 文(문) + 厂(언) + 弓(궁)의 合字(합자)로 文(문)은 문예를 弓(궁)은 무예를 의미하며, 厂(엄)은 발음 부호로 문무에 출중한 사람을 의미한다. 훗날 弓(궁)이 터럭 彡(삼)으로 바뀐 것이다. ※ 産(낳을 산)

●●●●● 産業(산업)/生産(생산)/畜産(축산)/工産品(공산품)/出産(출산)/産物(산물)/産兒制限(산아제한)/産婆(산파)

靑

훈음 푸를 청 　부수 제 부수 ▶▶▶ 날 生(생) + 붉을 丹(단) ➡ 우물 속의 파란 이끼

풀처럼 푸른색의 광석을 靑(청)이라 했는데 丹(단)은 鑛口(광구)의 상형에다 광석을 의미하는 點(점)을 더한 글자로 '색깔 있는 돌' 즉 광석의 총칭이다. 광석은 대개 붉은빛을 띠고 있으므로 '붉다'라는 이름을 갖게 된 것이며 따라서 '푸른(生) 광석(丹)'이 원뜻이다. 일설에는 丹(단)을 우물 井(정)으로 봐 우물(円=井) 속에 늘 끼어 있는 푸른 이끼(主=生)의 모습에서 '푸르다'가 나왔다고 한다.

●●●●● 靑少年(청소년)/靑春(청춘)/靑天霹靂(청천벽력)/靑軍(청군)

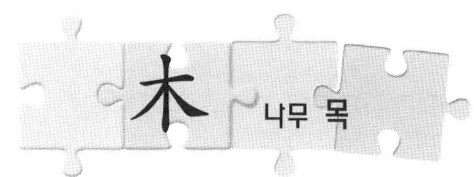

木 나무 목

| 木(목) | 根(근) | 本(본) | 幹(간) | 枝(지) | 葉(엽) |
| 相(상) | 梢(초) | 朱(주) | 株(주) | 珠(주) | 誅(주) |

木

훈음 나무 목 **부수** 제 부수
가지와 뿌리와 줄기를 간결 단순하게 그린 그림 글자다.
●●●●● 木製(목제)/木手(목수)/原木(원목)/木造(목조)/木版畵(목판화)

根

훈음 뿌리 근 **부수** 나무 木(목) ▶▶▶ 나무 木(목) + 어긋날/그칠/어려워 할 艮(간) ➡ 나무뿌리
나무(木)뿌리나 그루터기를 나타내는 글자로, 나무 木(목)을 의미요소로 돌아볼 간(艮)은 발음요소로 사용됐다. 나무(木)를 돌아본다(艮)는 것은 뿌리가 제대로 내렸는지 잘 자랄 것인지 염려되어 뒤돌아보는(艮) 것을 말하므로 뿌리에 대한 염려이다.
●●●●● 根據(근거)/根幹(근간)/根源(근원)/根絕(근절)/根性(근성)

本

훈음 밑 본 **부수** 나무 木(목) ▶▶▶ 한 일(一) + 나무 목(木) ➡ 나무의 밑둥치
나무(木)의 아랫부분에 한 一(일)을 덧대어 밑둥치를 가리키며 집안의 기둥이라는 표현처럼 그 집안이나 어떤 사물의 근본을 가리키는 글자로 두 글자 모두 의미요소이다.
●●●●● 根本(근본)/資本(자본)/本色(본색)/本性(본성)/本末顚倒(본말전도)/同姓同本(동성동본)/拔本塞源(발본색원)

幹

훈음 줄기 간 **부수** 방패 干(간) ▶▶▶ 아침 朝(조)의 왼편 + 간(干—木의 변형) ➡ 나무의 몸통
榦(간)자의 변형으로 나무 木(목)이 干(간)으로 바뀌어 쓰이고 있는데 나무 기둥이나 나무줄기를 나타내는 글자다. 나무 木(목)이 의미요소로 쓰였으나 지금은 干(간)으로 바뀌어 발음기호로 사용되는 글자로 '줄기, 근본, 능력'의 원뜻은 보존하고 있는 글자다.
幹(간)에서 干(간)을 뺀 나머지 부분만 '깃대'의 상형으로 발음 역시 '간'이므로 두 개의 글자 모두가 발음이 동일한 글자이다.
●●●●● 幹事(간사)/幹線道路(간선도로)/幹部(간부)/根幹(근간)

枝

훈음 가지 지 **부수** 나무 木(목)변
▶▶▶ 나무 木(목) + 가를 支(지) ➡ 몸통에서 갈라져 나가는 나뭇가지
가지란 원나무(木)에서 갈라져 나온(支) 부분을 말하므로 두 글자 다 의미요소이고, 가를 支(지)는 발음기호로도 사용된다.
●●●●● 枝葉(지엽)/金枝玉葉(금지옥엽)

葉

훈음 잎 엽 **부수** 풀 艸(초) ▶▶▶ 풀 초(艹) + 세상 세(世) + 나무 목(木) ➡ 잎사귀
'나무의 잎사귀'를 말하는 글자로 잎사귀란 나뭇가지(木)에서 자라나오는(世) 풀(艹)을 의미하므로 모든 글자가 다 의미요소로 쓰였다.
●●●●● 枝葉的(지엽적)/落葉(낙엽)/葉書(엽서)/葉茶(엽차)/紅葉(홍엽)

相

훈음 서로 상 부수 눈 目(목) ▶▶▶ 나무 木(목) + 눈 目(목) → 무수히 돋아난 움
봄철에 나무의 줄기나 가지에 돋아나는 움, 즉 눈(目)은 서로서로를 향하고 있다.
••••• 相生(상생)/相對(상대)/相扶相助(상부상조)/名實相符(명실상부)/相應(상응)/相通(상통)

梢

훈음 나무 끝 초 부수 나무 木(목) ▶▶▶ 나무 木(목) + 닮을 肖(초) → 나무 끝/가지의 끝 부분
肖(초)를 발음기호 및 의미요소로 사용하여 나무(木)의 가장 작은(肖) 부분인 나무나 줄기의 끝을 나타냈다.
순 우리말로 우듬지라고 한다.
••••• 末梢神經(말초신경)/梢頭(초두)

朱

훈음 붉을 주 부수 나무 木(목)
▶▶▶ 점 丶(주) + 나무 木(목) → 나무를 칼로 긋자 피가 나오는 것을 사람에 빗댐
나무(木)의 가운데 부분에 점이나 짧은 선을 그어 나무줄기임을 표시한 글자였으나, '붉다'로 가차되어 사용
되자 '본뜻 보존'을 위해 만들어진 글자가 그루 株(주)자이다.
••••• 朱黃(주황)/朱丹(주단)/朱紅(주홍)

株

훈음 그루 주 부수 나무 木(목) ▶▶▶ 나무 木(목) + 붉을 朱(주) → 나무를 세는 단위
나무를 세는 단위가 '그루'인데 이것은 원래 나무줄기, 즉 몸통을 지칭하는 말로 나무 木(목)이 추가된 글자
로 두 글자 모두 의미요소이며 붉을 朱(주)가 발음기호이다. 붉을 주(朱)를 발음으로 구슬 옥(玉)을 더하면
진주(珍珠)의 구슬 주(珠)요, 말(言)로 상대방을 피 흘려(朱) 죽게 만드는 것을 주살(誅殺)의 벨 주(誅)라고
한다.
••••• 株式(주식)/株價(주가)/株主(주주)/珠玉(주옥)/念珠(염주)/珠算(주산)/苛斂誅求(가렴주구)

集(집) 雜(잡) 喿(소) 操(조) 燥(조) 躁(조) - 새가 특성을 포착한 글자

集

훈음 모일 집 부수 새 隹(추) ▶▶▶ 새 隹(추) + 나무 木(목) → 나뭇가지 위에 앉는 새들의 습성
새(隹)는 늘 나무에(木) 모여 앉아 수다를 떠는 모습에서 만들어진 글자이고 형형색색(卒→衣)의 새(隹)들
이 나무(木)위에 앉아있는 모습이 잡곡(雜穀)의 섞일 잡(雜)자로 발전했다.
••••• 募集(모집)/集合(집합)/召集(소집)/混雜(혼잡)/雜種(잡종)/雜技(잡기)/雜念(잡념)/雜談(잡담)

喿

훈음 울 소 부수 나무 木(목) ▶▶▶ 물건 品(품) + 나무 木(목) → 가지 위에서 새들이 지저귐
새들이 나무 위에 앉아 지저귀는 모습을 나타낸 글자로 나무(木) 위에 앉은 "여러 마리의 새가 울며 지저
귀다"를 입 口(구) 세 개로 나타낸 글자로 모두 의미요소이다. 단독 사용은 없고 다른 글자의 의미 및 발음
에 영향을 미친다.

操

훈음 잡을/절개/부릴 조 부수 손 手(수) ▶▶▶ 손 扌(수) + 울 喿(소) → 가지 위의 새들을 손으로 잡다
나무(木)에 앉은 새들을(品) 잡거나 부리는 모습이므로 손 扌(수)가 의미요소로 나머지는 발음요소로 사용
되었다.
••••• 體操(체조)/操縱(조종)/志操(지조)

燥

훈음 마를 조 부수 불 火(화) ▶▶▶ 불 火(화) + 울 喿(소) → 새들이 앉아 놀아야 할 나무들이 타 들어감
비가 오지 않아 모든 것이 타 들어가는 상황을 묘사한 글자로 불 火(화)가 의미요소이며 울 喿(소)는 발음
기호이다.
••••• 乾燥(건조)/無味乾燥(무미건조)

躁 훈음 성급할 조 부수 발 足(족)

▶▶▶ 발 足(족) + 울 喿(소) ➡ 새를 잡으려고 다가가는 발걸음이 조심스럽지 못함

나무에 앉아 지저귀는 새를 잡으려면 조심스럽게 다가가야 하는데 발소리를 크게 내어 성급하게 다가가서 새들이 그만 날아가 버리고 마는 모습을 담은 글자. 발 足(족)과 울 喿(소) 모두 의미요소고 울 喿(소)가 발음기호를 겸한다.

●●●●● 躁急(조급)/躁暴(조포)

束(속) 速(속) 剌(랄) 辣(랄) 悚(송) 勅(칙) 整(정) 賴(뢰) 疎(소)

束 훈음 묶을 속 부수 나무 木(목) ▶▶▶ 나무 木(목) + 입 口(구) ➡ 나무를 다발로 묶어 놓다

나무를 다발로 만들기 위해 나무를 묶어 놓은 모습을 그린 글자로 입 口(구)는 나무를 묶은 끈의 모습으로 두 글자 모두 의미요소이다.

●●●●● 束縛(속박)/拘束(구속)/束手無策(속수무책)/約束(약속)

速 훈음 빠를 속 부수 갈 辶(착) ▶▶▶ 갈 辶(착) + 묶을 束(속) ➡ 빨리 가다 – 제대로 묶어야 옮기기 쉬움

나뭇단이나 짐을 잘 묶어(束)야 빨리 갈(辶) 수 있다하여 만들어진 글자이고 죄인을 묶어놓고(束) 형벌(刂)을 가하니 潑剌(발랄)의 어그러질 랄(剌)이요 묶어 놓고 묵형(辛)을 가하니 그 얼마나 괴로울 것인지를 짐작케하는 글자가 辛辣(신랄)의 매울 辣(랄)이고 죄를 지으면 마음(忄)이 움츠러든다(束)하여 죄송(罪悚)/송구(悚懼)의 두려워 할 송(悚)자가 되었으며 강제(力)로 잡아(束)오라는 명령이 칙령(勅令)의 조서 칙(勅)자가 되었다.

●●●●● 過速(과속)/迅速(신속)/速度(속도)/時速(시속)/速行(속행)/生氣潑剌(생기발랄)/惡辣(악랄)

整 훈음 가지런할 정 부수 칠 攵(복)

▶▶▶ 묶을 束(속) + 칠 攵(복) + 바를 正(정) ➡ 쳐서 가지런하게 정돈하다

나뭇단을 잘 묶기(束) 위해 쳐서(攵) 바르게(正) 만들어 가지런히 정리하는 모습에서 유래한 글자다.

●●●●● 整理(정리)/端整(단정)/整備(정비)/整地作業(정지작업)

賴 훈음 힘입을 뢰 부수 조개 貝(패)

▶▶▶ 묶을 束(속) + 칼 刀(도) + 조개 貝(패) ➡ 흩어지지 못하도록 돈을 묶어 둬야 도움이 됨

어그러질 랄(剌=束+刀)은 묶어 놓은 것(束)을 칼(刀)로 베어 흩어 버리는 것을 뜻한다. 무력 앞에 믿을 만한 것은 역시 재물밖에 없다는 뜻에서 조개 貝(패)와 剌(랄) 모두가 의미요소로 쓰였으며 剌(랄)이 발음기호임은 나팔 喇(라)에서도 알 수 있다.

●●●●● 信賴(신뢰)/依賴(의뢰)/無賴漢(무뢰한)

疎 훈음 트일 소 부수 짝 疋(필)

▶▶▶ 발 疋(필) + 묶을 束(속) ➡ 발이 묶여 있어 갈 수가 없어 점차 사이가 멀어짐

글자는 다르나 발음과 뜻이 위의 트일 疏(소)와 같은 글자로 묶을 束(속)이 발음기호이다.

●●●●● 疎忽(소홀)/疎遠(소원)

朮(출) 述(술) 術(술)

朮 훈음 차조 출 부수 나무 木(목)
고량주의 원료로 알려진 '수수'의 상형으로 곡식 알갱이가 동글동글하면서 벼 이삭보다 큰 이삭에 곡식이 주렁주렁 많이 열리는 곡식의 일종이다.
• • • • • 白朮(백출)

述 훈음 지을/펼 술 부수 길 갈 辶(착) ▶▶▶ 길 갈 辶(착) + 차조 朮(출) ➡ 수수밭으로 가다
길을 '따르다'가 원뜻으로 길 갈 辶(착)이 의미요소고 朮(출)은 발음기호이다.
• • • • • 陳述(진술)/敍述(서술)/述懷(술회)/記述(기술)

術 훈음 꾀 술 부수 갈 行(행) ▶▶▶ 갈 行(행) + 차조 朮(출) ➡ 수수밭에 사거리를 내다
끝이 없이 펼쳐진 수수밭(朮:출)에 사람이 다닐 수 있는 큰 네거리(行)를 만드는 것은 보통 재주로는 불가능하다. 따라서 대단한 일에 해당하는 '일, 꾀, 술책' 등이 파생되었다. '장이모우 감독'의 붉은 수수밭이란 영화를 통해 '공리'는 세계적인 스타가 되었다. 수수밭이 영화의 소재로 사용된 것을 보면 중국에 있어 수수밭이 얼마나 생활과 밀접한 지 알 수 있다.
• • • • • 技術(기술)/術策(술책)/術數(술수)

未(미)　　味(미)　　昧(매)　　妹(매)　　末(말)　　沫(말)

未 훈음 아닐 미 부수 나무 木(목) ▶▶▶ 한 일(一) + 나무 목(木) ➡ 무성한 잎/가지/자라는 가지
나무 木(목)에 한 一(일)을 짧게 그어 보통 나무보다 '가지와 잎이 무성한 나무'를 나타냈다는 주장과 아직 가지가 자라는 모습으로 봐서 나무줄기가 되지 못하고 여전히 가지에 불과하다는 뜻에서 '아직, 아니다, 여전히, 미래' 등의 뜻으로 의미 확대된 글자로 두 글자 모두 의미요소이다.
• • • • • 未遂(미수)/未定(미정)/未來(미래)/未熟(미숙)/未成年(미성년)/未曾有(미증유)/未然(미연)/前人未踏(전인미답)

味 훈음 맛 미 부수 입 口(구) ▶▶▶ 입 口(구) + 아닐 未(미) ➡ 입 안의 혀끝으로 맛을 보다
맛보는 일도 입(口)의 기능이므로 입 口(구)를 의미요소로 아닐 未(미)를 발음기호로 했다.
• • • • • 味覺(미각)/調味料(조미료)/意味(의미)/妙味(묘미)/甘味(감미)

昧 훈음 새벽 매 부수 해 日(일) ▶▶▶ 해 日(일) + 아닐 未(미) ➡ 아직 해가 뜨지 않은 새벽
아직(未) 제대로 사물을 알아볼 수 없는 해(日)가 채 뜨지 않은 어둑어둑한 상태(昧)를 일컫는 말로, 두 글자 모두 의미요소고 아닐 未(미)가 발음기호이다.
• • • • • 無知蒙昧(무지몽매)/愚昧(우매)/曖昧(애매)/三昧境(삼매경)

妹 훈음 누이 매 부수 계집 女(여) ▶▶▶ 계집 女(여) + 아닐 未(미) ➡ 여자가 아닌 여자 즉 누이동생
여동생 즉 누이동생을 지칭하는 말로 계집 女(여)가 의미요소고 未(미)는 발음기호이다.
• • • • • 姉妹(자매)/妹夫(매부)/妹弟(매제)

末 훈음 끝 말 부수 나무 木(목) ▶▶▶ 한 일(一) + 나무 목(木) ➡ 나무 꼭대기에 한 一(일)
나뭇(木)가지의 끝, 즉 나무 꼭대기를 강조한 글자로 윗부분에 한 일(一)을 가로 대어 나무의 끝을 나타낸 글자로 두 글자 모두 의미요소이다.
• • • • • 末梢神經(말초신경)/世紀末(세기말)/終末(종말)

沫 훈음 거품 말 부수 물 氵(수) ▶▶▶ 물 氵(수) + 끝 末(말) ➡ 파도의 끝은 거품만 인다
거품을 나타내기 위한 글자이므로 물 氵(수)가 의미요소고 末(말)은 발음기호다.
• • • • • 泡沫(포말)/噴沫(분말)/飛沫(비말)

果(과)	菓(과)	課(과)	顆(과)

果
훈음 실과 과 　부수 나무 木(목) ▶▶▶ 밭 田(전) + 나무 木(목) ➡ 나무에 열매가 달렸다
나무에 달린 열매 모양을 단순 간결하게 처리한 그림 글자로 '과일 나무'나 '과일'을 지칭하는 글자다. '과단성 있는, 정말로'로 의미 확대되어 사용된다.
••••• 靑果(청과)/果然(과연)/成果(성과)/果樹(과수)/結果(결과)

菓
훈음 과일 과 　부수 풀 ++(초) ▶▶▶ 풀 ++(초) + 실과 果(과) ➡ 풀로 만든 과자
'과일 나무'나 '과일'을 지칭하는 글자가 '과단성 있는, 정말로'라는 부사어로 차용되자, 과일이라는 의미를 분명히 하기 위해 풀 ++(초)를 더하여 만들었으나 '과일'보다는 '과자'로 더 많이 사용되고 있다. 두 글자 모두 의미요소이며 실과 果(과)가 발음기호이다.
••••• 菓子(과자)/茶菓(다과)

課
훈음 매길 과/부과할 과 　부수 말씀 言(언) ▶▶▶ 言(언) + 실과 果(과) ➡ 말로 따는 열매
果(과)를 발음부호로 言(언)을 의미요소로 사용하여, 말(言)로 열매(果)를 수확할 수 있는 좋은 방법인 세금을 부과하는 일인 매길 과(課)를 만들어 냈다.
••••• 課稅(과세)/課外(과외)/課題(과제)

顆
훈음 낟알 과 　부수 머리 頁(혈) ▶▶▶ 실과 果(과) + 머리 頁(혈) ➡ 포도 같은 열매의 알갱이
포도나 오렌지처럼 원 열매가 있고 그 열매 속의 작은 알갱이 하나하나를 가리키는 글자다. 머리 頁(혈)이 의미요소고 과실 果(과)가 발음기호 겸 의미요소이다.
••••• 顆粒(과립)

朿(자)	刺(자)	棘(극)	棗(조)	策(책)

朿
훈음 가시 자 　부수 나무 木(목)
나무에 달린 가시를 단순 간결하게 표현한 글자로 단독 사용은 드물고 타 글자의 의미 및 발음기호로 주로 사용된다.

刺
훈음 찌를 자 　부수 칼 刂(도) ▶▶▶ 가시 朿(자) + 칼 刂(도) ➡ 칼과 가시 둘 다 찌르는 것들이다
가시나무의 가시가 사람을 찌르는 데 칼 刂(도)를 추가하여 찔러서 해를 입히다/죽이다로 의미결합 확대된 글자로, 두 글자 모두 의미요소이며 가시 朿(자)는 발음도 겸한다.
••••• 刺客(자객)/諷刺(풍자)/刺戟(자극)

棘
훈음 가시나무 극 　부수 나무 木(목) ▶▶▶ 찌를 朿(자) + 찌를 朿(자) ➡ 가시나무가 많다
가시를 특징으로 하는 가시나무를 가리키는 글자로 가시 朿(자)가 의미요소이나 두 개를 겹쳐서 썼다는 것은 '가시'를 강조하기 위한 것이다.
••••• 荊棘(형극)

棗
훈음 대추나무 조 　부수 나무 木(목)
찌를 朿(자)를 위아래로 놓아서 글자를 만들었다. 이 글자 역시 찌르는 가시가 특징인 나무 중에서도 대추나무를 위한 글자로 두 글자 모두 의미요소이고 대나무(竹) 회초리(朿) 또는 채찍에 금속 같은 날카로운 것(朿)을 달아 일을 더 시키려고 종들에게 휘두르는 모습에서 책략(策略)의 꾀/채찍 책(策)자가 만들어졌다.
••••• 棗栗(조율)/對策(대책)/上策(상책)/策動(책동)/彌縫策(미봉책)

栗(율)　　架(가)　　桀(걸)　　傑(걸)　　染(염)　　漆(칠)

栗 　**훈음** 밤나무 율　**부수** 나무 木(목)　▶▶▶ 서녘 西(서) + 나무 木(목) ➡ 껍질에 겹겹으로 쌓인 밤
열매가 껍질로 쌓여있는 밤송이를 잘 묘사한 글자다. 나무 木(목)이 의미요소고 윗부분도 의미요소에 기여한 글자다. 나무(木)에 달린 열매 알갱이(西)로써 밤을 의미한다.
●●●●● 生栗(생률)/棗栗(조율)

架 　**훈음** 시렁 가　**부수** 나무 木(목)　▶▶▶ 더할 加(가) + 나무 木(목) ➡ 선반을 올려놓다
나무로 만든 시렁(선반)을 가리키는 말이므로 나무 木(목)을 의미요소로 加(가)를 발음기호로 했다. 가로질러 걸쳐 놓은 선반이나 나무를 가리키므로 十字架(십자가)에 사용된다.
●●●●● 架設(가설)/架橋(가교)/書架(서가)/十字架(십자가)

桀 　**훈음** 홰 걸　**부수** 나무 木(목)　▶▶▶ 어그러질 舛(천) + 나무 木(목) ➡ 대들보 사이에 걸쳐 놓은 나무기둥
창고에 물건을 얹어 놓기 위해 천정의 대들보에 막대(木)를 어긋나게 걸쳐 놓은(舛) 것으로 선반에 해당한다. 따라서 두 글자 모두 의미요소로 쓰였다.
●●●●● 桀紂(걸주)

傑 　**훈음** 뛰어날 걸　**부수** 사람 亻(인)변　▶▶▶ 사람 亻(인) + 홰 桀(걸) ➡ 높이 올려져 있는 사람
우뚝 솟아 있어 모두가 우러러본다는 의미를 물건을 높이 올려두는 선반을 가리키는 홰 桀(걸)과 사람 亻(인)을 조합하여 우뚝 솟아 있는 사람, 나아가 뛰어난 사람을 가리킨다. 桀(걸)은 발음기호이기도 하다.
●●●●● 人傑(인걸)/豪傑(호걸)/傑作(걸작)/傑出(걸출)

染 　**훈음** 물들일 염　**부수**
나무(木)에서 채취한 물감용 수액(氵)에 여러 번(九) 담가야 실이나 천이 물들어지는 과정을 나타낸 글자이며 나무(木)나 식물에서 채취한(水) 염료로 사물에 칠하는(氵) 행위가 칠기(漆器)의 옷 칠(漆)자이다.
●●●●● 染色(염색)/汚染(오염)/感染(감염)/染料(염료)/漆板(칠판)/漆黑(칠흑)

林(림)　森(삼)　枚(매)　札(찰)　材(재)　枕(침)　朴(박)　柄(병)　樹(수)

林 　**훈음** 수풀 림　**부수** 나무 木(목)
한자에서 같은 글자를 겹쳐 쓰는 경우는 '많은 것을 나타내기' 위함이다. 따라서 나무가 많다는 것은 숲을 이루고 있다는 것을 의미한다.
●●●●● 林野(임야)/森林(삼림)/雨林(우림)/密林(밀림)

森 　**훈음** 나무 빽빽할 삼　**부수** 나무 木(목)
일반 숲보다 더 나무가 많은 삼림지대나 밀림지대처럼 나무가 빽빽하게 들어찬 곳을 일컫는 글자로 나무 木(목) 세 개를 겹쳐 많다는 것을 강조했다.
●●●●● 森林(삼림)/森嚴(삼엄)/森羅萬象(삼라만상)

枚 　**훈음** 낱 매　**부수** 나무 木(목)　▶▶▶ 나무 木(목) + 칠 攵(복) ➡ 셀 수 있는 단위
채찍용 막대기나 글자를 새기거나 적기 위한 얇은 판을 만들기 위해 도끼를 들고 나무를 찍거나 다듬고 있는 모습으로 '막대기, 채찍, 수효' 등의 의미로 사용됐다. 두 글자 모두 의미요소이다.
나무(木)를 깎아 얇게 만든 조각(乚)을 패찰(牌札)/입찰(入札)/현찰(現札)의 패 찰(札)자가 만들어졌다.
●●●●● 枚數(매수)

材

훈음 재목 재　부수 나무 木(목)　▶▶▶ 나무 木(목) + 재주 才(재) ➡ 쓸 만 한 나무

나무(木)를 가로(才) 잘라 '재목으로 쓰다' 혹은 재주(才) 있는 나무(木) 즉 여러 모로 쓸 만한 나무(木)라는
의미이므로 나무 木(목)을 의미요소로 才(재)는 발음기호로 쓰였다.

●●●●● 材木(재목)/人材(인재)/資材(자재)/材料(재료)/木材(목재)

枕

훈음 베개 침　부수 나무 木(목)　▶▶▶ 나무 木(목) + 머뭇거릴 冘(유) ➡ 나무 베개

베개는 사람이 잘 때 목 받침을 하는 도구로써 예전엔 나무 베개가 주류를 이루었기 때문에 나무 木(목)과
그것을 베고 자는 모습인 冘(유)를 합하여 의미를 더욱 확실히 한 글자다.

●●●●● 高枕短命(고침단명)/枕木(침목)/木枕(목침)

朴

훈음 후박나무/성 박　부수 나무 木(목)　▶▶▶ 나무 木(목) + 점 卜(복) ➡ 후박나무

어떤 나무 또는 나무껍질을 뜻하는 글자로 나무 木(목)이 의미요소로 卜(복)은 발음기호임을 쉽게 알 수 있
다. 점차로 '수수하다, 순수하다'로 확대되었고 한국에서는 성씨로 사용되는 글자이며
나무(木)로 만든 손잡이를 병(柄)을 발음으로 무병(無柄)의 자루 병(柄)

●●●●● 素朴(소박)/淳朴(순박)/厚朴(후박)

樹

훈음 나무 수　부수 나무 木(목)　▶▶▶ 나무 木(목) + 세울 尌(주) ➡ 나무 심는 모습

나무(木)를 세우다(尌) 즉 나무를 심는 모습에서 만들어진 글자로 나무(木) 혹은 농작물을 세워(尌) 안정시
키고 잘 자라도록 한다는 뜻이다. 두 글자 모두 의미요소다.

●●●●● 樹木園(수목원)/果樹園(과수원)/有實樹(유실수)

東(동)　　凍(동)　　棟(동)　　陳(진)　　陣(진)　　重(중)　　動(동)

東

훈음 동녘 동　부수 나무 木(목)　▶▶▶ 나무 木(목) + 해 日(일) ➡ 떠오른 태양이 나무에 걸린 모습

동쪽에서 떠오른 태양(日)이 나무(木)에 걸린 모습이라는 설이 오랫동안 받아들여지다가 갑골문의 발견으로
"옮기기 쉽게 하기 위해 양쪽을 묶은 긴 자루의 모습"이라는 것이 밝혀졌다. 그러나 일찍이 자루 보다는
'동쪽'을 지칭하는 말로 차용되었다.

●●●●● 東西南北(동서남북)/東洋(동양)/東方(동방)/東京(동경)

凍

훈음 얼 동　부수 얼음 冫(빙)　▶▶▶ 얼음 冫(빙) + 동녘 東(동) ➡ 포대자루처럼 덩어리로 얼음이 어는 상태

얼음이 얼다 또는 사물이 꽁꽁 얼어붙다가 본뜻이므로, 얼음 冫(빙)이 의미요소로 동녘 東(동)이 발음기호
로 쓰였다.

●●●●● 凍結(동결)/凍死(동사)/凍傷(동상)/凍土(동토)/冷凍(냉동)

棟

훈음 용마루/마룻대 동　부수 나무 木(목)　▶▶▶ 나무 木(목) + 동녘 東(동) ➡ 지붕 위에 가장 높이 올려진 용마루

굵고 긴 나무로 만든 '마룻대'를 뜻하기 위해 만들어진 한자. 나무 木(목)이 의미요소로 동녘 東(동)이 발음
기호로 쓰였다. 훗날 '용마루, 기둥, 건물' 등으로 의미 확대됐다.

●●●●● 病棟(병동)/棟梁(동량)

陳

훈음 늘어놓을 진　부수 언덕 阝(부)　▶▶▶ 언덕 阝(부) + 동녘 東(동) ➡ 흙더미로 언덕을 쌓음

자루(東)에 물건을 담아 묶어서 늘어놓은 모습이 언덕(阝) 혹은 언덕을 쌓는 것 같다 하여 두 글자 모두 의
미요소로 쓰였다. 하나하나 물건을 담고 쌓아 놓는 모습에서 "말보따리를 한마디씩 내놓다", 자루에 오래
담겨져 있으니 '묵다, 오래되다'의 의미로도 파생됐다.

●●●●● 陳列(진열)/陳述(진술)/新陳代謝(신진대사)/陳腐(진부)

陣 훈음 줄 진 부수 언덕 阝(부) ▶▶▶ 언덕 阝(부) + 수레 車(거) → 병거들로 담을 침
병거(車)가 머물러 있는 곳(阝)을 陣地(진지)라고 하며, 군사들이 전쟁을 하기 위해 대열을 갖추고 언덕 주위로 진을 친 모습을 상상하라. 또한 도열해 있는 병거들의 모습이 마치 언덕을 연상시키기에 충분하다.
••••• 陣地(진지)/陣營(진영)/陣頭(진두)

重 훈음 무거울 중 부수 마을 里(리) ▶▶▶ 사람 人(인) + 東(동) → 짐을 지고 있는 사람
양쪽을 묶어 옮기기 쉽게 만든 자루의 상형인 東(동)자가 상징하는 '짐'을 지고 있는 사람(人)의 모습에서 '무겁다, 상태가 심하다' 등의 뜻이 파생된 글자다. 두 글자 모두 의미요소이며 東(동)이 발음에 영향을 미친 것 같다. 마을 里(리)와 생김새만 같을 뿐 관계없다.
••••• 重量(중량)/比重(비중)/起重機(기중기)/重要(중요)

動 훈음 움직일 동 부수 힘 力(력)
▶▶▶ 무거울 重(중) + 힘 力(력) → 무거운 짐을 지고 옮기려고 힘쓰는 모습
'무거운 짐을 등에 지고 옮기'는 모습을 그린 글자로 자루를 등에 짊어진 사람을 묘사하는 무거울 중(重)자에 무거운 것을 옮기면서 힘을 쓴다 하여 힘 力(력)을 의미요소로 했다. 아무리 무거운 것이라도 잘 동여매고 옮기면(重) 작은 힘(力)만으로도 충분하다.
••••• 動力(동력)/自動車(자동차)/電動車(전동차)/活動(활동)

| 柬(간) | 揀(간) | 諫(간) | 鍊(련) | 練(련) |
| 煉(련) | 闌(란) | 蘭(란) | 欄(란) | 爛(란) |

柬 훈음 가릴/편지/분간 간 부수 나무 木(목) ▶▶▶ 여덟 八(팔) + 묶을 束(속) → 자루에 가려서 채워 넣다
"자루 속에 가려서 물건을 채워 넣다"가 본뜻이나 단독 쓰임은 거의 없고, 타 글자의 의미나 발음에 영향을 주고 있다.
••••• 書柬(서간)

揀 훈음 가릴/분별할 간 부수 손 扌(수) ▶▶▶ 손 扌(수) + 가릴 柬(간) → 손으로 가려내어 자루에 넣다
가릴 柬(간)이 분간하다/가리다로 쓰이지 못하자 그 의미를 더 분명히 하기 위해 손 扌(수)를 추가한 글자이며 말을(言) 가려서(柬) 하는 것을 간언(諫言)의 간할 간(諫)이라 한다.
••••• 揀擇(간택)/分揀(분간)/泣諫(읍간)/苦諫(고간)

鍊 훈음 단련할/불릴 련 부수 쇠 金(금) ▶▶▶ 쇠 金(금) + 분갈 할 柬(간) → 금속에서 불순물을 가려 내다
"광석을 불에 달구어 쇠를 만들다"가 원뜻이므로 쇠 金(금)이 의미요소고, 柬(간)은 음 차이는 있지만 발음기호인 것은 익힐 練(련)에서도 알 수 있다. 점차로 '익히다, 연마하다'로 뜻이 확대되었다. 柬(간)이 '가려 뽑다'이므로 광석에서 불순물을 가려내어 좋은 철을 만드는 과정으로 본다면 의미요소에 기여했다.
••••• 鍊金術(연금술)/鍊磨(연마)/敎鍊(교련)/修鍊(수련)

練 훈음 익힐 련 부수 실 糸(사) ▶▶▶ 실 糸(사) + 가릴 柬(간) → 좋은 실을 가려내기 위해 반복하다
좋은 실이나 천을 만들기 위해 반복적으로 해야 하고 익혀야 하는 과정을 묘사한 글자이다. 실 糸(사)가 의미요소고 柬(간)이 발음요소임은 단련할 鍊(련)에서 확인할 수 있다.
柬(간)이 '가려 뽑다'이므로 누에나 섬유질에서 실을 뽑다로 보면 의미요소에 기여했다.
••••• 練習(연습)/修練(수련)/精練(정련)/熟練(숙련공)/訓練(훈련)

煉 훈음 불릴 련 부수 불 火(화) ▶▶▶ 불 火(화) + 가릴 柬(간) ➡ 불로 달구어 옥석을 가리다

'불로 달구다'를 원뜻으로 하는 글자로 불 火(화)가 의미요소이며, 가릴 柬(간)이 발음요소임은 위의 글자들에서도 알 수 있다. 또한 柬(간)이 '가려 뽑다'의 의미도 있으므로 '불에 달구어 순도를 높이고 더 좋은 제품을 만들다'라고 한다면 뜻에도 기여함을 알 수 있다.

⬤⬤⬤⬤⬤ 煉獄(연옥)/煉乳(연유)/煉炭(연탄)/煉瓦(연와)

闌 훈음 가로 막을 난 부수 문 門(문) ▶▶▶ 문 門(문) + 가릴 柬(간) ➡ 출입 적/부적격자를 가려냄

성문(門)에서 출입 부적격자를 가려내는(柬) 것이 가로 막을 난(闌)이며, 나무 木(목)을 첨가하여 만든 글자가 欄干(난간) 欄(난)자이다.

⬤⬤⬤⬤⬤ 欄外(난외)/欄干(난간)/空欄(공란)

爛 훈음 문드러질 란 부수 불 火 ▶▶▶ 가로막을 闌(란) + 불 火(화) ➡ 들판이 불탄다.

들판이 불타듯(火) 흐드러지게 피어있는 꽃이 난(闌)을 발음기호로 난개(爛開)의 문드러질 난(爛)자이고 풀 艹(초)를 더하여 만든 글자가 蘭草(난초) 蘭(난)자이다.

⬤⬤⬤⬤⬤ 爛開(난개)/爛發(난발)/爛商討議(난상토의)/蘭草(난초)

業(업)　　撲(박)　　僕(복)　　對(대)　　叢(총)

業 훈음 업 업 부수 나무 木(목) ▶▶▶ 업 업(业) + 나무 木(목) ➡ 악기나 연장을 걸어둠

큰 악기들을 걸어(业-업 업) 놓기 위해 지지대(木)를 튼튼하고 또 예술적으로 만드는 데서 '일, 기술'을 뜻하는 작업(作業)의 업 업(業)자가 만들어졌다.

※ 종이나 경쇠 북등을 걸어두기 위해 톱니모양의(业-업 업) 지지대가 앞으로 나와 있는(옷걸이처럼) 나무판이나 악기 틀의 모양에서 만들어진 글자로도 여겨짐

⬤⬤⬤⬤⬤ 業績(업적)/業務(업무)/職業(직업)/事業(사업)

撲 훈음 칠 박 부수 손 手(수) ▶▶▶ 업 業(업) + 손 扌(수) ➡ 악기를 두들기다

걸어둔(業) 경쇠를 두들기는(扌) 모습에서 타박(打撲)의 칠 박(撲)

⬤⬤⬤⬤⬤ 撲滅(박멸)/撲殺(박살)/打撲傷(타박상)

僕 훈음 종 복 부수 사람 人(인) ▶▶▶ 업 業(업) + 사람 亻(인)

동네방네 북(業)이 된 사람(亻)을 공복(公僕)의 종 복(僕)

⬤⬤⬤⬤⬤ 奴僕(노복)/老僕(노복)/公僕(공복)

對 훈음 대답할 대 부수 마디 寸(촌) ▶▶▶ 업 業(업) + 마디 寸(촌)

촛대(業의 변형)를 들고(寸) 찾아온 손님과 대화하는 장면에서 대답(對答)할 대(對)

⬤⬤⬤⬤⬤ 反對(반대)/敵對(적대)/對價(대가)/對決(대결)/對局(대국)/刮目相對(괄목상대)

叢 훈음 모일 총 부수 손 又(우) ▶▶▶ 업 業(업) + 취할 取(취)

모든 촛대(業)를 한곳으로 모으면(取) 주위가 밝아지는 것처럼 의견을 한 곳으로 모으면 좋은 안이 도출된다는 의미로 총론(叢論)의 모일 총(叢)

⬤⬤⬤⬤⬤ 叢論(총론)

竹(죽)　　筆(필)　　簡(간)　　答(답)　　等(등)　　籍(적)
算(산)　　箱(상)　　第(제)　　笛(적)　　管(관)　　節(절)

竹

훈음 대 죽　**부수** 제 부수

겨울에도 잎이 마르지 않고 사시사철 그 푸른빛이 변치 않고 곧은 줄기로 말미암아 節槪(절개)를 상징하는 식물인 잎이 가늘고 길며 마디가 분명하고 속이 비어 있는 긴 대나무의 생김새를 단순 간결하게 그린 글자다.

▸▸▸▸▸ 竹馬故友(죽마고우)/竹筍(죽순)/竹簡(죽간)/破竹之勢(파죽지세)

筆

훈음 붓 필　**부수** 대 竹(죽)　▸▸▸ 竹(죽) + 聿(율) ➡ 붓대롱

붓대의 재료가 대나무였으므로 대 竹(죽)과 손으로 붓을 잡고 있는 모습인 붓 聿(율)을 합쳐 놓은 글자다. 두 글자 모두 의미요소이며 聿(율)이 발음에 영향을 미쳤을 것이다.

▸▸▸▸▸ 筆記具(필기구)/筆談(필담)/筆體(필체)/筆跡(필적)

簡

훈음 대쪽 간　**부수** 대 竹(죽)　▸▸▸ 대 竹(죽) + 사이 間(간) ➡ 대나무 종이

옛날 종이 대신 대나무를 길고 납작하게 만들어 다듬은 다음 그 위에다 글을 썼는데 바로 그 '얇고 편편하고 좁은 대나무쪽'을 의미하는 글자로 대 竹(죽)이 의미요소이고, 間(간)은 발음기호이다.

▸▸▸▸▸ 竹簡(죽간)/書簡文(서간문)/簡便(간편)/簡單明瞭(간단명료)

答

훈음 대답할 답　**부수** 대 竹(죽)　▸▸▸ 대 竹(죽) + 합할 合(합) ➡ 책을 묶는 대나무 끈

대나무의 상형인 대 竹(죽)과 뚜껑을 덮은 그릇의 상형인 合(합)자를 합하여 '울타리 수리'나 '나무' 등을 묶을 때 쓰는 '대나무 끈'의 뜻으로 쓰였으나, 발음이 같다는 이유로 가차된 글자로 두 글자 모두 '대나무 끈'의 의미요소에는 기여하지만, 대답하다와는 무관하다.

▸▸▸▸▸ 答辯(답변)/問答(문답)/解答(해답)/答狀(답장)/誤答(오답)

等

훈음 가지런할/등급 등　**부수** 대 竹(죽)

▸▸▸ 대 竹(죽) + 선비 士(사) + 마디 寸(촌) ➡ 관청에 가지런히 정리해 둔 서류

관청(寺)에서 얇은 대나무 종이(?)에 기록된 법전(竹)을 종류별로 또한 중요한 순서로 가지런히 정리해둔 모습에서 파생된 글자로 두 글자 모두 의미요소이다.

▸▸▸▸▸ 等級(등급)/特等(특등)/平等權(평등권)/等式(등식)

籍

훈음 서적 적　**부수** 대 竹(죽)

▸▸▸ 대 竹(죽) + 적전 耤(적) ➡ 기록을 해 놓은 문서

'백성의 호구, 지적, 공납' 등을 기록해 두는 관청의 장부를 뜻하기 위한 글자로 옛날에는 많은 문서가 대쪽에다 기록해 보관하였기 때문에 대 竹(죽)이 의미요소로, 임금이 직접 경작한다는 뜻의 적전 耤(적)은 발음기호로 쓰였다. 훗날 '문서, 등록하다' 등으로 의미 확대됐다.

▸▸▸▸▸ 書籍(서적)/符籍(부적)/無籍(무적)/國籍(국적)/戶籍(호적)

算 훈음 셀 산 부수 대 竹(죽) ▶▶▶ 대 竹(죽) + 눈 目(목) + 두 손 받들 廾(공) ➡ 대나무로 만든 주판알
두 손(廾)으로 대나무(竹)로 만든 주판알(目) 같은 것으로 셈놀이하는 모습에서 '수를 세다, 계산하다'의 뜻이 나왔다.

••••• 算數(산수)/計算(계산)/打算的(타산적)/暗算(암산)

箱 훈음 상자 상 부수 대 竹(죽) ▶▶▶ 대 竹(죽) + 서로 相(상) ➡ 대나무로 만든 상자(죽세공품)
죽세공품 중에서 물건을 담거나 보관할 수 있도록 사각형으로 만든 상자의 모습에서 따온 글자로 대 竹(죽)이 의미요소고 서로 相(상)은 발음기호이다.

••••• 箱子(상자)

第 훈음 차례 제 부수 대 竹(죽) ▶▶▶ 대 竹(죽) + 조상할 弔(조) + ノ(별) ➡ 나무를 감고 올라가는 식물
나팔꽃 같은 식물이 대나무(竹) 마디 정도의 간격으로 나무를 칭칭 말며(弓) 나선형으로 한 칸 한 칸 올라가는 장면에서 '차례, 순서'의 뜻이 파생된 글자. 대 竹(죽)이 의미요소고 아우 弟(제)가 발음기호다.

••••• 第一(제일)/及第(급제)/落第(낙제)/第三者(제삼자)

笛 훈음 피리 적 부수 대 竹(죽) ▶▶▶ 대 竹(죽) + 말미암을 由(유) ➡ 대나무로 만든 피리
피리나 피리 소리를 나타내려고 하여 대 竹(죽)의 의미요소로 由(유)가 발음기호였음은 나아갈 迪(적)에서도 알 수 있다.

••••• 汽笛(기적)/警笛(경적)

管 훈음 대롱/피리 관 부수 대 竹(죽) ▶▶▶ 대 竹(죽) + 官(관) ➡ 속이 비어 있는 대나무관
쪼개지 않은 가늘고 긴 '대나무 토막'을 가리키는 말이며 속이 비어 있는 '대롱'을 가지고 피리와 같은 악기를 만들어 불게 되다보니 '피리'를 가리키는 말이 된 글자로 대 竹(죽)이 의미요소고 官(관)이 발음기호이다. 훗날 '主管(주관)'에서 보듯 '맡다'의 뜻도 갖게 됐다.

••••• 管樂器(관악기)/管絃樂(관현악)/管轄(관할)

節 훈음 마디 절 부수 대 竹(죽) ▶▶▶ 대 竹(죽) + 곧 卽(즉) ➡ 대나무 마디마디
대나무 마디를 나타내고자 한 글자로 대 竹(죽)이 의미요소이고, 卽(즉)은 발음기호로 쓰였다. 무릎을 꿇고 앉아 있는 모습과 대나무 마디와의 연관성도 없지는 않을 것이다. 아무튼 여기서 '대나무 마디, 시기, 절제, 명절' 등의 뜻이 파생되었다.

••••• 節約(절약)/節槪(절개)/節次(절차)/季節(계절)/名節(명절)

冊(책) 柵(책) 扁(편) 遍(편) 偏(편) 篇(편) 編(편) 嗣(사) 典(전)

冊 훈음 책 책 부수 멀 冂(경)
멀 冂(경)에 속하는 글씨이지만 대나무를 얇게 깎고 다듬어 편편하게 하여 글을 쓸 수 있도록 한 후 그것들을 끈으로 묶어 오늘날의 "책"과 같은 용도로 사용하던 대나무 조각들의 묶음의 모양을 그대로 글자로 옮긴 그림 글자다.

••••• 書冊(서책)/冊子(책자)/冊房(책방)/冊封(책봉)/別冊(별책)

柵 훈음 울짱 책 부수 나무 木(목) ▶▶▶ 나무 木(목) + 책 冊(책) ➡ 책처럼 이어 엮는 싸리나무 울타리
싸리나무 울타리가 본뜻으로 나무 木(목)이 의미요소고 책 冊(책)이 발음기호이다. 그러나 冊(책)을 만들기 위해 대나무 조각을 엮어야 하듯 싸리나무 울타리도 동일한 방법으로 엮어서 이어가는 모습이므로 책 冊(책)이 의미요소에도 기여하고 있다.

••••• 防柵(방책)/柵門(책문)

扁 훈음 넓적할 편 부수 외짝 문 戶(호) ▶▶▶ 쪽문 戶(호) + 책 冊(책) → 싸리나무 쪽문
대나무를 엮어 만든 책의 모습과 만드는 방법이 동일한 싸리나무 울타리에 달려 있는 쪽문을 가리키는 말로 대개 문은 사각형으로 만들므로 '평평하고 넓적하다'의 뜻이 파생된 글자다. 두 글자 모두 의미요소이며 이 글자를 바탕으로 여러 글자가 추가로 만들어졌다.
••••• 扁桃腺(편도선)/扁平(편평)

遍 훈음 두루 편 부수 갈 辶(착) ▶▶▶ 갈 辶(착) + 넓적할 扁(편) → 집을 둘러싸고 있는 싸리나무 방책
사방팔방으로 뻗어 있거나 미치는 길을 의미하는 글자로 두 글자 모두 의미요소이며, 넓적할 扁(편)이 발음을 겸하며 자연스레 '두루두루'라는 뜻으로 발전했다.
••••• 遍滿(편만)/偏在(편재)/遍歷(편력)/偏頭痛(편두통)/偏食(편식)

偏 훈음 치우칠 편 부수 사람 亻(인) ▶▶▶ 사람 亻(인) + 넓적할 扁(편) → 한쪽으로 쏠리는 사람
한쪽으로 치우치는 경향은 사람에게만 있는 것으로 사람 亻(인)이 의미요소고 扁(편)은 발음기호에 불과하다.
••••• 偏頗(편파)/偏狹(편협)/偏見(편견)/偏頭痛(편두통)/偏食(편식)

篇 훈음 책 편 부수 대 竹(죽) ▶▶▶ 대 竹(죽) + 扁(편) → 대쪽으로 엮어서 만든 두루마리
'대쪽으로 엮어서 만든 두루마리 책'을 의미하는 것으로 대 竹(죽)이 의미요소고 扁(편)은 발음기호다.
••••• 詩篇(시편)/長篇(장편)/全篇(전편)/千篇一律(천편일률)

編 훈음 엮을 편 부수 실 糸(사) ▶▶▶ 실 糸(사) + 넓적할 扁(편) → 책을 끈으로 묶다
대나무 조각을 실이나 끈으로 묶어야 '두루마리 책'이나 '문서'가 됨으로 그 대나무 조각을 끈으로 묶는 것을 나타내는 글자에서 '엮다, 책, 끈' 등으로 의미 확대되었다. 실 糸(사)가 의미요소이며 扁(편)은 발음기호이나 의미에도 일부 기여한다.
••••• 韋編三絕(위편삼절)/編輯(편집)/編物(편물)/改編(개편)

嗣 훈음 후사 사 부수 입 口(구)
▶▶▶ 입 口(구) + 책 冊(책) + 맡을 司(사) → 족보를 맡아야 할 사람
족보(冊)를 맡아(司)서 돌보는 사람이란 대를 잇는 사람(口), 곧 후사를 말하며 따라서 모든 글자가 의미요소에 기여함을 알 수 있으며 맡을 司(사)가 발음기호이다.
••••• 後嗣(후사)

典 훈음 법 전 부수 여덟 八(팔)
▶▶▶ 책 冊(책) + 두 손 받들 廾(공) → 두 손으로 공손히 모셔야 할 법전
공자가 周易(주역)을 얼마나 열심히 읽었던지 "가죽 끈이 세 번이나 끊어졌다(韋編三絕(위편삼절)"는 말이 널리 알려져 있는 것을 보면, 典(전)의 윗부분은 冊(책)이고 밑 부분은 廾(공)으로서 두 손으로 책을 들고 있는 모습임을 알 수 있다.
••••• 法典(법전)/辭典(사전)/經典(경전)/典當鋪(전당포)

侖(륜)　　　　倫(륜)　　　　輪(륜)　　　　論(논)

侖 훈음 조리/둥글 륜 부수 사람 人(인) ▶▶▶ 모을/삼합 집(스) + 冊(책) → 죽간을 가지런히 모아 둠
죽간(冊)을 가지런히 모아 놓은(모을 人(집) 모습에서 유추된 條理(조리)라는 뜻을 가진 글자로 타 글자의 의미요소 및 발음에 영향을 주고 있다.

倫 　훈음 인륜 륜 　부수 사람 亻(인) ▶▶▶ 사람 亻(인) + 조리 侖(륜) → 사람이 지켜야 할 도리가 담긴 법

'사람이 지켜야 할 도리가 기록된 모음 집'이라는 뜻에서 '사람이 마땅히 지켜야 할 도리'라는 뜻의 글자가 만들어졌고 이 글자를 바탕으로 人倫(인륜)이니 天倫(천륜)이니 하는 말들이 만들어졌다. 따라서 모든 글자 의미요소이고 侖(륜)이 발음을 겸함을 알 수 있다.

●●●●● 人倫(인륜)/倫理(윤리)/天倫(천륜)

輪 　훈음 바퀴 륜 　부수 수레 車(거)

▶▶▶ 수레 車(거) + 둥글 侖(륜) → 말아 놓은 죽간이 수레바퀴 같다하여 생김

수레의 바퀴를 뜻하는 글자로서 수레 車(거)가 의미요소고 둥글 侖(륜)은 발음기호이다. 바퀴는 둥글고 굴러가는 특성 때문에 '돌다'라는 뜻으로도 널리 쓰이게 됐다.

●●●●● 車輪(차륜)/輪禍(윤화)/輪廻(윤회)

論 　훈음 말할/의논할 논 　부수 말씀 言(언)

▶▶▶ 말씀 言(언) + 조리 侖(륜) → 죽간에 기록된 것들에 대하여 토론을 함

'여러 사람의 條理(조리) 있는(侖) 말(言)'이 곧 민심임을 의미하는 글자로 두 글자 모두 의미요소이며 조리 侖(륜)이 발음기호 역할을 한다.

●●●●● 論證(논증)/結論(결론)/輿論(여론)/論述(논술)/話術(화술)

爿(장)　壯(장)　狀(장/상)　裝(장)　莊(장)　將(장)　奬(장)　醬(장)

爿
훈음 나뭇조각 장　**부수** 제 부수
나무의 한가운데를 쪼개 두 동강을 낸 후 왼쪽의 반의 모습을 그대로 옮겨 놓은 그림글자로 '조각, 평상'의 뜻으로 파생되었다.

壯
훈음 씩씩할 장　**부수** 선비 士(사)　▶▶▶ 나뭇조각 爿(장) + 선비 士(사) ➡ 씩씩한 선비
침상을 세워 놓은 모습의 爿(장)이 발음기호로, '도끼'의 상형인 선비 士(사)가 의미요소로 쓰였다. 전쟁 시에는 무사로 평상시에는 하급 관리인 선비로 훗날엔 성년 남자의 의미로 사용된 글자로 '심신이 건강한 남자'라는 뜻에서 '씩씩하다, 힘세다, 장하다' 등의 뜻으로 파생됐다.
●●●●● 雄壯(웅장)/壯士(장사)/健壯(건장)/宏壯(굉장)/壯觀(장관)/老益壯(노익장)/壯烈(장렬)/
壯元及第(장원급제)

狀
훈음 형상 상/문서 장　**부수** 개 犬(견)　▶▶▶ 나뭇조각 爿(장) + 개 犬(견) ➡ 개가 침상에 누워 자는 모습
개가 나무판자 위에 올라가 누워 있는 모습의 글자인데, 침대에 누워 자는 사람의 모습보다 훨씬 더 다양한 몸짓을 하는 개를 그려서 '형상'의 뜻을 훗날 '문서나 편지'의 뜻으로도 사용되었다. 이 경우는 장으로 발음한다. 爿(장)은 발음기호를 겸한다.
●●●●● 形狀(형상)/狀態(상태)/狀況(상황)/訴狀(소장)

裝
훈음 꾸밀 장　**부수** 옷 衣(의)
▶▶▶ 씩씩할 壯(장) + 옷 衣(의) ➡ 옷이 날개라는 말은 옷보다 꾸미는 데 더 좋은 재료는 없다는 말
화려한 장식으로 몸을 치장하는 것을 나타낸 글자로 "옷이 날개다"라는 말처럼 몸을 치장하는데 옷만큼 뛰어난 장식물이 없었으므로 옷 衣(의)가 의미요소고 壯(장)은 발음기호이다.
●●●●● 裝飾(장식)/鞍裝(안장)/塗裝(도장)/包裝(포장)/假裝(가장)/裝身具(장신구)

莊
훈음 풀 무성할 장　**부수** 풀 艹(초)
▶▶▶ 풀 艹(초) + 씩씩할 壯(장) ➡ 돌보는 사람 없는 별장의 풀이 무성한 것은 당연
풀이 무성하여 마치 무사같이 씩씩하고 웅장하다는 뜻으로 발전한 글자로, 두 글자 모두 의미요소이며 壯(장)이 발음을 겸하는데 훗날 '별장'의 뜻으로도 쓰이게 되었다.
●●●●● 別莊(별장)/莊嚴(장엄)/山莊(산장)

將
훈음 장차/장수 장　**부수** 마디 寸(촌)
▶▶▶ 나뭇조각 爿(장) + 육(肉)달 月(월) + 마디 寸(촌) ➡ 승리 기원 제사를 주관하는 장수
전쟁터에서 승리를 위해 신에게 제사를 지내기 위해 將帥(장수)가 짐승의 고기(月), 즉 제물을 대충 만든 제단(爿) 위에 바치는(寸) 모습에서 생겨난 '스토리' 있는 글자다. '앞날을 축복'해 달라는 기원을 하므로 '장차'의 의미와 이 제사를 주관하는 사람에서 '장수'의 의미가 생겨난 글자다. 모든 글자가 다 의미요소이며 나뭇조각 爿(장)이 발음기호이다.
●●●●● 將來(장래)/將軍(장군)/老將(노장)/將兵(장병)

훈음 권면할 장 **부수** 개 犬(견) ▶▶▶ 장수 將(장) + 개 犬(견) ➡ 개도 싸움에 나가도록 부추김

'개를 싸우도록 부추기다'는 뜻을 갖는 글자로 개 犬(견)이 의미요소고, 將(장)은 발음기호라고 하는 설이 있다. 그러나 '원 글자에서 파생된' 즉 회의자나 형성자는 경우에 따라서는 "장님 코끼리 만지기"식의 해석도 적지 않다.

●●●●● 獎勵(장려)/勸獎(권장)/獎學金(장학금)

훈음 젓갈 장 **부수** 닭 酉(유) ▶▶▶ 장수 將(장) + 술 酉(유) ➡ 장류는 발효식품이므로 '술 유'자가 첨가됨

발효식품의 하나인 '된장·고추장·젓갈' 등을 나타내기 위한 글자로 발효의 특성이 있는 술과 술병이나 항아리에 담가 숙성시키는 특징을 나타내기 위해 술/술병 酉(유)를 의미요소로 장수 將(장)은 발음기호로 쓰였다.

●●●●● 醬油(장유)

片 조각 편

| 片(편) | 版(판) | 牌(패) |

片
훈음 조각 편　부수 제 부수
나무 한가운데를 쪼개 두 동강이 난 오른편의 모습을 그대로 옮겨 놓은 그림 글자로 '조각, 한편, 극히 작은 것' 등으로 의미 확대됐다.
●●●●● 一葉片舟(일엽편주)/一片丹心(일편단심)/片道(편도)/片鱗(편린)

版
훈음 널 판　부수 조각 片(편)
▶▶▶ 조각 片(편) + 되돌릴 反(반) ➡ 글을 쓸 수 있게 다듬은 나무 널빤지
널빤지를 뜻하기 위해 나뭇조각 片(편)을 의미요소로 反(반)을 발음기호로 사용했으나, 나무의 반쪽(片(편))을 쪼개어 그 위에 글을 쓰는 수단으로도 사용할 수 있어 이 版(판)자가 책과 관련되어 쓰이게 되었다. 나무 木(목)을 추가하여 널빤지라는 글자를 새로이 만든 것이 아래의 널빤지 板(판)이다.
●●●●● 絕版(절판)/再版(재판)/版畫(판화)

牌
훈음 패 패　부수 조각 片(편)
▶▶▶ 조각 片(편) + 낮을 卑(비) ➡ 나무나 돌조각에 글씨를 새겨 세워 두는 것
나뭇조각에 글씨를 써서 비석처럼 세운다거나 현관 위에 걸어두던 바로 '글씨가 새겨진 나뭇조각'이 원뜻으로 조각 片(편)이 의미요소고 낮을 卑(비)가 발음기호이다.
●●●●● 名牌(명패)/防牌(방패)/門牌(문패)/賞牌(상패)/位牌(위패)

◆ 다음 글자의 훈과 음을 쓰시오.

( )山( ) – ( )仙( ) – ( )島( ) – ( )岸( ) – ( )崖( ) – ( )嶽( ) –
( )岳( ) – ( )崩( ) – ( )崇( ) – ( )崔( )

◆ 다음 글자를 분해하시오.

1. 崇 = ☐ + ☐ + ☐   2. 嶽 = ☐ + ☐

3. 岸 = ☐ + ☐   4. 仙 = ☐ + ☐

5. 崖 = ☐ + ☐ + ☐   6. 岳 = ☐ + ☐

7. 島 = ☐ + ☐   8. 崔 = ☐ + ☐

◆ 다음 글자를 소리 부분(聲符)과 뜻 부분(意符)으로 분해하시오.

9. 岸 = 소리 부분(聲符) ☐ + 뜻 부분(意符) ☐

10. 崖 = 소리 부분(聲符) ☐ + 뜻 부분(意符) ☐

11. 嶽 = 소리 부분(聲符) ☐ + 뜻 부분(意符) ☐

12. 崩 = 소리 부분(聲符) ☐ + 뜻 부분(意符) ☐

13. 崇 = 소리 부분(聲符) ☐ + 뜻 부분(意符) ☐

14. 崔 = 소리 부분(聲符) ☐ + 뜻 부분(意符) ☐

◆ 다음 중 주어진 글자로 이루어지는 단어를 2개 이상 한자 또는 한글로 쓰시오.

15. 山 – ☐   16. 仙 – ☐

17. 島 – ☐   18. 岸 – ☐

19. 崖 – ☐   20. 嶽 – ☐

21. 岳 - [　　　　] 　22. 崩 - [　　　　]

23. 崇 - [　　　　] 　24. 崔 - [　　　　]

◆ 다음 글자의 훈과 음을 쓰시오.

(　)山( ) – (　)峽( ) – (　)岐( ) – (　)嶺( ) – (　)峙( ) – (　)峻( ) –
(　)峰( )

◆ 다음 글자를 분해하시오.

1. 嶺 = [　　] + [　　] + [　　] 　2. 峽 = [　　] + [　　]

3. 岐 = [　　] + [　　] 　4. 峻 = [　　] + [　　]

5. 峙 = [　　] + [　　] 　6. 峰 = [　　] + [　　]

◆ 다음 글자를 소리 부분(聲符)과 뜻 부분(意符)으로 분해하시오.

7. 峽 = 소리 부분(聲符) [　　] + 뜻 부분(意符) [　　]

8. 岐 = 소리 부분(聲符) [　　] + 뜻 부분(意符) [　　]

9. 嶺 = 소리 부분(聲符) [　　] + 뜻 부분(意符) [　　]

10. 峙 = 수리 부뷰(聲符) [　　] + 뜻 부분(意符) [　　]

11. 峻 = 소리 부분(聲符) [　　] + 뜻 부분(意符) [　　]

12. 峰 = 소리 부분(聲符) [　　] + 뜻 부분(意符) [　　]

◆ 다음 중 주어진 글자로 이루어지는 단어를 2개 이상 한자 또는 한글로 쓰시오.

13. 山 - [　　　　] 　14. 峽 - [　　　　]

15. 岐 - [　　　　] 　16. 嶺 - [　　　　]

17. 峙 - [　　　　] 　18. 峻 - [　　　　]

19. 峰 - [　　　　]

◪ 다음 글자의 훈과 음을 쓰시오.

( )敢( ) – ( )嚴( ) – ( )巖( ) – ( )岩( )

◪ 다음 글자를 분해하시오.

1. 巖 = ⬜ + ⬜ + ⬜   2. 敢 = ⬜ + ⬜

3. 嚴 = ⬜ + ⬜   4. 岩 = ⬜ + ⬜

◪ 다음 글자를 소리 부분(聲符)과 뜻 부분(意符)으로 분해하시오.

5. 敢 = 소리 부분(聲符) ⬜ + 뜻 부분(意符) ⬜

6. 嚴 = 소리 부분(聲符) ⬜ + 뜻 부분(意符) ⬜

7. 巖 = 소리 부분(聲符) ⬜ + 뜻 부분(意符) ⬜

◪ 다음 중 주어진 글자로 이루어지는 단어를 2개 이상 한자 또는 한글로 쓰시오.

8. 敢 – ⬜   9. 嚴 – ⬜

10. 巖 – ⬜

◪ 다음 글자의 훈과 음을 쓰시오.

( )岡( ) – ( )剛( ) – ( )綱( ) – ( )鋼( )

◪ 다음 글자를 분해하시오.

1. 岡 = ⬜ + ⬜ + ⬜   2. 綱 = ⬜ + ⬜

3. 剛 = ⬜ + ⬜   4. 鋼 = ⬜ + ⬜

◪ 다음 글자를 소리 부분(聲符)과 뜻 부분(意符)으로 분해하시오.

5. 剛 = 소리 부분(聲符) ⬜ + 뜻 부분(意符) ⬜

6. 綱 = 소리 부분(聲符) ⬜ + 뜻 부분(意符) ⬜

7. 鋼 = 소리 부분(聲符) ⬜ + 뜻 부분(意符) ⬜

◆ 다음 중 주어진 글자로 이루어지는 단어를 2개 이상 한자 또는 한글로 쓰시오.

8. 岡 －

9. 剛 －

10. 綱 －

11. 鋼 －

◆ 다음 글자의 훈과 음을 쓰시오.

(   )谷(   ) － (   )欲(   ) － (   )慾(   ) － (   )浴(   ) － (   )俗(   ) － (   )裕(   ) －
(   )容(   ) － (   )溶(   ) － (   )鎔(   )

◆ 다음 글자를 분해하시오.

1. 慾 = 　　 + 　　 + 　　

2. 容 = 　　 + 　　

3. 欲 = 　　 + 　　

4. 溶 = 　　 + 　　

5. 谷 = 　　 + 　　 + 　　

6. 俗 = 　　 + 　　

7. 裕 = 　　 + 　　

8. 鎔 = 　　 + 　　

◆ 다음 글자를 소리 부분(聲符)과 뜻 부분(意符)으로 분해하시오.

9. 欲 = 소리 부분(聲符) 　　 + 뜻 부분(意符) 　　

10. 慾 = 소리 부분(聲符) 　　 + 뜻 부분(意符) 　　

11. 浴 = 소리 부분(聲符) 　　 + 뜻 부분(意符) 　　

12. 俗 = 소리 부분(聲符) 　　 + 뜻 부분(意符) 　　

13. 溶 = 소리 부분(聲符) 　　 + 뜻 부분(意符) 　　

14. 鎔 = 소리 부분(聲符) 　　 + 뜻 부분(意符) 　　

◆ 다음 중 주어진 글자로 이루어지는 단어를 2개 이상 한자 또는 한글로 쓰시오.

15. 谷 －

16. 欲 －

17. 慾 －

18. 浴 －

19. 俗 －

20. 裕 －

21. 容 -

22. 溶 -

23. 鎔 -

◈ 다음 글자의 훈과 음을 쓰시오.

( )石( ) - ( )碎( ) - ( )破( ) - ( )砲( ) - ( )砂( ) - ( )磁( ) -
( )碧( ) - ( )硅( ) - ( )硝( ) - ( )硫( )

◈ 다음 글자를 분해하시오.

1. 砲 = ____ + ____ + ____   2. 破 = ____ + ____

3. 碎 = ____ + ____   4. 砂 = ____ + ____

5. 碧 = ____ + ____ + ____   6. 磁 = ____ + ____

7. 硅 = ____ + ____   8. 硫 = ____ + ____

◈ 다음 글자를 소리 부분(聲符)과 뜻 부분(意符)으로 분해하시오.

9. 碎 = 소리 부분(聲符) ____ + 뜻 부분(意符) ____

10. 破 = 소리 부분(聲符) ____ + 뜻 부분(意符) ____

11. 砲 = 소리 부분(聲符) ____ + 뜻 부분(意符) ____

12. 砂 = 소리 부분(聲符) ____ + 뜻 부분(意符) ____

13. 硅 = 소리 부분(聲符) ____ + 뜻 부분(意符) ____

14. 硝 = 소리 부분(聲符) ____ + 뜻 부분(意符) ____

15. 硫 = 소리 부분(聲符) ____ + 뜻 부분(意符) ____

16. 磁 = 소리 부분(聲符) ____ + 뜻 부분(意符) ____

17. 碧 = 소리 부분(聲符) ____ + 뜻 부분(意符) ____

◈ 다음 중 주어진 글자로 이루어지는 단어를 2개 이상 한자 또는 한글로 쓰시오.

18. 石 -

19. 碎 -

20. 破 –
21. 砲 –
22. 砂 –
23. 硅 –
24. 硝 –
25. 硫 –
26. 磁 –
27. 碧 –

◪ 다음 글자의 훈과 음을 쓰시오.

( )碩( ) – ( )磐( ) – ( )礁( ) – ( )確( ) – ( )硬( ) – ( )研( ) –
( )磨( ) – ( )礎( ) – ( )碑( )

◪ 다음 글자를 분해하시오.

1. 磨 =   +   +   2. 磐 =   +

3. 碑 =   +   4. 硬 =   +

5. 礎 =   +   +   6. 硯 =   +

7. 研 =   +   8. 礁 =   +

◪ 다음 글자를 소리 부분(聲符)과 뜻 부분(意符)으로 분해하시오.

9. 碩 = 소리 부분(聲符)   + 뜻 부분(意符)

10. 磐 = 소리 부분(聲符)   + 뜻 부분(意符)

11. 礁 = 소리 부분(聲符)   + 뜻 부분(意符)

12. 確 = 소리 부분(聲符)   + 뜻 부분(意符)

13. 硬 = 소리 부분(聲符)   + 뜻 부분(意符)

14. 研 = 소리 부분(聲符)   + 뜻 부분(意符)

15. 磨 = 소리 부분(聲符)   + 뜻 부분(意符)

16. 礎 = 소리 부분(聲符)   + 뜻 부분(意符)

17. 碑 = 소리 부분(聲符)   + 뜻 부분(意符)

◆ 다음 중 주어진 글자로 이루어지는 단어를 2개 이상 한자 또는 한글로 쓰시오.

18. 碩 –

19. 磐 –

20. 礁 –

21. 確 –

22. 硬 –

23. 硏 –

24. 磨 –

25. 礎 –

26. 碑 –

◆ 다음 글자의 훈과 음을 쓰시오.

( )玉( ) – ( )現( ) – ( )理( ) – ( )王( ) – ( )珍( ) – ( )環( ) –
( )還( ) – ( )瑚( ) – ( )璧( ) – ( )玩( ) – ( )班( ) – ( )瑞( )

◆ 다음 글자를 분해하시오.

1. 璧 = ☐ + ☐ + ☐

2. 玉 = ☐ + ☐

3. 班 = ☐ + ☐

4. 珍 = ☐ + ☐

5. 瑞 = ☐ + ☐ + ☐

6. 現 = ☐ + ☐

7. 環 = ☐ + ☐

8. 理 = ☐ + ☐

9. 還 = ☐ + ☐

10. 玉 = ☐ + ☐

◆ 다음 글자를 소리 부분(聲符)과 뜻 부분(意符)으로 분해하시오.

11. 理 = 소리 부분(聲符) ☐ + 뜻 부분(意符) ☐

12. 珍 = 소리 부분(聲符) ☐ + 뜻 부분(意符) ☐

13. 環 = 소리 부분(聲符) ☐ + 뜻 부분(意符) ☐

14. 瑚 = 소리 부분(聲符) ☐ + 뜻 부분(意符) ☐

15. 璧 = 소리 부분(聲符) ☐ + 뜻 부분(意符) ☐

16. 玩 = 소리 부분(聲符) ☐ + 뜻 부분(意符) ☐

17. 瑞 = 소리 부분(聲符)    +   뜻 부분(意符) [　　]

◆ 다음 중 주어진 글자로 이루어지는 단어를 2개 이상 한자 또는 한글로 쓰시오.

18. 玉 -

19. 現 -

20. 理 -

21. 王 -

22. 珍 -

23. 環 -

24. 還 -

25. 瑚 -

26. 璧 -

27. 玩 -

28. 班 -

29. 瑞 -

◆ 다음 글자의 훈과 음을 쓰시오.

(　)金(　) - (　)銀(　) - (　)銅(　) - (　)鐵(　) - (　)鉛(　) - (　)錫(　) -
(　)鑛(　) - (　)鋼(　) - (　)錦(　)

◆ 다음 글자를 분해하시오.

1. 錦 = [　　] + [　　] + [　　]   2. 銀 = [　　] + [　　]

3. 銅 = [　　] + [　　]   4. 鑛 = [　　] + [　　]

◆ 다음 글자를 소리 부분(聲符)과 뜻 부분(意符)으로 분해하시오.

5. 銅 = 소리 부분(聲符) [　　]   +   뜻 부분(意符) [　　]

6. 鐵 = 소리 부분(聲符) [　　]   +   뜻 부분(意符) [　　]

7. 鉛 = 소리 부분(聲符) [　　]   +   뜻 부분(意符) [　　]

8. 鑛 = 소리 부분(聲符) [　　]   +   뜻 부분(意符) [　　]

9. 鋼 = 소리 부분(聲符) [　　]   +   뜻 부분(意符) [　　]

10. 錦 = 소리 부분(聲符) [　　]   +   뜻 부분(意符) [　　]

◆ 다음 중 주어진 글자로 이루어지는 단어를 2개 이상 한자 또는 한글로 쓰시오.

11. 金 -

12. 銀 -

13. 銅 -

14. 鐵 -

15. 鉛 -

16. 錫 -

17. 鑛 -

18. 鋼 -

19. 錦 -

◆ 다음 글자의 훈과 음을 쓰시오.

( )鑄( ) - ( )鎔( ) - ( )鍛( ) - ( )鍊( ) - ( )銷( ) - ( )銘( ) -
( )錄( ) - ( )鍍( ) - ( )銳( ) - ( )錯( ) - ( )鈍( ) - ( )鋪( ) -
( )鎭( )

◆ 다음 글자를 분해하시오.

1. 銘 =   +   +

2. 鍛 =   +

3. 鑄 =   +

4. 鍊 =   +

5. 銳 =   +

6. 鈍 =   +

◆ 다음 글자를 소리 부분(聲符)과 뜻 부분(意符)으로 분해하시오.

7. 鑄 = 소리 부분(聲符)   + 뜻 부분(意符)

8. 鎔 = 소리 부분(聲符)   + 뜻 부분(意符)

9. 鍛 = 소리 부분(聲符)   + 뜻 부분(意符)

10. 鍊 = 소리 부분(聲符)   + 뜻 부분(意符)

11. 銷 = 소리 부분(聲符)   + 뜻 부분(意符)

12. 銘 = 소리 부분(聲符)   + 뜻 부분(意符)

13. 錄 = 소리 부분(聲符)   + 뜻 부분(意符)

14. 鍍 = 소리 부분(聲符) [　　] + 뜻 부분(意符) [　　]

15. 銳 = 소리 부분(聲符) [　　] + 뜻 부분(意符) [　　]

16. 錯 = 소리 부분(聲符) [　　] + 뜻 부분(意符) [　　]

17. 鈍 = 소리 부분(聲符) [　　] + 뜻 부분(意符) [　　]

18. 鋪 = 소리 부분(聲符) [　　] + 뜻 부분(意符) [　　]

19. 鎭 = 소리 부분(聲符) [　　] + 뜻 부분(意符) [　　]

◪ 다음 중 주어진 글자로 이루어지는 단어를 2개 이상 한자 또는 한글로 쓰시오.

20. 鑄 – [　　]　　　　21. 鎔 – [　　]

22. 鍛 – [　　]　　　　23. 鍊 – [　　]

24. 銷 – [　　]　　　　25. 銘 – [　　]

26. 錄 – [　　]　　　　27. 鍍 – [　　]

28. 銳 – [　　]　　　　29. 錯 – [　　]

30. 鈍 – [　　]　　　　31. 鋪 – [　　]

32. 鎭 – [　　]

◪ 다음 글자의 훈과 음을 쓰시오.

(　)針( ) – (　)鍼( ) – (　)釜( ) – (　)釣( ) – (　)銃( ) – (　)錢( ) –
(　)鍵( ) – (　)鏡( ) – (　)鐘( ) – (　)鑑( )

◪ 다음 글자를 분해하시오.

1. 鍵 = [　　] + [　　] + [　　]　　2. 鍼 = [　　] + [　　]

3. 銃 = [　　] + [　　]　　　　4. 鐘 = [　　] + [　　]

5. 鑑 = [　　] + [　　] + [　　]　　6. 錢 = [　　] + [　　]

7. 針 = [　　] + [　　]　　　　8. 釜 = [　　] + [　　]

◆ 다음 글자를 소리 부분(聲符)과 뜻 부분(意符)으로 분해하시오.

9. 鍼 = 소리 부분(聲符) ▢ + 뜻 부분(意符) ▢

10. 釣 = 소리 부분(聲符) ▢ + 뜻 부분(意符) ▢

11. 錢 = 소리 부분(聲符) ▢ + 뜻 부분(意符) ▢

12. 鍵 = 소리 부분(聲符) ▢ + 뜻 부분(意符) ▢

13. 鏡 = 소리 부분(聲符) ▢ + 뜻 부분(意符) ▢

14. 鐘 = 소리 부분(聲符) ▢ + 뜻 부분(意符) ▢

15. 鑑 = 소리 부분(聲符) ▢ + 뜻 부분(意符) ▢

◆ 다음 중 주어진 글자로 이루어지는 단어를 2개 이상 한자 또는 한글로 쓰시오.

16. 針 –

17. 鍼 –

18. 釜 –

19. 釣 –

20. 銃 –

21. 錢 –

22. 鍵 –

23. 鏡 –

24. 鐘 –

25. 鑑 –

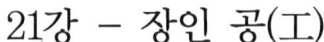

◆ 다음 글자의 훈과 음을 쓰시오.

( )工( ) - ( )空( ) - ( )控( ) - ( )腔( ) - ( )貢( ) - ( )功( ) -
( )攻( ) - ( )恐( )

◆ 다음 글자를 분해하시오.

1. 控 = [ ] + [ ] + [ ]   2. 腔 = [ ] + [ ]

3. 空 = [ ] + [ ]   4. 貢 = [ ] + [ ]

◆ 다음 글자를 소리 부분(聲符)과 뜻 부분(意符)으로 분해하시오.

5. 空 = 소리 부분(聲符) [ ] + 뜻 부분(意符) [ ]

6. 控 = 소리 부분(聲符) [ ] + 뜻 부분(意符) [ ]

7. 貢 = 소리 부분(聲符) [ ] + 뜻 부분(意符) [ ]

8. 功 = 소리 부분(聲符) [ ] + 뜻 부분(意符) [ ]

9. 攻 = 소리 부분(聲符) [ ] + 뜻 부분(意符) [ ]

10. 恐 = 소리 부분(聲符) [ ] + 뜻 부분(意符) [ ]

◆ 다음 중 주어진 글자로 이루어지는 단어를 2개 이상 한자 또는 한글로 쓰시오.

11. 工 - [ ]   12. 空 - [ ]

13. 控 - [ ]   14. 腔 - [ ]

15. 貢 - [ ]   16. 功 - [ ]

17. 攻 - [ ]   18. 恐 - [ ]

◖ 다음 글자의 훈과 음을 쓰시오.

( )江( ) – ( )紅( ) – ( )鴻( ) – ( )肛( ) – ( )項( ) – ( )缸( )

◖ 다음 글자를 소리 부분(聲符)과 뜻 부분(意符)으로 분해하시오.

1. 紅 = 소리 부분(聲符)　　　　+ 뜻 부분(意符)

2. 鴻 = 소리 부분(聲符)　　　　+ 뜻 부분(意符)

3. 肛 = 소리 부분(聲符)　　　　+ 뜻 부분(意符)

4. 項 = 소리 부분(聲符)　　　　+ 뜻 부분(意符)

5. 缸 = 소리 부분(聲符)　　　　+ 뜻 부분(意符)

◖ 다음 중 주어진 글자로 이루어지는 단어를 2개 이상 한자 또는 한글로 쓰시오.

6. 江 –　　　　　　　　　　　7. 紅 –

8. 鴻 –　　　　　　　　　　　9. 肛 –

10. 項 –　　　　　　　　　　11. 缸 –

◖ 다음 글자의 훈과 음을 쓰시오.

( )巧( ) – ( )敢( ) – ( )臣( ) – ( )式( ) – ( )拭( ) – ( )左( ) –
( )佐( ) – ( )巫( ) – ( )誣( ) – ( )差( )

◖ 다음 글자를 소리 부분(聲符)과 뜻 부분(意符)으로 분해하시오.

1. 巧 = 소리 부분(聲符)　　　　+ 뜻 부분(意符)

2. 敢 = 소리 부분(聲符)　　　　+ 뜻 부분(意符)

3. 拭 = 소리 부분(聲符)　　　　+ 뜻 부분(意符)

4. 佐 = 소리 부분(聲符)　　　　+ 뜻 부분(意符)

5. 誣 = 소리 부분(聲符)　　　　+ 뜻 부분(意符)

◪ 다음 중 주어진 글자로 이루어지는 단어를 2개 이상 한자 또는 한글로 쓰시오.

6. 巧 –

7. 敢 –

8. 巨 –

9. 式 –

10. 拭 –

11. 佐 –

12. 巫 –

13. 誣 –

14. 差 –

◆ 다음 글자의 훈과 음을 쓰시오.

( )水( ) – ( )氵( ) – ( )氺( ) – ( )永( ) – ( )泳( ) – ( )詠( ) –
( )氷( ) – ( )氵( ) – (　)派( ) – ( )脈( )

◆ 다음 글자를 분해하시오.

1. 詠 = ［　　　　　］ + ［　　　　　］ + ［　　　　　］

2. 派 = ［　　　　　］ + ［　　　　　］

3. 泳 = ［　　　　　］ + ［　　　　　］

4. 脈 = ［　　　　　］ + ［　　　　　］

◆ 다음 글자를 소리 부분(聲符)과 뜻 부분(意符)으로 분해하시오.

5. 泳 = 소리 부분(聲符) ［　　　　］ + 뜻 부분(意符) ［　　　　］

6. 詠 = 소리 부분(聲符) ［　　　　］ + 뜻 부분(意符) ［　　　　］

7. 派 = 소리 부분(聲符) ［　　　　］ + 뜻 부분(意符) ［　　　　］

8. 脈 = 소리 부분(聲符) ［　　　　］ + 뜻 부분(意符) ［　　　　］

◆ 다음 중 주어진 글자로 이루어지는 단어를 2개 이상 한자 또는 한글로 쓰시오.

9. 水 – ［　　　　　　　　］　　10. 永 – ［　　　　　　　　］

11. 泳 – ［　　　　　　　　］　　12. 詠 – ［　　　　　　　　］

13. 氷 – ［　　　　　　　　］　　14. 派 – ［　　　　　　　　］

15. 脈 – ［　　　　　　　　］

◘ 다음 글자의 훈과 음을 쓰시오.

( )沃( ) − ( )畓( ) − ( )灌( ) − ( )漑( ) − ( )氾( ) − ( )濫( ) −
( )洪( )

◘ 다음 글자를 분해하시오.

1. 濫 = [　　] + [　　] + [　　]   2. 沃 = [　　] + [　　]

3. 洪 = [　　] + [　　]   4. 畓 = [　　] + [　　]

◘ 다음 글자를 소리 부분(聲符)과 뜻 부분(意符)으로 분해하시오.

5. 沃 = 소리 부분(聲符) [　　] + 뜻 부분(意符) [　　]

6. 灌 = 소리 부분(聲符) [　　] + 뜻 부분(意符) [　　]

7. 漑 = 소리 부분(聲符) [　　] + 뜻 부분(意符) [　　]

8. 氾 = 소리 부분(聲符) [　　] + 뜻 부분(意符) [　　]

9. 濫 = 소리 부분(聲符) [　　] + 뜻 부분(意符) [　　]

10. 洪 = 소리 부분(聲符) [　　] + 뜻 부분(意符) [　　]

◘ 다음 중 주어진 글자로 이루어지는 단어를 2개 이상 한자 또는 한글로 쓰시오.

11. 沃 − [　　　　　　　　　　]   12. 畓 − [　　　　　　　　　　]

13. 灌 − [　　　　　　　　　　]   14. 漑 − [　　　　　　　　　　]

15. 氾 − [　　　　　　　　　　]   16. 濫 − [　　　　　　　　　　]

17. 洪 − [　　　　　　　　　　]

◘ 다음 글자의 훈과 음을 쓰시오.

( )泉( ) − ( )沼( ) − ( )澤( ) − ( )池( ) − ( )江( ) − ( )河( ) −
( )湖( ) − ( )海( ) − ( )洋( ) − ( )深( )

 다음 글자를 분해하시오.

1. 深 = [　　　] + [　　　] + [　　　] 　　2. 沼 = [　　　] + [　　　]

3. 海 = [　　　] + [　　　] 　　4. 泉 = [　　　] + [　　　]

5. 湖 = [　　　] + [　　　] + [　　　] 　　6. 澤 = [　　　] + [　　　]

7. 洋 = [　　　] + [　　　] 　　8. 池 = [　　　] + [　　　]

◆ 다음 글자를 소리 부분(聲符)과 뜻 부분(意符)으로 분해하시오.

9. 沼 = 소리 부분(聲符) [　　　] + 뜻 부분(意符) [　　　]

10. 澤 = 소리 부분(聲符) [　　　] + 뜻 부분(意符) [　　　]

11. 池 = 소리 부분(聲符) [　　　] + 뜻 부분(意符) [　　　]

12. 河 = 소리 부분(聲符) [　　　] + 뜻 부분(意符) [　　　]

13. 湖 = 소리 부분(聲符) [　　　] + 뜻 부분(意符) [　　　]

14. 深 = 소리 부분(聲符) [　　　] + 뜻 부분(意符) [　　　]

◆ 다음 중 주어진 글자로 이루어지는 단어를 2개 이상 한자 또는 한글로 쓰시오.

15. 泉 – [　　　　　　　] 　　16. 沼 – [　　　　　　　]

17. 澤 – [　　　　　　　] 　　18. 池 – [　　　　　　　]

19. 江 – [　　　　　　　] 　　20. 河 – [　　　　　　　]

21. 湖 – [　　　　　　　] 　　22. 海 – [　　　　　　　]

23. 洋 – [　　　　　　　] 　　24. 深 – [　　　　　　　]

◆ 다음 글자의 훈과 음을 쓰시오.

(　)港(　) – (　)灣(　) – (　)沿(　) – (　)浦(　) – (　)津(　) – (　)泊(　) –
(　)漁(　) – (　)滿(　) – (　)沈(　) – (　)沒(　) – (　)溺(　)

◆ 다음 글자를 분해하시오.

1. 沒 = ☐ + ☐ + ☐   2. 沈 = ☐ + ☐

3. 泊 = ☐ + ☐   4. 港 = ☐ + ☐

5. 灣 = ☐ + ☐ + ☐   6. 沿 = ☐ + ☐

7. 溺 = ☐ + ☐   8. 浦 = ☐ + ☐

◆ 다음 글자를 소리 부분(聲符)과 뜻 부분(意符)으로 분해하시오.

9. 港 = 소리 부분(聲符) ☐ + 뜻 부분(意符) ☐

10. 灣 = 소리 부분(聲符) ☐ + 뜻 부분(意符) ☐

11. 浦 = 소리 부분(聲符) ☐ + 뜻 부분(意符) ☐

12. 津 = 소리 부분(聲符) ☐ + 뜻 부분(意符) ☐

13. 漁 = 소리 부분(聲符) ☐ + 뜻 부분(意符) ☐

14. 滿 = 소리 부분(聲符) ☐ + 뜻 부분(意符) ☐

15. 沈 = 소리 부분(聲符) ☐ + 뜻 부분(意符) ☐

16. 沒 = 소리 부분(聲符) ☐ + 뜻 부분(意符) ☐

17. 溺 = 소리 부분(聲符) ☐ + 뜻 부분(意符) ☐

◆ 다음 중 주어진 글자로 이루어지는 단어를 2개 이상 한자 또는 한글로 쓰시오.

18. 港 – ☐   19. 灣 – ☐

20. 沿 – ☐   21. 浦 – ☐

22. 津 – ☐   23. 泊 – ☐

24. 漁 – ☐   25. 滿 – ☐

26. 沈 – ☐   27. 沒 – ☐

28. 溺 – ☐

◪ 다음 글자의 훈과 음을 쓰시오.

( )波( ) – ( )濤( ) – ( )泡( ) – ( )沫( ) – ( )溢( ) – ( )潮( )

◪ 다음 글자를 분해하시오.

1. 溢 = [ ] + [ ] + [ ]　　2. 泡 = [ ] + [ ]

3. 沫 = [ ] + [ ]　　4. 潮 = [ ] + [ ]

◪ 다음 글자를 소리 부분(聲符)과 뜻 부분(意符)으로 분해하시오.

5. 波 = 소리 부분(聲符) [ ] + 뜻 부분(意符) [ ]

6. 濤 = 소리 부분(聲符) [ ] + 뜻 부분(意符) [ ]

7. 泡 = 소리 부분(聲符) [ ] + 뜻 부분(意符) [ ]

8. 沫 = 소리 부분(聲符) [ ] + 뜻 부분(意符) [ ]

9. 潮 = 소리 부분(聲符) [ ] + 뜻 부분(意符) [ ]

◪ 다음 중 주어진 글자로 이루어지는 단어를 2개 이상 한자 또는 한글로 쓰시오.

10. 波 – [ ]　　11. 濤 – [ ]

12. 泡 – [ ]　　13. 沫 – [ ]

14. 溢 – [ ]　　15. 潮 – [ ]

◪ 다음 글자의 훈과 음을 쓰시오.

( )汗( ) – ( )泌( ) – ( )泄( ) – ( )漏( ) – ( )泣( ) – ( )活( ) –
( )液( ) – 몸에서 나오는 분비물

◪ 다음 글자를 소리 부분(聲符)과 뜻 부분(意符)으로 분해하시오.

1. 泌 = 소리 부분(聲符) [ ] + 뜻 부분(意符) [ ]

2. 漏 = 소리 부분(聲符) [ ] + 뜻 부분(意符) [ ]

3. 泣 = 소리 부분(聲符)　　　　　　+　뜻 부분(意符)

4. 活 = 소리 부분(聲符)　　　　　　+　뜻 부분(意符)

5. 液 = 소리 부분(聲符)　　　　　　+　뜻 부분(意符)

◆ 다음 중 주어진 글자로 이루어지는 단어를 2개 이상 한자 또는 한글로 쓰시오.

6. 汗 –　　　　　　　　　　　　　7. 泌 –

8. 泄 –　　　　　　　　　　　　　9. 漏 –

10. 泣 –　　　　　　　　　　　　11. 活 –

12. 液 –

◈ 다음 글자의 훈과 음을 쓰시오.

(   )川(   ) - (   )順(   ) - (   )巡(   ) - (   )訓(   ) - (   )州(   ) - (   )洲(   ) - (   )災(   ) - (   )巢(   )

◈ 다음 글자를 분해하시오.

1. 災 = [   ] + [   ]   2. 順 = [   ] + [   ]

3. 訓 = [   ] + [   ]   4. 巡 = [   ] + [   ]

5. 州 = [   ] + [   ]   6. 洲 = [   ] + [   ]

◈ 다음 글자를 소리 부분(聲符)과 뜻 부분(意符)으로 분해하시오.

7. 順 = 소리 부분(聲符) [   ] + 뜻 부분(意符) [   ]

8. 巡 = 소리 부분(聲符) [   ] + 뜻 부분(意符) [   ]

9. 訓 = 소리 부분(聲符) [   ] + 뜻 부분(意符) [   ]

10. 洲 = 소리 부분(聲符) [   ] + 뜻 부분(意符) [   ]

◈ 다음 중 주어진 글자로 이루어지는 단어를 2개 이상 한자 또는 한글로 쓰시오.

11. 川 - [   ]   12. 順 - [   ]

13. 巡 - [   ]   14. 訓 - [   ]

15. 州 - [   ]   16. 洲 - [   ]

17. 災 - [   ]   18. 巢 - [   ]

◆ 다음 글자의 훈과 음을 쓰시오.

( )巠( ) − ( )徑( ) − ( )經( ) − ( )輕( ) − ( )頸( ) − ( )痙( )

◆ 다음 글자를 분해하시오.

1. 經 = 　　　 + 　　　 + 　　　　2. 徑 = 　　　 + 　　　

3. 輕 = 　　　 + 　　　　　　　　4. 巠 = 　　　 + 　　　

◆ 다음 글자를 소리 부분(聲符)과 뜻 부분(意符)으로 분해하시오.

5. 徑 = 소리 부분(聲符) 　　　 + 뜻 부분(意符) 　　　

6. 經 = 소리 부분(聲符) 　　　 + 뜻 부분(意符) 　　　

7. 輕 = 소리 부분(聲符) 　　　 + 뜻 부분(意符) 　　　

8. 頸 = 소리 부분(聲符) 　　　 + 뜻 부분(意符) 　　　

9. 痙 = 소리 부분(聲符) 　　　 + 뜻 부분(意符) 　　　

◆ 다음 중 주어진 글자로 이루어지는 단어를 2개 이상 한자 또는 한글로 쓰시오.

10. 巠 −

11. 徑 −

12. 經 −

13. 輕 −

14. 頸 −

15. 痙 −

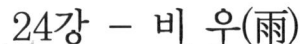

◆ 다음 글자의 훈과 음을 쓰시오.

( )雨( ) – ( )雲( ) – ( )露( ) – ( )霧( ) – ( )電( ) – ( )雷( ) –
( )霜( ) – ( )雪( ) – ( )雹( )

◆ 다음 글자를 분해하시오.

1. 雲 = [ ] + [ ]   2. 露 = [ ] + [ ]

3. 雪 = [ ] + [ ]   4. 霜 = [ ] + [ ]

◆ 다음 글자를 소리 부분(聲符)과 뜻 부분(意符)으로 분해하시오.

5. 雲 = 소리 부분(聲符) [ ] + 뜻 부분(意符) [ ]

6. 露 = 소리 부분(聲符) [ ] + 뜻 부분(意符) [ ]

7. 霧 = 소리 부분(聲符) [ ] + 뜻 부분(意符) [ ]

8. 電 = 소리 부분(聲符) [ ] + 뜻 부분(意符) [ ]

9. 霜 = 소리 부분(聲符) [ ] + 뜻 부분(意符) [ ]

10. 雹 = 소리 부분(聲符) [ ] + 뜻 부분(意符) [ ]

◆ 다음 중 주어진 글자로 이루어지는 단어를 2개 이상 한자 또는 한글로 쓰시오.

11. 雨 – [ ]   12. 雲 – [ ]

13. 露 – [ ]   14. 霧 – [ ]

15. 電 – [ ]   16. 雷 – [ ]

17. 霜 – [ ]   18. 雪 – [ ]

19. 雹 – [ ]

◪ 다음 글자의 훈과 음을 쓰시오.

( )零( ) – ( )需( ) – ( )儒( ) – ( )懦( ) – ( )震( ) – ( )靈( ) – ( )漏( )

◪ 다음 글자를 분해하시오.

1. 靈 = ▢ + ▢ + ▢   2. 懦 = ▢ + ▢

3. 漏 = ▢ + ▢   4. 儒 = ▢ + ▢

5. 零 = ▢ + ▢   6. 震 = ▢ + ▢

◪ 다음 글자를 소리 부분(聲符)과 뜻 부분(意符)으로 분해하시오.

7. 零 = 소리 부분(聲符) ▢ + 뜻 부분(意符) ▢

8. 儒 = 소리 부분(聲符) ▢ + 뜻 부분(意符) ▢

9. 震 = 소리 부분(聲符) ▢ + 뜻 부분(意符) ▢

10. 漏 = 소리 부분(聲符) ▢ + 뜻 부분(意符) ▢

◪ 다음 중 주어진 글자로 이루어지는 단어를 2개 이상 한자 또는 한글로 쓰시오.

11. 零 – ▢   12. 需 – ▢

13. 儒 – ▢   14. 懦 – ▢

15. 震 – ▢   16. 靈 – ▢

17. 漏 – ▢

◆ 다음 글자의 훈과 음을 쓰시오.

( )冫( ) – ( )氷( ) – ( )冬( ) – ( )冷( ) – ( )凍( ) – ( )寒( ) – ( )凌( ) – ( )凉( ) – ( )准( ) – ( )凝( )

◆ 다음 글자를 분해하시오.

1. 凝 = [ ] + [ ] + [ ] 2. = [ ] + [ ]

3. 凍 = [ ] + [ ] 4. = [ ] + [ ]

5. 寒 = [ ] + [ ] + [ ] 6. = [ ] + [ ]

7. 准 = [ ] + [ ] 8. = [ ] + [ ]

◆ 다음 글자를 소리 부분(聲符)과 뜻 부분(意符)으로 분해하시오.

9. 氷 = 소리 부분(聲符) [ ] + 뜻 부분(意符) [ ]

10. 冷 = 소리 부분(聲符) [ ] + 뜻 부분(意符) [ ]

11. 凍 = 소리 부분(聲符) [ ] + 뜻 부분(意符) [ ]

12. 凌 = 소리 부분(聲符) [ ] + 뜻 부분(意符) [ ]

13. 凉 = 소리 부분(聲符) [ ] + 뜻 부분(意符) [ ]

14. 凝 = 소리 부분(聲符) [ ] + 뜻 부분(意符) [ ]

◆ 다음 중 주어진 글자로 이루어지는 단어를 2개 이상 한자 또는 한글로 쓰시오.

15. 氷 – [ ]

16. 冬 – [ ]

17. 冷 –

18. 凍 –

19. 寒 –

20. 凌 –

21. 凉 –

22. 准 –

23. 凝 –

◪ 다음 글자의 훈과 음을 쓰시오.

( )不( ) – ( )艹( ) – ( )草( ) – ( )世( ) – ( )生( ) – ( )靑( ) – ( )春( )

◪ 다음 글자를 분해하시오.

1. 草 = [ ] + [ ] + [ ]   2. 生 = [ ] + [ ]

3. 靑 = [ ] + [ ]   4. 春 = [ ] + [ ]

◪ 다음 중 주어진 글자로 이루어지는 단어를 2개 이상 한자 또는 한글로 쓰시오.

5. 不 – [   ]   6. 草 – [   ]

7. 世 – [   ]   8. 生 – [   ]

9. 靑 – [   ]   10. 春 – [   ]

◪ 다음 글자의 훈과 음을 쓰시오.

( )屮( ) – ( )艹( ) – ( )卉( ) – ( )茻( )

◪ 다음 글자를 분해하시오.

1. 卉 = [ ] + [ ] + [ ]   2. 艹 = [ ] + [ ]

3. 茻 = [ ] + [ ] + [ ] + [ ]

◪ 다음 중 주어진 글자로 이루어지는 단어를 2개 이상 한자 또는 한글로 쓰시오.

4. 卉 – [   ]

5. 茻 – [   ]

◆ 다음 글자의 훈과 음을 쓰시오.

( )世( ) – ( )貰( ) – ( )泄( ) – ( )葉( )

◆ 다음 글자를 분해하시오.

1. 葉 = ▢▢▢ + ▢▢▢ + ▢▢▢   2. 貰 = ▢▢▢ + ▢▢▢

3. 泄 = ▢▢▢ + ▢▢▢   4. 世 = ▢▢▢ + ▢▢▢

◆ 다음 글자를 소리 부분(聲符)과 뜻 부분(意符)으로 분해하시오.

5. 貰 = 소리 부분(聲符) ▢▢▢ + 뜻 부분(意符) ▢▢▢

6. 泄 = 소리 부분(聲符) ▢▢▢ + 뜻 부분(意符) ▢▢▢

7. 葉 = 소리 부분(聲符) ▢▢▢ + 뜻 부분(意符) ▢▢▢

◆ 다음 중 주어진 글자로 이루어지는 단어를 2개 이상 한자 또는 한글로 쓰시오.

8. 世 – ▢▢▢▢▢▢   9. 貰 – ▢▢▢▢▢▢

10. 泄 – ▢▢▢▢▢▢   11. 葉 – ▢▢▢▢▢▢

◆ 다음 글자의 훈과 음을 쓰시오.

( )芝( ) – ( )芭( ) – ( )菊( ) – ( )葛( ) – ( )葡( ) – ( )藤( ) –
( )蘭( ) – ( )蓮( )

◆ 다음 글자를 분해하시오.

1. 菊 = ▢▢▢ + ▢▢▢ + ▢▢▢   2. 芝 = ▢▢▢ + ▢▢▢

3. 芭 = ▢▢▢ + ▢▢▢   4. 葡 = ▢▢▢ + ▢▢▢

◆ 다음 글자를 소리 부분(聲符)과 뜻 부분(意符)으로 분해하시오.

5. 芝 = 소리 부분(聲符)  + 뜻 부분(意符) ▢▢▢

6. 芭 = 소리 부분(聲符) ▢▢▢ + 뜻 부분(意符)

7. 葛 = 소리 부분(聲符)　□　+　뜻 부분(意符)　□

8. 葡 = 소리 부분(聲符)　□　+　뜻 부분(意符)　□

9. 藤 = 소리 부분(聲符)　□　+　뜻 부분(意符)　□

10. 蓮 = 소리 부분(聲符)　□　+　뜻 부분(意符)　□

11. 藤 = 소리 부분(聲符)　□　+　뜻 부분(意符)　□

◆ 다음 중 주어진 글자로 이루어지는 단어를 2개 이상 한자 또는 한글로 쓰시오.

12. 芝 -

13. 芭 -

14. 菊 -

15. 葛 -

16. 葡 -

17. 藤 -

18. 蘭 -

19. 蓮 -

◆ 다음 글자의 훈과 음을 쓰시오.

( )花( ) – ( )藥( ) – ( )芽( ) – ( )芳( ) – ( )英( ) – ( )蔘( ) –
( )苗( ) – ( )茶( ) – ( )蔬( ) – ( )首( )

◆ 다음 글자를 분해하시오.

1. 蔬 = □ + □ + □　　2. 茶 = □ + □

3. 芽 = □ + □　　4. 苗 = □ + □

◆ 다음 글자를 소리 부분(聲符)과 뜻 부분(意符)으로 분해하시오.

5. 花 = 소리 부분(聲符)　□　+　뜻 부분(意符)　□

6. 藥 = 소리 부분(聲符)　□　+　뜻 부분(意符)　□

7. 芽 = 소리 부분(聲符)　□　+　뜻 부분(意符)　□

8. 芳 = 소리 부분(聲符)　□　+　뜻 부분(意符)　□

9. 英 = 소리 부분(聲符)　□　+　뜻 부분(意符)　□

10. 蔘 = 소리 부분(聲符) [　　] + 뜻 부분(意符) [　　]

11. 苗 = 소리 부분(聲符) [　　] + 뜻 부분(意符) [　　]

12. 茶 = 소리 부분(聲符) [　　] + 뜻 부분(意符) [　　]

13. 蔬 = 소리 부분(聲符) [　　] + 뜻 부분(意符) [　　]

◆ 다음 중 주어진 글자로 이루어지는 단어를 2개 이상 한자 또는 한글로 쓰시오.

14. 花 – [　　　　　　]　　15. 藥 – [　　　　　　　]

16. 芽 – [　　　　　　]　　17. 芳 – [　　　　　　　]

18. 英 – [　　　　　　]　　19. 蔘 – [　　　　　　　]

20. 苗 – [　　　　　　]　　21. 茶 – [　　　　　　　]

22. 蔬 – [　　　　　　]　　23. 首 – [　　　　　　　]

◆ 다음 글자의 훈과 음을 쓰시오.

( )丰( ) – ( )奉( ) – ( )俸( ) – ( )棒( ) – ( )夆( ) – ( )蜂( ) –
( )逢( ) – ( )縫( ) – ( )害( ) – ( )憲( )

◆ 다음 글자를 분해하시오.

1. 憲 = [　　] + [　　] + [　　]　　2. 奉 = [　　] + [　　]

3. 害 = [　　] + [　　]　　4. 夆 = [　　] + [　　]

◆ 다음 글자를 소리 부분(聲符)과 뜻 부분(意符)으로 분해하시오.

5. 俸 = 소리 부분(聲符) [　　] + 뜻 부분(意符) [　　]

6. 棒 = 소리 부분(聲符) [　　] + 뜻 부분(意符) [　　]

7. 蜂 = 소리 부분(聲符) [　　] + 뜻 부분(意符) [　　]

8. 逢 = 소리 부분(聲符) [　　] + 뜻 부분(意符) [　　]

9. 縫 = 소리 부분(聲符) [　　] + 뜻 부분(意符) [　　]

10. 害 = 소리 부분(聲符) [　] + 뜻 부분(意符) [　]

11. 憲 = 소리 부분(聲符) [　] + 뜻 부분(意符) [　]

◆ 다음 중 주어진 글자로 이루어지는 단어를 2개 이상 한자 또는 한글로 쓰시오.

12. 奉 – [　]　　　　　　　13. 俸 – [　]

14. 棒 – [　]　　　　　　　15. 夆 – [　]

16. 蜂 – [　]　　　　　　　17. 逢 – [　]

18. 縫 – [　]　　　　　　　19. 害 – [　]

20. 憲 – [　]

◆ 다음 글자의 훈과 음을 쓰시오.

(　)倍( ) – (　)培( ) – (　)賠( ) – (　)部( ) – (　)剖( )

◆ 다음 글자를 분해하시오.

1. 倍 = [　] + [　] + [　]　　　2. 培 = [　] + [　]

3. 剖 = [　] + [　]　　　　　　4. 賠 = [　] + [　]

5. 部 = [　] + [　]

◆ 다음 글자를 소리 부분(聲符)과 뜻 부분(意符)으로 분해하시오.

6. 倍 = 소리 부분(聲符) [　] + 뜻 부분(意符) [　]

7. 培 = 소리 부분(聲符) [　] + 뜻 부분(意符) [　]

8. 賠 = 소리 부분(聲符) [　] + 뜻 부분(意符) [　]

9. 部 = 소리 부분(聲符) [　] + 뜻 부분(意符) [　]

10. 剖 = 소리 부분(聲符) [　] + 뜻 부분(意符) [　]

◆ 다음 중 주어진 글자로 이루어지는 단어를 2개 이상 한자 또는 한글로 쓰시오.

11. 倍 –

12. 培 –

13. 賠 –

14. 部 –

15. 剖 –

◆ 다음 글자의 훈과 음을 쓰시오.

( )生( ) – ( )姓( ) – ( )性( ) – ( )産( ) – ( )星( ) – ( )靑( )

◆ 다음 글자를 소리 부분(聲符)과 뜻 부분(意符)으로 분해하시오.

1. 姓 = 소리 부분(聲符)   +   뜻 부분(意符)

2. 産 = 소리 부분(聲符)   +   뜻 부분(意符)

3. 星 = 소리 부분(聲符)   +   뜻 부분(意符)

4. 靑 = 소리 부분(聲符)   +   뜻 부분(意符)

5. 性 = 소리 부분(聲符)   +   뜻 부분(意符)

◆ 다음 중 주어진 글자로 이루어지는 단어를 2개 이상 한자 또는 한글로 쓰시오.

6. 生 –

7. 姓 –

8. 性 –

9. 産 –

10. 星 –

11. 靑 –

◆ 다음 글자의 훈과 음을 쓰시오.

| ( )木( ) – ( )根( ) – ( )本( ) – ( )幹( ) – ( )枝( ) – ( )葉( ) – |
| ( )相( ) – ( )梢( ) – ( )末( ) – ( )未( ) – ( )朱( ) – ( )株( ) |

◆ 다음 글자를 분해하시오.

1. 葉 = ☐ + ☐ + ☐　　2. 枝 = ☐ + ☐

3. 根 = ☐ + ☐　　4. 本 = ☐ + ☐

5. 梢 = ☐ + ☐ + ☐　　6. 末 = ☐ + ☐

7. 株 = ☐ + ☐　　8. 朱 = ☐ + ☐

◆ 다음 글자를 소리 부분(聲符)과 뜻 부분(意符)으로 분해하시오.

9. 根 = 소리 부분(聲符) ☐ + 뜻 부분(意符) ☐

10. 幹 = 소리 부분(聲符) ☐ + 뜻 부분(意符) ☐

11. 枝 = 소리 부분(聲符) ☐ + 뜻 부분(意符) ☐

12. 梢 = 소리 부분(聲符) ☐ + 뜻 부분(意符) ☐

13. 株 = 소리 부분(聲符) ☐ + 뜻 부분(意符) ☐

◆ 다음 중 주어진 글자로 이루어지는 단어를 2개 이상 한자 또는 한글로 쓰시오.

14. 木 – ☐　　15. 根 – ☐

16. 本 – ☐　　17. 幹 – ☐

18. 枝 – ☐　　19. 葉 – ☐

20. 相 – ☐　　21. 梢 – ☐

22. 末 –
23. 未 –
24. 朱 –
25. 株 –

◆ 다음 글자의 훈과 음을 쓰시오.

( )植( ) – ( )根( ) – ( )格( ) – ( )新( ) – ( )親( ) – ( )材( )

◆ 다음 글자를 분해하시오.

1. 親 = ☐ + ☐ + ☐ 2. 新 = ☐ + ☐

3. 植 = ☐ + ☐ 4. 根 = ☐ + ☐

◆ 다음 글자를 소리 부분(聲符)과 뜻 부분(意符)으로 분해하시오.

5. 格 = 소리 부분(聲符) ☐ + 뜻 부분(意符) ☐

6. 新 = 소리 부분(聲符) ☐ + 뜻 부분(意符) ☐

7. 親 = 소리 부분(聲符) ☐ + 뜻 부분(意符) ☐

8. 材 = 소리 부분(聲符) ☐ + 뜻 부분(意符) ☐

◆ 다음 중 주어진 글자로 이루어지는 단어를 2개 이상 한자 또는 한글로 쓰시오.

9. 植 –
10. 根 –
11. 格 –
12. 新 –
13. 親 –
14. 材 –

◆ 다음 글자의 훈과 음을 쓰시오.

( )集( ) – ( )槑( ) – ( )操( ) – ( )燥( ) – ( )躁( )

◆ 다음 글자를 분해하시오.

1. 操 = ☐ + ☐ + ☐ 2. 燥 = ☐ + ☐

3. 躁 = [   ] + [   ]   4. 梟 = [   ] + [   ]

◆ 다음 글자를 소리 부분(聲符)과 뜻 부분(意符)으로 분해하시오.

5. 集 = 소리 부분(聲符) [   ] + 뜻 부분(意符) [   ]

6. 操 = 소리 부분(聲符) [   ] + 뜻 부분(意符) [   ]

7. 燥 = 소리 부분(聲符) [   ] + 뜻 부분(意符) [   ]

8. 躁 = 소리 부분(聲符) [   ] + 뜻 부분(意符) [   ]

◆ 다음 중 주어진 글자로 이루어지는 단어를 2개 이상 한자 또는 한글로 쓰시오.

9. 集 – [   ]   10. 梟 – [   ]

11. 操 – [   ]   12. 燥 – [   ]

13. 躁 – [   ]

◆ 다음 글자의 훈과 음을 쓰시오.

( )束( ) – ( )速( ) – ( )整( ) – ( )賴( ) – ( )疎( )

◆ 다음 글자를 분해하시오.

1. 整 = [   ] + [   ] + [   ]   2. 速 = [   ] + [   ]

3. 束 = [   ] + [   ]   4. 賴 = [   ] + [   ]

◆ 다음 글자를 소리 부분(聲符)과 뜻 부분(意符)으로 분해하시오.

5. 速 = 소리 부분(聲符) [   ] + 뜻 부분(意符) [   ]

6. 整 = 소리 부분(聲符) [   ] + 뜻 부분(意符) [   ]

7. 賴 = 소리 부분(聲符) [   ] + 뜻 부분(意符) [   ]

8. 疎 = 소리 부분(聲符) [   ] + 뜻 부분(意符) [   ]

◆ 다음 중 주어진 글자로 이루어지는 단어를 2개 이상 한자 또는 한글로 쓰시오.

9. 束 -

10. 速 -

11. 整 -

12. 賴 -

13. 疏 -

◆ 다음 글자의 훈과 음을 쓰시오.

( )朮( ) - ( )述( ) - ( )術( )

◆ 다음 글자를 소리 부분(聲符)과 뜻 부분(意符)으로 분해하시오.

1. 述 = 소리 부분(聲符)   +   뜻 부분(意符)

2. 術 = 소리 부분(聲符)   +   뜻 부분(意符)

◆ 다음 중 주어진 글자로 이루어지는 단어를 2개 이상 한자 또는 한글로 쓰시오.

3. 朮 -

4. 述 -

5. 術 -

◆ 다음 글자의 훈과 음을 쓰시오.

( )未( ) - ( )味( ) - ( )昧( ) - ( )妹( ) - ( )末( ) - ( )沫( )

◆ 다음 글자를 분해하시오.

1. 未 =   +

2. 味 =   +

3. 妹 =   +

4. 昧 =   +

5. 末 =   +

6. 沫 =   +

◆ 다음 글자를 소리 부분(聲符)과 뜻 부분(意符)으로 분해하시오.

7. 味 = 소리 부분(聲符)   +   뜻 부분(意符)

8. 妹 = 소리 부분(聲符) [　　] + 뜻 부분(意符) [　　]

9. 沫 = 소리 부분(聲符) [　　] + 뜻 부분(意符) [　　]

◪ 다음 중 주어진 글자로 이루어지는 단어를 2개 이상 한자 또는 한글로 쓰시오.

10. 未 – [　　　　　　]　　11. 味 – [　　　　　　]

12. 昧 – [　　　　　　]　　13. 妹 – [　　　　　　]

14. 末 – [　　　　　　]　　15. 沫 – [　　　　　　]

◪ 다음 글자의 훈과 음을 쓰시오.

(　)果( ) – (　)課( ) – (　)菓( ) – (　)顆( )

◪ 다음 글자를 분해하시오.

1. 課 = [　　] + [　　] + [　　]　　2. 顆 = [　　] + [　　]

3. 菓 = [　　] + [　　]　　4. 果 = [　　] + [　　]

◪ 다음 글자를 소리 부분(聲符)과 뜻 부분(意符)으로 분해하시오.

5. 課 = 소리 부분(聲符) [　　] + 뜻 부분(意符) [　　]

6. 菓 = 소리 부분(聲符) [　　] + 뜻 부분(意符) [　　]

7. 顆 = 소리 부분(聲符) [　　] + 뜻 부분(意符) [　　]

◪ 다음 중 주어진 글자로 이루어지는 단어를 2개 이상 한자 또는 한글로 쓰시오.

8. 果 – [　　　　　　]　　9. 課 – [　　　　　　]

10. 菓 – [　　　　　　]　　11. 顆 – [　　　　　　]

◪ 다음 글자의 훈과 음을 쓰시오.

(　)束( ) – (　)棘( ) – (　)刺( ) – (　)棗( )

◆ 다음 글자를 분해하시오.

1. 刺 = ⬜ + ⬜ + ⬜   2. 棘 = ⬜ + ⬜

3. 束 = ⬜ + ⬜   4. 棗 = ⬜ + ⬜

◆ 다음 글자를 소리 부분(聲符)과 뜻 부분(意符)으로 분해하시오.

5. 棘 = 소리 부분(聲符) ⬜ + 뜻 부분(意符) ⬜

6. 刺 = 소리 부분(聲符) ⬜ + 뜻 부분(意符) ⬜

7. 棗 = 소리 부분(聲符) ⬜ + 뜻 부분(意符) ⬜

◆ 다음 중 주어진 글자로 이루어지는 단어를 2개 이상 한자 또는 한글로 쓰시오.

8. 束 – ⬜   9. 棘 – ⬜

10. 刺 – ⬜   11. 棗 – ⬜

◆ 다음 글자의 훈과 음을 쓰시오.

( )果( ) – ( )栗( ) – ( )集( ) – ( )架( ) – ( )桀( ) – ( )染( )

◆ 다음 글자를 분해하시오.

1. 染 = ⬜ + ⬜ + ⬜   2. 集 = ⬜ + ⬜

3. 果 = ⬜ + ⬜   4. 架 = ⬜ + ⬜

◆ 다음 글자를 소리 부분(聲符)과 뜻 부분(意符)으로 분해하시오.

5. 架 = 소리 부분(聲符) ⬜ + 뜻 부분(意符) ⬜

6. 桀 = 소리 부분(聲符) ⬜ + 뜻 부분(意符) ⬜

7. 染 = 소리 부분(聲符) ⬜ + 뜻 부분(意符) ⬜

◆ 다음 중 주어진 글자로 이루어지는 단어를 2개 이상 한자 또는 한글로 쓰시오.

8. 果 – ⬜   9. 栗 – ⬜

10. 集 -

11. 架 -

12. 桀 -

13. 染 -

◆ 다음 글자의 훈과 음을 쓰시오.

( )林( ) - ( )森( ) - ( )休( ) - ( )枚( ) - ( )材( ) - ( )枕( ) -
( )朴( ) - ( )樹( )

◆ 다음 글자를 분해하시오.

1. 樹 = ▨ + ▨ + ▨   2. 材 = ▨ + ▨

3. 休 = ▨ + ▨   4. 林 = ▨ + ▨

◆ 다음 글자를 소리 부분(聲符)과 뜻 부분(意符)으로 분해하시오.

5. 材 = 소리 부분(聲符) ▨ + 뜻 부분(意符) ▨

6. 枕 = 소리 부분(聲符) ▨ + 뜻 부분(意符) ▨

7. 樹 = 소리 부분(聲符) ▨ + 뜻 부분(意符) ▨

◆ 다음 중 주어진 글자로 이루어지는 단어를 2개 이상 한자 또는 한글로 쓰시오.

8. 林 -

9. 森 -

10. 休 -

11. 枚 -

12. 材 -

13. 枕 -

14. 朴 -

15. 樹 -

◆ 다음 글자의 훈과 음을 쓰시오.

( )東( ) - ( )凍( ) - ( )棟( ) - ( )陳( ) - ( )陣( ) - ( )重( ) -
( )動( )

◆ 다음 글자를 분해하시오.

1. 動 = [　　] + [　　] + [　　]   2. 陣 = [　　] + [　　]

3. 重 = [　　] + [　　]   4. 陳 = [　　] + [　　]

◆ 다음 글자를 소리 부분(聲符)과 뜻 부분(意符)으로 분해하시오.

5. 凍 = 소리 부분(聲符) [　　] + 뜻 부분(意符) [　　]

6. 棟 = 소리 부분(聲符) [　　] + 뜻 부분(意符) [　　]

7. 動 = 소리 부분(聲符) [　　] + 뜻 부분(意符) [　　]

◆ 다음 중 주어진 글자로 이루어지는 단어를 2개 이상 한자 또는 한글로 쓰시오.

8. 東 - [　　　　　　　]   9. 凍 - [　　　　　　　]

10. 棟 - [　　　　　　　]   11. 陳 - [　　　　　　　]

12. 陣 - [　　　　　　　]   13. 重 - [　　　　　　　]

14. 動 - [　　　　　　　]

◆ 다음 글자의 훈과 음을 쓰시오.

(　)東( ) - (　)揀( ) - (　)練( ) - (　)鍊( ) - (　)煉( )

◆ 다음 글자를 분해하시오.

1. 鍊 = [　　] + [　　] + [　　]   2. 揀 = [　　] + [　　]

3. 柬 = [　　] + [　　]   4. 練 = [　　] + [　　]

◆ 다음 글자를 소리 부분(聲符)과 뜻 부분(意符)으로 분해하시오.

5. 練 = 소리 부분(聲符) [　　] + 뜻 부분(意符) [　　]

6. 鍊 = 소리 부분(聲符) [　　] + 뜻 부분(意符) [　　]

7. 煉 = 소리 부분(聲符) [　　] + 뜻 부분(意符) [　　]

◆ 다음 중 주어진 글자로 이루어지는 단어를 2개 이상 한자 또는 한글로 쓰시오.

8. 束 －

9. 揀 －

10. 練 －

11. 鍊 －

12. 煉 －

28강 - 대 죽(竹)

◆ 다음 글자의 훈과 음을 쓰시오.

( )竹( ) - ( )筆( ) - ( )簡( ) - ( )答( ) - ( )算( ) - ( )箱( ) -
( )等( ) - ( )第( ) - ( )籍( ) - ( )笛( ) - ( )管( ) - ( )節( )

◆ 다음 글자를 분해하시오.

1. 筆 = ☐ + ☐ + ☐   2. 籍 = ☐ + ☐

3. 節 = ☐ + ☐   4. 管 = ☐ + ☐

5. 簡 = ☐ + ☐ + ☐   6. 答 = ☐ + ☐

7. 等 = ☐ + ☐   8. 筆 = ☐ + ☐

◆ 다음 글자를 소리 부분(聲符)과 뜻 부분(意符)으로 분해하시오.

9. 簡 = 소리 부분(聲符) ☐ + 뜻 부분(意符) ☐

10. 箱 = 소리 부분(聲符) ☐ + 뜻 부분(意符) ☐

11. 第 = 소리 부분(聲符) ☐ + 뜻 부분(意符) ☐

12. 籍 = 소리 부분(聲符) ☐ + 뜻 부분(意符) ☐

13. 管 = 소리 부분(聲符) ☐ + 뜻 부분(意符) ☐

14. 節 = 소리 부분(聲符) ☐ + 뜻 부분(意符) ☐

◆ 다음 중 주어진 글자로 이루어지는 단어를 2개 이상 한자 또는 한글로 쓰시오.

15. 竹 - ☐   16. 筆 - ☐

17. 簡 - ☐   18. 答 - ☐

19. 算 -

20. 箱 -

21. 等 -

22. 第 -

23. 籍 -

24. 笛 -

25. 管 -

26. 節 -

◨ 다음 글자의 훈과 음을 쓰시오.

(　　)冊(　) - (　　)柵(　) - (　　)扁(　) - (　　)遍(　) - (　　)偏(　) - (　　)篇(　) -
(　　)編(　) - (　　)嗣(　) - (　　)典(　)

◨ 다음 글자를 분해하시오.

1. 編 = [　　] + [　　] + [　　]

2. 冊 = [　　] + [　　]

3. 篇 = [　　] + [　　]

4. 典 = [　　] + [　　]

5. 嗣 = [　　] + [　　] + [　　]

6. 偏 = [　　] + [　　]

7. 柵 = [　　] + [　　]

8. 遍 = [　　] + [　　]

◨ 다음 글자를 소리 부분(聲符)과 뜻 부분(意符)으로 분해하시오.

9. 柵 = 소리 부분(聲符) [　　] + 뜻 부분(意符) [　　]

10. 偏 = 소리 부분(聲符) [　　] + 뜻 부분(意符) [　　]

11. 篇 = 소리 부분(聲符) [　　] + 뜻 부분(意符) [　　]

12. 嗣 = 소리 부분(聲符) [　　] + 뜻 부분(意符) [　　]

◨ 다음 중 주어진 글자로 이루어지는 단어를 2개 이상 한자 또는 한글로 쓰시오.

13. 冊 -

14. 柵 -

15. 扁 -

16. 遍 -

17. 偏 -

18. 篇 -

19. 編 -

20. 嗣 -

21. 典 –

◘ 다음 글자의 훈과 음을 쓰시오.

( )侖( ) – ( )倫( ) – ( )輪( ) – ( )論( )

◘ 다음 글자를 분해하시오.

1. 輪 = [ ] + [ ] + [ ]   2. 侖 = [ ] + [ ]

3. 倫 = [ ] + [ ]   4. 諭 = [ ] + [ ]

◘ 다음 글자를 소리 부분(聲符)과 뜻 부분(意符)으로 분해하시오.

5. 倫 = 소리 부분(聲符) [ ] + 뜻 부분(意符) [ ]

6. 輪 = 소리 부분(聲符) [ ] + 뜻 부분(意符) [ ]

7. 다음 중 "음"이 서로 다른 글자는?
   ① 侖   ② 輪   ③ 倫   ④ 論

8. 바퀴는 둥글고 굴러가는 특성 때문에 '돌다'라는 뜻으로 쓰인 글자는?
   ① 侖   ② 倫   ③ 論   ④ 輪

◘ 다음 중 주어진 글자로 이루어지는 단어를 2개 이상 한자 또는 한글로 쓰시오.

9. 侖 –   10. 倫 –

11. 輪 –   12. 論 –

◘ 다음 글자의 훈과 음을 쓰시오.

( )뉘( ) – ( )壯( ) – ( )狀(/) – ( )裝( ) – ( )莊( ) –
( )將( ) – ( )奬( ) – ( )醬( )

◘ 다음 글자를 분해하시오.

1. 奬 = [ ] + [ ]   2. 裝 = [ ] + [ ]

3. 將 = [ ] + [ ]   4. 狀 = [ ] + [ ]

5. 醬 = [　　] + [　　]　　　　6. 莊 = [　　] + [　　]

7. 壯 = [　　] + [　　]　　　　8. 뉘 = [　　] + [　　]

◆ 다음 글자를 소리 부분(聲符)과 뜻 부분(意符)으로 분해하시오.

9. 壯 = 소리 부분(聲符) [　　] + 뜻 부분(意符) [　　]

10. 裝 = 소리 부분(聲符) [　　] + 뜻 부분(意符) [　　]

11. 奬 = 소리 부분(聲符) [　　] + 뜻 부분(意符) [　　]

12. 醬 = 소리 부분(聲符) [　　] + 뜻 부분(意符) [　　]

13. 다음 중 "음"이 2가지로 나는 글자는?

　① 醬　　　　　　② 裝　　　　　　③ 狀　　　　　　④ 奬

14. '개를 싸우도록 부추기다'는 뜻을 갖는 글자는?

　① 狀　　　　　　② 將　　　　　　③ 裝　　　　　　④ 奬

◆ 다음 중 주어진 글자로 이루어지는 단어를 2개 이상 한자 또는 한글로 쓰시오.

15. 壯 – [　　　　　]　　16. 狀 – [　　　　　]

17. 裝 – [　　　　　]　　18. 莊 – [　　　　　]

19. 將 – [　　　　　]　　20. 奬 – [　　　　　]

21. 醬 – [　　　　　]

◆ 다음 글자의 훈과 음을 쓰시오.

(　)片(　) – (　)版(　) – (　)牌(　)

◆ 다음 글자를 분해하시오.

1. 片 = [　　] + [　　] + [　　]

2. 版 = [　　] + [　　]

3. 牌 = [　　] + [　　]

◆ 다음 글자를 소리 부분(聲符)과 뜻 부분(意符)으로 분해하시오.

4. 牌 = 소리 부분(聲符) [   ]   +   뜻 부분(意符) [   ]

5. 나무 한가운데를 쪼개 두 동강이 난 모습을 옮긴 글자로 극히 작은 것 등으로 의미 확대된 글자는?

① 版   ② 片   ③ 牌   ④ 板

6. 본래는 널빤지를 뜻하는 글자였는데 책과 관련된 글자로 쓰이게 된 글자는?

① 牌   ② 片   ③ 版   ④ 板

◆ 다음 중 주어진 글자로 이루어지는 단어를 2개 이상 한자 또는 한글로 쓰시오.

7. 片 – [   ]   8. 版 – [   ]

9. 牌 – [   ]

天(천)　宇(우)　宙(주)　日(일)　月(월)　星(성)　辰(신)

天

훈음 하늘 천 **부수** 큰 大(대)　▶▶▶ 큰 大(대)의 꼭대기에 한 一(일) ➡ 사람 위의 높은 곳

큰 人(대)자 위에 한 一(일)을 더하므로 사람 머리보다 더 높은 곳에 있는 하늘을 가리켰다. "사람 위에 사람 없고 사람 아래 사람 없다". 따라서 사람 위의 한 一(일)은 하늘을 상징하는 부호이다.

●●●●● 天國(천국)/天地(천지)/天體(천체)/中天(중천)

宇

훈음 집 우 **부수** 집 宀(면)　▶▶▶ 집 宀(면) + 어조사 于(우) ➡ 하늘을 지붕 삼은 집.

집의 처마를 가리키는 말로써 집 宀(면)이 의미요소고, 于(우)는 단순히 발음기호이다. 훗날 '집, 하늘'을 가리키는 것으로 의미 확대되었다.

●●●●● 宇宙(우주)/宇下(우하)

宙

훈음 집 주 **부수** 집 宀(면)　▶▶▶ 집 宀(면) + 말미암을 由(유) ➡ 하늘을 지붕 삼은 집

집의 마룻대와 들보를 지칭하던 말이었으므로 집 宀(면)이 의미요소로 由(유)는 발음기호일뿐이다. 훗날 '집, 하늘'을 지칭하는 것으로 의미 확대되었다.

●●●●● 宇宙(우주)

日

훈음 해 일 **부수** 제 부수

태양의 모습을 단순 간결하게 그린 그림 글자(象形文字)로 '해, 날, 하루, 낮' 등의 의미로 사용되고 있다.

●●●●● 日照權(일조권)/作心三日(작심삼일)/日刊紙(일간지)

月

훈음 달 월 **부수** 제 부수

초승달을 본떠서 만든 글자 혹은 이그러져 있는 半月形(반월형) 모양을 단순 간결하게 그림으로 나타낸 그림 문자로 '달, 다달이'라는 뜻으로 사용된다.

●●●●● 每月(매월)/日月(일월)/月光(월광)/月給(월급)/歲月(세월)

星

훈음 별 성 **부수** 해 日(일)　▶▶▶ 해 日(일) + 날 生(생) ➡ 밤 하늘에 작은 해가 생겨난 것이 곧 별이다

직역하면 '해(日)가 나다', 즉 '별이 해처럼 밤하늘에 생겼다(生)' 해서 만들어진 글자로 두 글자 모두 의미요소이며 날 生(생)이 발음기호이다. 원래 갑골문의 모습은 '밤 하늘을 수놓는 무수한 별들'을 여러 개의 동그라미나 정사각형으로 그린 것을 세 개로 정리한 晶(정)자였다. 그러나 이 글자가 모든 밝고 빛나는 것을 의미하게 되자 '별'의 의미만 가진 글자를 따로 만든 것이 지금의 별 星(성)자이다.

●●●●● 金星(금성)/星雲(성운)/衛星(위성)/恒星(항성)/行星(행성)/彗星(혜성)

辰

훈음 별 신/진 **부수** 제 부수

갑골문은 조개살이 삐쳐 나온 모양을 그려서 '조개 모양'에서 만들어졌음을 알 수 있으나, 소전에 와서는 현재의 모습으로 바뀌어 조개 모양을 유추하기 힘들어졌다. 生辰(생신)에서는 '때'로 干支(간지)의 하나로 따라서 辰時(진시)는 07시~09시를 가리키며, 일월성신에서는 '별'의 뜻도 있음을 알 수 있다.

●●●●● 生辰(생신)/甲辰(갑진)/日月星辰(일월성신)/誕辰(탄신)

日 해 일

旦(단)　　　早(조)　　　旭(욱)　　　昇(승)　　　映(영)
晝(주)　　　曜(요)　　　晴(청)　　　景(경)　　　晚(만)

旦

훈음 아침 단 　부수 해 日(일)　▶▶▶ 해 日(일) + 한 一(일) ➡ 해가 수평선 위로 떠오르는 모습

해(日)가 아침에 지평선 혹은 수평선(一) 위로 떠오르는 모습에서 '아침'의 의미를 갖게 된 글자로 두 글자 모두 의미요소이다.

●●●●● 元旦(원단)

早

훈음 새벽 조 　부수 해 日(일)　▶▶▶ 해 日(일) + 열 十(십) ➡ 새벽에 수면에 붙어 떨어져 떠오르려는 태양

해(日)가 수평선(一)에 막 떠올라 수평선과 떨어지려고 할 때의 모습을 그린 글자로 바다에서 해가 뜨고 있지만 여전히 밝지 않은 '새벽'을 잘 나타낸 글자다. '일찍, 어리다, 이르다' 등의 뜻으로 파생됐다.

●●●●● 早朝割引(조조할인)/早退(조퇴)/早熟(조숙)/早期(조기)

旭

훈음 아침 해 욱 　부수 해 日(일)　▶▶▶ 아홉 九(구) + 해 日(일) ➡ 완전히 솟아 오른 밝은 아침 해

중국에서 8이 거의 완전이나 전체를 나타내는 숫자인데, 그보다 큰 9라는 숫자를 통해 해(日)가 이보다 더 밝을 수 없음을 나타낸 글자다.

●●●●● 旭日昇天(욱일승천)※ 물들일 염(染)/궁구할 구(究)/九死一生(구사일생)

昇

훈음 오를 승 　부수 해 日(일)

▶▶▶ 해 日(일) + 되 升(승) ➡ 두 손으로 밀어 올린 것처럼 중천에 떠오른 해

해가 떠오르다가 원뜻이므로 해 日(일)이 의미요소고 되 升(승)은 발음기호이다. 해(日)를 마치 두 손(廾)으로 떠받쳐 밀어 올리는 듯한 모습에서 '올리다, 올라가다'라는 뜻으로 쓰였다.

●●●●● 昇天(승천)/昇降機(승강기)/昇格(승격)/急上昇(급상승)

映

훈음 비출 영 　부수 해 日(일)

▶▶▶ 해 日(일) + 가운데 央(앙) ➡ 중천에 떠올라 사방천지를 비추는 해

햇살이 비추다가 원뜻이므로 해 日(일)을 의미요소로 가운데 央(앙)을 발음기호로 했다. 해(日)가 마치 하늘 중앙(央)에 떠오르면서 사방천지를 환히 비춘다 하여 '비추다'라는 뜻이 생겼다.

●●●●● 映畵(영화)/映寫機(영사기)

晝

훈음 낮 주 　부수 해 日(일)　▶▶▶ 붓 聿(율) + 아침 旦(단) ➡ 낮에 서당에서 글을 읽고 쓰는 아이들

해가 중천에 떠오른(旦) 한낮에 서당에서 아이들이 글을 읽고 쓰는(聿) 소리가 들린다.
전기가 없던 시절에 밤낮을 구별하는 글자로, 책을 읽고 글을 쓰는(聿) 시간을 선택했다는 것이 흥미롭다.

●●●●● 白晝(백주)/晝夜(주야)/晝耕夜讀(주경야독)

曜

훈음 빛날 요 　부수 해 日(일)　▶▶▶ 해 日(일) + 깃털 羽(우) +새 隹(추) ➡ 해를 받아 빛나는 새의 깃털

새(隹)의 날개(羽)가 햇빛(日)을 받아 빛나는 모습을 그린 글자이므로 모든 글자가 다 의미요소이다.

●●●●● 日曜日(일요일)/曜日(요일)

晴
훈음 갤 청 부수 해 日(일) ▶▶▶ 해 日(일) + 푸를 靑(청) → 하늘이 푸르러 해가 더욱 맑고 밝다
하늘이(日) 푸르다(靑)는 것은 비갠 후의 너무나 맑고 푸른(靑) 하늘을 묘사하는 말로 두 글자 모두 의미요소이며 靑(청)이 발음요소이다.
●●●●● 快晴(쾌청)/靑天霹靂(청천벽력)

景
훈음 볕 경 부수 해 日(일)
▶▶▶ 해 日(일) + 서울 京(경) → 높은 팔각정(京) 위로 떠오른 태양(日)의 모습이 絶景(절경)이다
높이 솟은 누각(京)의 지붕 위로 마치 해(日)가 솟아오르는 것처럼 보여 보는 이들로 하여금 감탄을 자아냈을 것이며, 오늘날 "산 중턱에 해가 걸렸다"는 말을 하는 것처럼 당시 드물었던 높은 건물의 등장으로 마치 해가 '높은 건물 위로 떠오르는 것처럼' 여겨져서 만들어진 글자로 '크고 웅장한 볕과 경치'로 의미 확대됐다.
●●●●● 景致(경치)/景觀(경관)/背景(배경)/風景(풍경)

晚
훈음 저물 만 부수 해 日(일)
▶▶▶ 해 日(일) + 면할 免(면) → 아이가 태어나듯 태양도 어둠 속으로 사라짐
아이가 태어나듯(免) 서산이나 바다에 걸려 있던 태양도(日) 갑자기 바닷물 속으로 사라지는 장면에서 '저물다'의 뜻이 생겼다. 免(면)은 발음기호이다.
●●●●● 晚婚(만혼)/晚秋(만추)/晚年(만년)/晚學(만학)/大器晚成(대기만성)/晚生種(만생종)-早生種(조생종)

昜(양)	陽(양)	揚(양)	瘍(양)	楊(양)	場(장)	腸(장)
傷(상)	暢(창)	湯(탕)	蕩(탕)	易(역)	易(이)	賜(사)

昜
훈음 볕 양 부수 해 日(일) - 볕 陽(양)과 同字(동자)
▶▶▶ 아침 旦(단) + 없을 勿(물) → 햇살에 아지랑이가 피어오르다
햇살을 나타내기 위한 글자이므로 떠오른 태양을 상징하는 아침 旦(단)이 의미요소다. 훗날 햇살의 모양이 피어오르는 아지랑이와 모양이 휘날리는 깃발의 모습과 비슷하다 하여 이미 깃발의 의미로 사용되던 말 勿(물)을 첨가하여 만든 글자다. 따라서 본뜻은 '햇볕'이다.

陽
훈음 볕 양 부수 언덕 阜(부) ▶▶▶ 언덕 阝(부) + 볕 昜(양) → 언덕 위로 해가 솟아오르다
볕 昜(양)자의 의미를 더욱 분명히 하기 위해 아침 해가 떠오르는(旦) 산등성이나 언덕(阝)을 추가하여 햇살이 찬란하게 쏟아지는(勿) 장면을 분명히 한 글자다. 볕 昜(양)이 발음기호로도 사용됐다.
●●●●● 陽地(양지)/太陽(태양)/斜陽産業(사양산업)/遮陽(차양)

揚
훈음 오를/날릴 양 부수 손 扌(수) ▶▶▶ 손 扌(수) + 볕 昜(양) → 손으로 해를 떠올리듯 높이 올리다
'솟아오르게 하다'를 뜻하므로 손 扌(수)를 의미요소로, 솟아오른 태양을 상징하는 昜(양)을 의미요소 및 발음기호로 '들어올리다, 드러나다'로 의미 확대됐다. 손(扌)으로 마치 해를 떠올리게(旦) 하는 것처럼 즉 일을 한다거나 업적을 세워 국가의 명예나 가문의 영광을 드높인다는 추상적 의미도 추가됐다.
●●●●● 揭揚(게양)/揚力(양력)/揚水機(양수기)/抑揚(억양)

瘍
훈음 종기 양 부수 병들어 기댈 疒(역) ▶▶▶ 병들어 기댈 疒(역) + 볕 昜(양) → 발음 + 의미
종기란 피부나 살점에 솟아오른 병의 일종이므로 병을 상징하는 疒(역)을 의미요소로, 昜(양)은 발음기호 겸 '솟아오르다'의 의미요소로도 사용된다.
●●●●● 腫瘍(종양)/潰瘍(궤양)

楊 훈음 버들 양 부수 나무 木(목) ▶▶▶ 나무 木(목) + 볕 昜(양) → 축 늘어지는 나무

가지가 아래로 축 늘어지는 버드나무를 가리키는 글자다. 나무 木(목)이 의미요소고 볕 昜(양)이 발음기호로 이 글자는 바람에 휘날리는 '깃발'의 의미가 있어서 빌려 썼는지도 모른다.

●●●●● 垂楊(수양)버들

場 훈음 마당 장 부수 흙 土(토) ▶▶▶ 흙 土(토) + 볕 昜(양) → 햇살이 비치는 땅

여러 가지 쓰임새가 있는 '마당'을 나타낸 글자로 흙 土(토)가 의미요소고, 昜(양)은 발음기호나 해가 높이 솟아올랐을 때 햇살을 듬뿍 받는 땅이 마당이므로 볕 昜(양)자가 의미요소에도 관여하고 있음을 볼 수 있다. 아침 해가 떠오르면(昜) 사람들이 모여드는 해가 잘 드는 너른 땅(土)에서 굿판을 벌리기도 하고 장이 열리기도 한다.

●●●●● 場所(장소)/廣場(광장)/市場(시장)/劇場(극장)/現場(현장)

腸 훈음 창자 장 부수 고기 月(육) ▶▶▶ 고기 月(육) + 볕 昜(양) → 창자도 신체 기관

창자란 신체 기관이므로 몸을 나타내는 肉(육)달 月(월)을 의미요소로 昜(양)은 발음기호로 쓰였다.

●●●●● 大腸(대장)/小腸(소장)/盲腸(맹장)/胃腸(위장)/斷腸(단장)

傷 훈음 상처/다칠 상 부수 사람 亻(인) ▶▶▶ 사람 亻(인) + 亠(두) + 볕 昜(양) → 다친 사람

다친 사람을 나타내기 위한 글자이므로 사람 亻(인)이 의미요소고, 昜(양)을 포함한 나머지가 발음요소임은 술잔 觴(상)이나 근심할 愓(상)에서도 마찬가지이다.

●●●●● 負傷(부상)/傷處(상처)/傷心(상심)/中傷(중상)

暢 훈음 펼 창 부수 해 日(일) ▶▶▶ 펼 申(신) + 볕 昜(양) → 사방으로 퍼지는 햇살

하늘에서 시작하여 땅으로 넓게 퍼지는 번개 모양의 펼 申(신)과 높이 솟아오른 태양을 상징하는 昜(양)을 합하여 사방팔방으로 막힘없이 뻗어나가는 모습의 글자를 탄생시켰다.

昜(양)은 발음기호로도 사용된다.

●●●●● 暢達(창달)/和暢(화창)

湯 훈음 끓일 탕 부수 물 氵(수) ▶▶▶ 물 氵(수) + 볕 昜(양) → 뜨거운 태양이 대지의 물을 끓게 만든다

온천수처럼 '끓는 뜨거운 물'을 의미하므로 물 氵(수)가 의미요소고 볕 昜(양)이 발음기호임은 음탕할 婸(탕)에서도 알 수 있다. 단순히 볕 昜(양)이 발음에만 영향을 미친 것이 아니라 뜨거운 태양은 물도 끓게 할 수 있으므로 의미요소에도 기여한다.

●●●●● 浴湯(욕탕)/雜湯(잡탕)/藥湯(약탕)/大衆湯(대중탕)

蕩 훈음 쓸어버릴 탕 부수 풀 艹(초) ▶▶▶ 풀 艹(초) + 끓일 湯(탕) → 뜨거운 물에 약초를 쓸어 넣다

채소를 뜨거운 물에 삶으면 흐물흐물해지거나 줄어드는 모습에서 '쓸어 없애다, 흩어지다, 없어지다' 등의 뜻으로 의미 확대된 글자로 두 글자 모두 의미요소이다.

●●●●● 蕩減(탕감)/蕩盡(탕진)/掃蕩(소탕)/虛浪放蕩(허랑방탕)/腦震蕩(뇌진탕)

易 훈음 쉬울 이/바꿀 역 부수 해 日(일)

▶▶▶ 해 日(일) + 말 勿(물) → 해가 뜨고 지는 것은 쉽고 낮밤은 만물의 모습을 바꾼다.

서산에 걸려 있는 해(日)와 마지막 빛을 발하는 햇살(勿)의 모양을 그린 글자로 해가 지면 낮과 밤이 바뀌므로 '바꾸다'가 원뜻으로 훗날 '쉽다'로 의미 확대됐다. 또는 해가(日) 떠오르면 어둠도 사라지고 이슬도 마르고 모든 것이 밤과는 완전히 바뀌므로 '바꿀 역'으로 그렇게 되는 것이 너무도 자연스러우므로 '쉬울 이'로 쓰이게 됐다.

●●●●● 難易度(난이도)/容易(용이)하다/易地思之(역지사지)

賜 훈음 줄 사 부수 조개 貝(패) ▶▶▶ 조개 貝(패) + 바꿀 易(역) → 내 소중한 것을 남에게 주어 소유주가 바뀌다

'윗사람이 아랫사람에게 주다'는 뜻인데 예나 지금이나 주는 것 가운데 돈이 가장 으뜸이므로 돈을 상징하는 조개 貝(패)가 의미요소이고, 바꿀 易(역)은 '주므로' 소유주가 바뀐다(易(역)) 하여 더해진 것으로 여겨진다.

●●●●● 恩賜(은사)/下賜(하사)/賜藥(사약)

旦(단)	恒(항)	是(시)	題(제)	堤(제)	提(제)

旦 훈음 아침 단　부수 해 日(일)　▶▶▶ 해 日(일) + 한 一(일) ➡ 해가 수평선 위로 떠오르는 모습
아침에 해(日)가 지평선 혹은 수평선(一) 상에 떠오른 모습을 단순 간결하게 정리한 글자다.
●●●●● 元旦(원단)

恒 훈음 항상 항　부수 마음 忄(심)　▶▶▶ 마음 忄(심) + 한 一(일) + 아침 旦(단) ➡ 변함없는 자연 현상과 같은 마음
해(日)가 늘 뜨고(一) 지고(一) 하는 일은 천지가 존재하는 한 영원히 있을 거라 하여 '늘, 항상'의 뜻을 갖게 된 글자다. 마음 忄(심)이 훗날 첨가되어 마음(忄) 역시 변함없어야 함을 교훈한 글자로 모든 글자가 다 의미요소이고 해 日(일)은 원래 달 月(월)이었다.
●●●●● 恒常(항상)/恒星(항성)/恒久的(항구적)

是 훈음 옳을 시　부수 해 日(일)　▶▶▶ 해 日(일) + 바를 正(정)의 변형 ‒ 바른 곳을 향하여 나아감
해(日)를 향하여 전진하는(正) 모습에서 '똑바로' 똑바른 것은 옳다하여 '옳다'로 의미가 발전한 글자로 두 글자 모두 의미요소이다.
●●●●● 是是非非(시시비비)/是認(시인)/或是(혹시)/國是(국시)

題 훈음 표제 제　부수 머리 頁(혈)　▶▶▶ 옳을 是(시) + 머리 頁(혈) ➡ 목표(머리)는 똑발라야 함
표제나 제목이란 사람의 이마처럼 가장 앞장세우는 것을 말하는 것이므로 당연히 옳은(是) 것을 앞(頁)세워야 하며 머리(頁)는 옳은 것(是)을 제시하며 따라오라고 해야 한다.
●●●●● 題目(제목)/表題(표제)/難題(난제)

堤 훈음 둑 제　부수 흙 土(토)　▶▶▶ 흙 土(토) + 옳을 是(시) ➡ 흙은 제방 쌓기에 필요한 자재
하천의 범람을 막기 위해 양쪽에 쌓아올린 둑을 말하는 것으로 흙 土(토)가 의미요소이고 옳을 是(시)는 발음기호이다.
●●●●● 堤防(제방)/防波堤(방파제)

提 훈음 끌 제　부수 손 手(수)　▶▶▶ 손 扌(수) + 옳을 是(시) ➡ 올바른 곳으로 나아가도록 손으로 잡아당김
손으로 집어 들거나 끌어당기다가 원뜻으로 손 扌(수)가 의미요소고 옳을 是(시)는 발음기호이나, 좋고 옳은 것이니까 집어 들기도 하고 끌어당기기도 하지 않겠는가?
●●●●● 提案(제안)/提供(제공)/提起(제기)/提訴(제소)/提出(제출)

旦(단)	但(단)	亶(단)	壇(단)	檀(단)

旦 훈음 아침 단　부수 해 日(일)　▶▶▶ 해 日(일) + 한 一(일) ➡ 해가 수평선 위로 떠오른 모습
아침에 해(日)가 지평선 혹은 수평선(一) 상에 떠오른 모습을 단순 간결하게 정리한 글자다.
●●●●● 元旦(원단)

但 훈음 다만 단　부수 사람 亻(인)
▶▶▶ 사람 亻(인) + 아침 旦(단) ➡ '윗도리를 벗다' ‒ 해가 중천에 떠오르자 겉옷을 벗음
'윗도리를 벗다'가 본뜻으로 사람 亻(인)이 의미요소로 아침 旦(단)은 발음기호이다. 뜻이 '다만, 한갓' 등으로 가차되자 본래의 뜻을 살리기 위해 옷 衣(의)를 추가하여 "웃통 벗을 袒(단)"자를 만들었으나 쓰임새는 거의 없다.
●●●●● 但只(단지)/但書(단서)

亶 훈음 믿음/미쁠 단 부수 머리 亠(두)
▶▶▶ 머리 亠(두) + 돌 回(회) + 아침 旦(단) ➡ 창고에 곡식을 가득 쌓아 둠
곡식(旦)을 창고에 차곡차곡 쌓아올려(回) 맨 꼭대기(亠)를 평평하고 단단하게 한 곡식 창고의 모습을 그린 글자로 그득 쌓여 있는 곡식 창고를 보니 미쁘기 그지없었을 것이다.
●●●●● 亶亶(단단)

壇 훈음 단 단 부수 흙 土(토) ▶▶▶ 흙 土(토) + 미쁠 亶(단) ➡ 쌓아올린 흙무더기
옛날에는 흙이나 돌무더기를 쌓아올려 그 위에 제물을 올려놓고 제사를 지냈다. 바로 그 모습 즉 흙(土)을 높이 도탑게(亶) 쌓아올려 만든 모습에서 '그 주위보다 높거나 특별한 곳'을 의미하게 되었다. 亶(단)이 발음기호이다.
●●●●● 壇上(단상)/演壇(연단)/講壇(강단)/畵壇(화단)

檀 훈음 박달나무 단 부수 나무 木(목) ▶▶▶ 나무 木(목) + 믿음 亶(단) ➡ 단단하기 그지없는 박달나무
육질이 단단한 '박달나무'를 뜻하기 위함이어서 나무 木(목)이 의미요소고, 믿음 亶(단)은 발음기호이나 '단단하다'라는 의미에 조금 기여했을 것이다.
●●●●● 檀君(단군)/檀林(단림)

旨(지)　　　指(지)　　　脂(지)　　　皀(흡)

旨 훈음 맛있을 지 부수 해 日(일) - 해 日(일)은 그릇의 변형
▶▶▶ 수저 匕(비) + 해 日(일) ➡ 한 수저 떠서 입에 넣고 맛을 보는 장면
갑골문에선 숟가락(匕)과 입 혹은 그릇(日)의 상형으로 '맛있다'가 본뜻이다. 맛있는 음식을 한술 떠서 입에 넣는 장면이라고 봐도 좋겠다.
●●●●●

指 훈음 손가락/가리킬 지 부수 손 扌(수) ▶▶▶ 손 扌(수) + 旨(지) ➡ 손가락으로 맛을 보는 장면
음식 맛(旨)을 손가락(扌)으로 본다 하여 '손가락' 나아가 '가리키다'로 의미 확대되었으며 여기서 旨(지)는 발음기호 역할도 한다.
●●●●● 指示(지시)/指針(지침)/指摘(지적)

脂 훈음 기름 지 부수 肉(육)달 月(월)
▶▶▶ 肉(육)달 月(월) + 맛있을 旨(지) ➡ 지방은 고기 중 맛을 내는 부분
고기의 맛있는 부위는 어디일까? 한자를 보면 脂肪(지방)임을 쉬이 알 수 있다. 역시 고기의 맛은 기름기가 적절히 가미되어야 제 맛이다. 따라서 고기를 나타내는 肉(육)달 월(月)과 고소하고 맛있다는 맛있을 旨(지)가 어우러진 글자로 旨(지)는 발음기호로도 사용되었다.
●●●●● 脂肪(지방)/皮脂(피지)/臙脂(연지)/乳脂(유지)

皀 훈음 고소할 흡/급 부수 흰 白(백)
▶▶▶ 흰 白(백) + 비수 匕(비) ➡ 밥그릇에 담긴 밥에서 고소하다는 뜻이 생김
밥그릇에 담긴 밥의 상형으로 독자적으로 쓰이지는 않는다. 匕(비)는 비수도 사람도 아니고 형태가 변한 글자다.

旺(왕)　　　昌(창)　　　星(성)　　　晶(정)　　　智(지)

旺
훈음 성할 왕　부수 해 日(일)
▶▶▶ 해 日(일) + 임금 王(왕) → 가장 강력한 태양과 임금보다 더 성할 수 있는 세력은 없다
세력이나 기운이 왕성한 모습을 나타내기 위해 옛 사람들의 생각에 가장 강력한 물체로 여긴 태양 日(일)과 절대 권력자인 임금 王(왕)을 합하여 만든 글자다. 두 글자 모두 의미 요소이고 임금 王(왕)이 발음을 겸한다.
●●●●● 旺盛(왕성)/興旺(흥왕)

昌
훈음 창성할/아름다울/고울/기쁨/경사 창　부수 해 日(일)
▶▶▶ 해 日(일) + 해 日(일) → 태양이 수면 위로 솟아오를 때의 아름다움
아침 해가 막 수면 위로 솟아오른 광경을 묘사한 글자다. 위의 日은 태양을 아래의 日은 수면에 비친 태양의 그림자였으나 소전에 와서 曰(왈)로 바뀌었다. 아무튼 밝은 태양의 수면 위로 떠오르는 모습이 얼마나 아름답고 웅장한가?
●●●●● 繁昌(번창)/昌盛(창성)

星
훈음 별 성　부수 해 日(일)　▶▶▶ 해 日(일) + 날 生(생) → 밤에 생겨난 태양은 별이다
직역하면 '해(日)가 나다' 즉 '별이 해처럼 밤 하늘에 생겼다(生)'해서 만들어진 글자다. 두 글자 모두 의미 요소이며 날 生(생)이 발음기호이다. 원래 갑골문의 모습은 '밤하늘을 수놓는 무수한 별들'을 여러 개의 동그라미나 정사각형으로 그린 것을 세 개로 정리한 晶(정)자였다. 그러나 이 글자가 모든 밝고 빛나는 것을 의미하게 되자 '별'의 의미만 가진 글자를 따로 만든 것이 지금의 별 星(성)이다.
●●●●● 金星(금성)/星雲(성운)/衛星(위성)/恒星(항성)/行星(행성)/彗星(혜성)

晶
훈음 밝을 정　부수 해 日(일)　▶▶▶ 해 日(일) × 3 - 밤하늘을 수놓은 별들의 모습
밤하늘을 수놓은 찬란한 별들을 상형한 글자로 '별, 별빛'이 본뜻이었으나 점차 '모든 빛나는 것'을 의미하게 되자 별 星(성)자를 따로 만들었다. 따라서 별 星(성)의 원 글자이다. 삼 세 번을 이용하여 별처럼 밝고 깨끗한 수정과 같은 아주 밝은 것을 적절히 강조한 글자다.
●●●●● 水晶(수정)/結晶(결정)/紫水晶(자수정)

智
훈음 슬기로울/지혜 지　부수 해 日(일)　▶▶▶ 알 知(지) + 해 日(일) → 하늘의 뜻을 아는 것이 곧 지혜
하늘의 뜻을 아는 것이 곧 신의 뜻을 파악하고, 그대로 행동하는 것이 지혜롭다는 사상을 가진 글자다. 하늘이나 신을 상징하는 해 日(일)과 알 知(지) 모두가 의미요소이며 知(지)는 발음을 겸한다.
●●●●● 智慧(지혜)/智德體(지덕체)/機智(기지)

京暴(폭/포)　　　爆(폭)　　　瀑(폭)　　　泰(태)　　　暑(서)

暴
훈음 사나울 폭/포　부수 해 日(일)　▶▶▶ 해 日(일) + 날 出(출) + 廾(공) + 米(미) → 대낮에 쌀 창고를 털어감
해의 상형 日(일)과 움집(凵)에서 걸어 나가는 발(止)을 상형한 出(출)과 두 손의 상형 廾(공) 그리고 쌀의 상형 米(미)로 구성된 글자다. '날이 활짝 개어 해가 나오자 쌀을 퍼내어 마당에 말리는 농부의 모습'으로 겉으로 '드러내다', 젖은 것을 '말리다'라는 뜻으로 쓸 때는 '폭' 나머지는 '포', 현재는 '포악하다, 갑작스럽다'로 사용되고 있다.
●●●●● 暴行(폭행)/暴徒(폭도)/暴虐(포학)/暴惡(포악)/暴炎(폭염)/暴露(폭로)

爆 훈음 터질 폭 부수 불 火(화) ▶▶▶ 불 火(화) + 사나울 暴(폭) → 불태움의 극치
폭약이든 화산이든 터지는 것을 나타낸 글자이므로 불 火(화)가 의미요소고, 暴(폭)은 발음 겸 의미요소다.
●●●●● 爆藥(폭약)/爆彈(폭탄)

瀑 훈음 폭포 폭 부수 물 氵(수) ▶▶▶ 물 氵(수) + 사나울 暴(폭) → 폭포는 사나운 물줄기다
엄청난 굉음과 함께 수직 절벽에서 떨어지는 물소리는 천지를 진동시킨다. 따라서 포악한(暴) 물(氵)이란
곧 폭포를 말하는 것으로 모든 글자가 다 의미요소이나 사나울 暴(폭)이 발음을 겸한다.
●●●●● 瀑布(폭포)

泰 훈음 클 태 부수 물 氺(수) ▶▶▶ 큰 大(대) + 두 손 받들 廾(공) + 물 氺(수) → 큰물을 건너는 사람
"물에 빠진 사람을 건져 주는 장면인지 아니면 어른이 물에 빠져 두 손을 들고 있는 장면인지 또는 두 손
을 위로 쳐들고 큰 물을 건너는 장면인지" 알 수 없다. 그러나 이 그림에서 전문가들은 '미끄러지다, 미끄
럽다'가 원 뜻이라고 추측했다. 그러나 훗날 이 글자는 '크다, 대단히 뽐내다, 침착하다' 등으로 가차된 것으
로 여겨진다. 크다는 클 太(태)를 따로 만들어 사용한다.
●●●●● 泰山峻嶺(태산준령)/泰山北斗(태산북두)/泰斗(태두)/國泰民安(국태민안)/泰然自若(태연자약)

暑 훈음 더울 서 부수 해 日(일) ▶▶▶ 해 日(일) + 놈 者(자) → 모든 것을 삶아 찌는, 푹푹 찌는 여름 햇살
'푹푹 찌는 무더운 날씨'를 나타낸 글자로 해 日(일)이 의미요소이며 '삶는다'의 원뜻인 놈 者(자)는 발음기
호이다. 그러나 이 글자에 한해서만은 '푹푹 찌는 날'의 뜻으로 의미요소에도 기여한 듯하다.
●●●●● 暴暑(폭서)/避暑(피서)/酷暑(혹서)

普(보)　　譜(보)　　昆(곤)　　棍(곤)　　混(혼)　　濁(탁)

普 훈음 널리 보 부수 해 日(일) ▶▶▶ 아우를 並(병) + 해 日(일) → 모든 사람에게 비치는 햇살
두 사람이 태양 아래 서 있는 상황을 형상화한 글자이나 추측이 어려운 글자로 설 立(립) 두 개와 태양을
그린 글자이므로 "태양의 햇살은 모든 사람에게 널리 두루두루 미친다"로 봐야 '널리, 두루두루'라는 뜻을
유추해낼 수 있다.
●●●●● 普及(보급)/普通(보통)/普遍(보편)

譜 훈음 계보 보 부수 말씀 言(언) ▶▶▶ 말씀 言(언) + 널리 普(보) → 여러 사람에게 두루 미치는 내용
族譜(족보)나 年譜(연보)처럼 여러 사람과 관계되는 것 또는 여러 사람에게 두루 미치는 내용을 적어 놓은
것을 말하는 것으로, 두 글자 모두 의미요소이고 널리 普(보)는 발음을 겸한다.
●●●●● 系譜(계보)/樂譜(악보)/年譜(연보)/族譜(족보)

昆 훈음 곤충/형 곤 부수 해 日(일)
▶▶▶ 해 日(일) + 견줄 比(비) → 해와 관계없는 곤충의 몸통을 상징
머리·가슴·배의 세 부분으로 나뉘는 절지동물 즉 파리나 벌·나비·메뚜기 등을 나타내려고 한 글자로
견줄 比(비)는 사람이 아니라 곤충의 많은 다리를 형상화한 것으로 간편하게 比(비)로 정리한 것이다. 따라
서 다리가 많이 달린 곤충이 원뜻이며 '형, 맏이'는 파생의미이다.
●●●●● 昆蟲(곤충)/昆季(곤계)

棍 훈음 몽둥이 곤 부수 나무 木(목)
▶▶▶ 나무 木(목) + 곤충 昆(곤) → 곤충을 때려잡는 데 웬 몽둥이
죄인을 형벌하는 몽둥이를 뜻하는 글자로 나무 木(목)이 의미요소고, 昆(곤)은 발음기호이다.
●●●●● 棍杖(곤장)/棍棒(곤봉)

混
훈음 섞을 혼　부수 물 氵(수)　▶▶▶ 물 氵(수) + 곤충 昆(곤) → 작은 곤충들이 섞여 있듯이 물을 섞음
도랑에 벌레(昆) 우글대는 모습에서 만들어진 글자로 곤충 곤(昆)을 넣은 글자인 혼탁(混濁)의 섞을 혼(混)과 벌레 촉(蜀)을 넣은 흐릴 탁(濁)자가 있다.
●●●●● 混雜(혼잡)/混紡(혼방)/混食(혼식)/混合(혼합)/混成(혼성)/濁酒(탁주)

白(백)　　百(백)　　伯(백)　　舶(박)　　泊(박)
拍(박)　　迫(박)　　的(적)　　泉(천)　　習(습)

白
훈음 흰 백　부수 제 부수　▶▶▶ 점 丶(주) + 해 日(일) → 햇살에 빛나는 물방울
햇살(日)에 물방울들(丶)이 마치 구슬처럼 반짝반짝 빛난다. 참으로 깨끗하고 투명한 모습에서 또는 곡식 알갱이의 모습에서 만들어 낸 글자로 보이나 정설은 없으며 '흰색, 아무것도 없다, 깨끗하고 밝다, 말하다, 여쭈다'의 뜻을 갖게 됐다.
●●●●● 白沙場(백사장)/白衣民族(백의민족)/白痴(백치)/潔白(결백)/自白(자백)/告白(고백)/白手(백수)

百
훈음 일백 백　부수 한 一(일)　▶▶▶ 한 一(일) + 흰 白(백) → 빛나는 사람에서 일백이라는 큰 숫자로
큰 숫자인 백이 만들어진 과정을 유추해 내기가 쉽지 않다. 흰 白(백) 위에 한 一(일)을 더하여 지금의 숫자 백으로 쓰이게 되었으나 발음이 같아 가차된 경우란 생각이 들기도 하며 '맏이나 사람의 머리'로 보는 설이 유력함으로 숫자 중 가장 큰 '형'을 지칭하게 된 것이라고 여겨진다.
●●●●● 百年大計(백년대계)/百發百中(백발백중)/百方(백방)/百姓(백성)

伯
훈음 맏 백　부수 사람 亻(인)　▶▶▶ 사람 亻(인) + 흰 白(백) → 사람 가운데 가장 큰사람
사람 가운데 가장 큰자를 나타낸 글자이므로 사람 亻(인)이 의미요소고 곡식의 머리인 알갱이의 모습인 흰 白(백)이 의미에도 관여하면서 발음을 겸했다.
●●●●● 伯父(백부)/方伯(방백)/伯仲之勢(백중지세)/畵伯(화백)

舶
훈음 큰 배 박　부수 배 舟(주)　▶▶▶ 배 舟(주) + 흰 白(백) → 눈에 확 띄는 배
큰 배를 뜻하기 위해 배 舟(주)를 의미요소로 흰 白(백)을 발음기호로 했다.
●●●●● 船舶(선박)

泊
훈음 배 댈 박　부수 물 氵(수)　▶▶▶ 물 氵(수) + 흰 白(백) → 물가에 배를 대다
'물가에 배를 정박시키다'의 뜻이므로 물 氵(수)가 의미요소고 白(백)은 발음기호이다.
●●●●● 碇泊(정박)/宿泊(숙박)/淡泊(담박)
※ 拍(박) - 칠 박/迫(박) - 닥칠 박

拍
훈음 칠 박　부수 손 手(수)　▶▶▶ 손 扌(수) + 흰 白(백) → 손으로 큰 소리를 유도하다
손뼉도 마주쳐야 소리가 나므로 박수를 치기 위해 손 手(수)가 반드시 필요하고 白(백)이 발음기호임을 쉽게 파악할 수 있을 것이다.
●●●●● 拍手(박수)/拍掌大笑(박장대소)/拍車(박차)

迫
훈음 닥칠 박　부수 갈 辶(착)　▶▶▶ 갈 辶(착) + 흰 白(백) → 크게 달려들다
뒤쫓아감을 의미하는 글자로 갈 辶(착)이 의미요소고 흰 白(백)은 발음기호로 '가까이 다가가다, 다그치다'로 의미 확대된 글자다.
●●●●● 脅迫(협박)/迫害(박해)/迫進感(박진감)/壓迫(압박)

的

훈음 과녁 적 부수 흰 白(백) ▶▶▶ 흰 白(백) + 구기 勺(작) ➡ 눈에 띄게 표가 나는 부분

항아리에서 바가지로 술을 뜰(勺) 때 한가운데를 도려내듯이 과녁도 마치 한가운데(勺) 있는 눈에 확 드러난(白) 부분이므로 연상 추리하여 만든 글자다. 勺(작)은 발음기호이다.

●●●●● 標的(표적)/的中(적중)/公的(공적)/物的證據(물적증거)/質的(질적)

泉

훈음 샘 천 부수 물 氵(수) ▶▶▶ 흰 白(백) + 물 水(수) ➡ 틈새로 솟아나는 반짝이는 샘물

바위틈에서 샘솟는 샘물이(水) 햇빛을 받아 반짝반짝 빛나는(白) 모습을 그린 글자로 두 글자 모두 의미요소이다.

●●●●● 溫泉(온천)/黃泉(황천)/硫黃泉(유황천)

習

훈음 익힐 습 부수 깃 羽(우) ▶▶▶ 깃 羽(우) + 흰 白(백) ➡ 반복과 관련

새끼 새는 어미의 도움 없이 스스로(白) 날갯짓(羽)을 반복하며 나는 것을 익힌다. 수없이(白=百) 날개(羽) 짓을 반복하여 날게 되는 새처럼 반복적인 훈련과 노력만이 외국어나 악기를 익히는데 도움이 된다.

●●●●● 學習(학습)/習慣(습관)/練習(연습)/風習(풍습)/習得(습득)

暮(모)   昏(혼)   暗(암)   晩(만)   冥(명)   盲(맹)   明(명)

暮

훈음 저물 모 부수 날 日(일) ▶▶▶ 잡풀 우거질 莽(망) + 날 日(일) + 해 日(일) ➡ 뜨는 해와 지는 해

해(日)는 뜨고 지고를 반복함으로 두 개의 해(日)가 등장하며, 풀 초(艹)는 석양이 나뭇가지에 걸렸다는 것을 나타냄으로 해가 저물어 간다는 의미를 더욱 분명하게 한다. '저물다'라는 원뜻의 莫(막)자가 '없어지다'로 쓰이게 되자 '저물다'라는 뜻을 분명히 하기 위해 해 日(일)자를 추가하여 '저물다'라는 본뜻을 살린 글자다. 모든 글자가 다 의미요소이다.

●●●●● 歲暮(세모)

昏

훈음 어두울 혼 부수 해 日(일)

▶▶▶ 성/각시 氏(씨) + 해 日(일) ➡ 혼례를 치루는 시간이 어둑할 때인 저녁을 가리킴

해(日)가 지고 나서 어둑어둑할 때 신부 집에서 신랑(氏)을 맞이하는, 또는 반대로 신랑 집에서 신부(氏)를 맞이하는 풍습으로 인해 '어둡다'는 뜻을 갖게 된 글자로 두 글자 모두 의미요소이다.

●●●●● 黃昏(황혼)/昏迷(혼미)/昏睡狀態(혼수상태)/昏絕(혼절)

暗

훈음 어두울 암 부수 해 日(일) ▶▶▶ 해 日(일) + 소리 音(음) ➡ 소리를 질러야 알 수 있는 해 없는 밤

환하고 어두운 것은 해가 있고 없고의 문제이므로, 해 日(일)을 의미요소로 소리 音(음)을 발음기호로 하여 만들어진 글자다.

●●●●● 暗黑(암흑)/暗記(암기)/暗室(암실)

晩

훈음 저물 만 부수 해 日(일) ▶▶▶ 해 日(일) + 면할 免(면) ➡ 태양이 갑자기 바다 속으로 사라지는 시간

아이가 태어나듯(免) 서산이나 바다에 걸려 있던 태양도(日) 갑자기 바닷물 속으로 사라지는 장면에서 '저물다'의 뜻이 생겼다. 免(면)은 발음기호이다.

●●●●● 晩婚(만혼)/晩秋(만추)/晩年(만년)/晩學(만학)/大器晩成(대기만성)/晩生種(만생종)-早生種(조생종)

冥

훈음 어두울 명 부수 덮을 冖(멱) ▶▶▶ 덮을 冖(멱) + 해 日(일) + 여섯 六(육) ➡ 어두운 어머니 자궁 안

두 손(六=廾의 변형)으로 자궁(冖)을 벌려 태아(日)를 꺼내는 모습으로 밝은 세상으로 나오기 전 어머니 자궁 속의 어두운 상태를 나타낸 글자다. '어둡다, 깊숙하다, 저승'의 뜻으로 파생됐다. 빛날 奐(환)자가 대조가 되는 의미다.

●●●●● 冥想(명상)/冥福(명복)을 빌다/幽冥(유명)

盲 훈음 소경 맹 부수 눈 目(목) ▶▶▶ 없을 亡(망) + 눈 목(目) ➡ 눈이 없는 거나 마찬가지인 사람
눈(目)이 망한 혹은 없는(亡) 사람을 맹인 또는 소경이라고 한다.
●●●●● 盲人(맹인)/盲啞學校(맹아학교)/盲目的(맹목적)/盲信(맹신)

明 훈음 밝을 명 부수 해 日(일) ▶▶▶ 해 日(일) + 달 月(월) ➡ 낮과 밤의 두 광명체
낮과 밤을 주관하는 두 광명체인 해(日)와 달(月)이 만났으니 얼마나 밝겠는가? 원래의 글자는 창문에 비친 달의 모습으로 캄캄한 밤에 창으로 스며드는 밝은 달빛에서 '밝다'가 나왔다.
●●●●● 明暗(명암)/光明(광명)/解明(해명)/明瞭(명료)/明鏡止水(명경지수)/明明白白(명명백백)/明晳(명석)/
明若觀火(명약관화)/簡單明瞭(간단명료)

旬(순)   殉(순)   昨(작)   春(춘)   晝(주)   時(시)   間(간)

旬 훈음 열흘 순 부수 해 日(일) ▶▶▶ 쌀 勹(포) + 해 日(일) ➡ 날짜를 열흘씩 감싸다
물건을 일정 분량으로 담아 보관하듯 태양을 싸서 '열흘간' 보관한다 하여 '열흘, 열 번째'를 의미하는 글자로 두 글자 모두 의미요소이다.
●●●●● 中旬(중순)/初旬(초순)/下旬(하순)/三旬九食(삼순구식)

殉 훈음 따라 죽을 순 부수 歹(알) ▶▶▶ 부서진 뼈 歹(알) + 열흘 旬(순) ➡ 대의 명분을 위해 죽는 것
더 고상한 누군가나 大義(대의)를 위해 죽는 사람을 殉敎者(순교자)라 하는데, 여기서도 죽음과 관련 있는 뼈 歹(알)을 의미요소로 旬(순)을 발음기호로 하여 만든 글자다.
●●●●● 殉敎(순교)/殉國(순국)/殉職(순직)

昨 훈음 어제 작 부수 해 日(일) ▶▶▶ 해 日(일) + 잠깐 乍(사) ➡ 지나간 어제는 잠깐의 시간임
어제라는 시간을 나타내는 글자로 해 日(일)이 의미요소고 乍(사)는 발음기호이다.
●●●●● 昨年(작년)/昨今(작금)

春 훈음 봄 춘 부수 해 日(일) ▶▶▶ 풀 艸(초) + 진칠 屯(둔) + 해 日(일) ➡ 새싹이 움트는 계절
겨우내 얼었던 대지가 봄 햇살에 두꺼운 땅거죽을 뚫고 새싹이 올라오는 모습을 그린 글자로 모든 글자가 다 의미요소이다. 현재의 글자 형태는 바뀐 것이나 두꺼운 대지(二)를 뚫고 나오는 새싹(艸)과 그것을 가능케 한 따사로운 봄 햇살(日)로 보면 적절한 변화로 보인다. 여기서 진칠 屯(둔)은 대지를 뚫고 나와 발아한 새싹을 그린 글자이다.
●●●●● 立春大吉(입춘대길)/二八靑春(이팔청춘)/春夏秋冬(춘하추동)

晝 훈음 낮 주 부수 해 日(일)
▶▶▶ 붓 聿(율) + 아침 旦(단) ➡ 아이들의 글 읽는 소리에 대낮임을 알아차림
해가 중천에 떠오른(旦) 한낮에 서당에서 아이들이 글을 읽고 쓰는(聿) 소리가 들린다.
전기가 없던 시절에 밤낮을 구별하는 글자로 책을 읽고 글을 쓰는(聿)시간, 즉 일하는 시간을 선택했다는 것이 흥미롭다.
●●●●● 白晝(백주)/晝夜(주야)/晝間(주간)

時 훈음 때 시 부수 해 日(일) ▶▶▶ 해 日(일) + 절 寺(사) ➡ 절에서 시간을 측정하는 방법
때나 시간을 알아보는 가장 좋은 방법이 옛날엔 태양의 그림자나 위치를 이용하는 것이었으므로 해 日(일)을 의미요소로 절 寺(사)를 발음기호로 사용했다.
●●●●● 時間(시간)/時速(시속)/時機尙早(시기상조)/時勢(시세)

間

훈음 사이 간　**부수** 문 門(문) – 閒(한/간)의 속자
▶▶▶ 문 門(문) + 해 日(일) ➡ 햇빛이나 달빛이 문틈 사이로 지나가 버림
문(門)틈 사이로 햇빛/달빛(日/月)이 새어 들어오는 모습에서 '사이, 틈, 간격'의 뜻이 파생된 글자로 두 글자 모두 의미요소이며 문 門(문)이 발음을 겸하고 있다.
●●●●● 時間(시간)/間隔(간격)/間歇(간헐)

昔(석)　　　惜(석)　　　借(차)　　　藉(자)　　　籍(적)

昔

훈음 예 석　**부수** 해 日(일)　▶▶▶ 巛(천) + 해 日(일) ➡ 옛날 옛적 홍수에 대한 전설
물이 넘쳐흐르는 홍수가 난 모습(巛)과 그 홍수 날을 의미하는 해 日(일)을 더하여 '홍수로 고통 받던 그 지난 어느 날'에서 '옛날 옛적'이라는 뜻이 파생된 글자다. 지금의 글자는 조금 변하여 '물 흘러넘치는' 모습의 글자가 共(공)의 윗부분으로 변형되어 있다.
●●●●● 今昔(금석)/今昔之感(금석지감)

惜

훈음 아낄 석　**부수** 마음 忄(심)
▶▶▶ 마음 忄(심) + 예 昔(석) ➡ 대홍수로 죽은 사람들에 대한 애석한 마음
마음 아픈 심리나 상태를 묘사한 글자이므로 마음 忄(심)이 의미요소고, 예 昔(석)은 발음기호이나 대홍수(昔)로 죽은 사람들을 생각하는 마음(忄)으로 본다면 두 글자 모두 의미요소이다.
●●●●● 惜別(석별)/惜敗(석패)/哀惜(애석)

借

훈음 빌 차　**부수** 사람 亻(인)　▶▶▶ 사람 亻(인) + 예 昔(석) ➡ 죽은 사람 빌려 쓰다
빌리다가 본뜻으로 '빌리는 주체'인 사람 亻(인)이 의미요소이고, 예 昔(석)이 발음요소임은 깔개 藉(자)에서 엿볼 수 있다. 또 한편으론 대 홍수를 살아남았다는 것은 남의 인생을 사는 것이나 마찬가지이므로 '빌리다'는 뜻이 생겼을 수도 있다.
●●●●● 假借(가차)/借入(차입)/借用證(차용증)/借款(차관)

藉

훈음 깔개 자　**부수** 풀 艹(초)
▶▶▶ 풀 艹(초) + 적전 耤(적) ➡ 임금이 친히 경작하는 농경지를 적전이라 함
방석과 같은 깔개를 나타내려는 글자로 왕골풀이나 대나무를 엮어 자리를 만들었으므로 풀 艹(초)가 의미요소고 적전 耤(적)은 발음기호이다.
●●●●● 憑藉(빙자)/藉藉(자자)/狼藉(낭자)

籍

훈음 서적 적　**부수** 대 竹(죽)　▶▶▶ 대 竹(죽) + 적전 耤(적) ➡ 문서를 대쪽에 기록한 것이 서적의 시초임
'백성의 호구, 지적, 공납' 등을 기록해 두는 관청의 장부를 뜻하기 위한 글자로 옛날에는 많은 문서를 대쪽에다 기록해 보관하였다. 그런 의미에서 대 竹(죽)이 의미요소고 임금이 직접 경작한다는 뜻의 적전 耤(적)은 발음기호이며 훗날 '문서, 등록하다' 등으로 의미 확대됐다.
●●●●● 書籍(서적)/符籍(부적)/無籍(무적)/國籍(국적)/戶籍(호적)

叚(가)　　　　　假(가)　　　　　暇(가)

叚 훈음 빌리다 가 부수 오른손 又(우)
▶▶▶ 기슭 厂(엄) + 두 二(이) + 손톱 爫(조) + 오른손 又(우) ➡ 자연에서 빌린 보물
바위산을 의미하는 기슭 厂(엄)자에 우측의 두 손 그리고 鑛物(광물)을 의미하는 두 점(二)을 통해 '귀금속이 묻힌 광산에서 광물을 채취'하는 장면으로 '귀하고 비싼 보석'으로 몸을 치장한들 그 소유가 영원치 않고 대자연으로부터 잠시 빌린 것뿐이라는 철학적 개념을 담고 있는 글자다. 단독 쓰임은 없고 의미와 발음 요소로 타 글자에서 작용한다.

假 훈음 거짓 가 부수 사람 亻(인) ▶▶▶ 사람 亻(인) + 빌리다 叚(가) ➡ 보석으로 치장한 사람은 가짜
화려한 보석으로 치장하여 아름답고 고운 사람으로 보이게 하지만, 그것은 곧 현혹한 것이므로 진짜 그 사람이 아니고 거짓된 즉 빌려온 사람에 불과하다라는 뜻으로 만들어진 글자다. '겉과 속이 다른 사람'을 의미하며 따라서 두 글자 모두 의미요소고 빌리다 叚(가)가 발음기호이다.
●●●●● 假借(가차)/假面(가면)/假定(가정)/假建物(가건물)

暇 훈음 겨를 가 부수 해 日(일) ▶▶▶ 해 日(일) + 빌리다 叚(가) ➡ 해를 빌려서 짬을 내다
내가 마음대로 쓸 수 있는 비어 있는 시간 혹은 그 짬을 가리키는 말로 해 日(일)을 의미요소 빌리다 叚(가)는 발음기호로 쓰였다.
●●●●● 餘暇(여가)/閑暇(한가)/休暇(휴가)/病暇(병가)

| 茻(망) | 莫(막) | 暮(모) | 寞(막) | 膜(막) | 漠(막) |
| 摸(모) | 慕(모) | 募(모) | 模(모) | 幕(막) | 墓(묘) |

茻 훈음 잡풀 우거질 망 부수 풀 艸(초) ▶▶▶ 싹 날 屮(철) ➡ 새싹 네 개
풀이 무성히 나 있는 모양으로 사방이 풀로 뒤덮인 모습 혹은 풀숲을 나타낸 글자다.
●●●●● 草莽(초망)

莫 훈음 없을 막/저물 모 부수 풀 ++(초)
▶▶▶ 풀 ++(초) + 큰 大(대) = 잡풀 우거질 茻(망) + 해 日(일) ➡ 숲속으로 사라지는 태양
잡풀 우거질 茻(망)자에서 보듯 태양(日)이 서산으로 지면서 초목에 가려 서서히 사라지는 모습에서 '없다, 저물다'가 파생된 글자로 모든 글자가 다 의미요소이다.
●●●●● 莫逆之交(막역지교)/莫無可奈(막무가내)/莫論(막론)/莫上莫下(막상막하)

暮 훈음 저물 모 부수 날 日(일)
▶▶▶ 잡풀 우거질 茻(망) + 날 日(일) + 해 日(일) ➡ 해가 아침에 떠서 서산으로 지는 장면
해(日)는 뜨고 지고를 반복함으로 두 개의 해(日)가 등장하며, 풀 초(++)는 석양이 나뭇가지에 걸렸다는 것을 나타냄으로 해가 저물어 간다는 의미를 더욱 분명히 했다. '저물다'는 원뜻의 莫(막)자가 '없어지다'로 쓰이게 되자 그 '저물다'는 뜻을 분명히 하기 위해 해 日(일)자를 추가하여 '저물다'의 본뜻을 살린 글자로 모든 글자가 다 의미요소이다.
●●●●● 歲暮(세모)/朝令暮改(조령모개)/朝三暮四(조삼모사)

寞 훈음 쓸쓸할/적막할 막 부수 집 宀(면)
▶▶▶ 집 宀(면) + 없을 莫(막) ➡ 집 안에 아무도 없어 靜寂(정적)만 감돈다
집 안에(宀) 아무도 없으니(莫) 얼마나 쓸쓸할까?
●●●●● 寂寞(적막)/寞寞(막막)/寂寞江山(적막강산)

膜 훈음 막 막 부수 고기 肉(육) ▶▶▶ 고기 月(육) + 없을 莫(막) → 있는 듯 없는 듯한 신체 기관의 막

동식물의 내부의 근육을 포함해 모든 것을 감싸고 있는 얇은 꺼풀을 뜻하기 위한 것으로 신체와 관련 있는 肉(육)달 月(월)을 의미요소로 없을 莫(막)을 발음기호로 했다. 뼈에는 살이라도 붙어 있지, 눈의 망막은 살 (月)이 전혀 없다(莫).

••••• 細胞膜(세포막)/肋膜(늑막)/網膜(망막)/薄膜(박막)

漠 훈음 사막 막 부수 물 氵(수)변 ▶▶▶ 물 氵(수) + 없을 莫(막) → 물도 없고 오로지 모래만 있다

물(氵)도 없고(莫) 오로지 모래만 있는 곳, 혹은 물조차 쉬이 없어지게 하는 곳이다.

••••• 沙漠(사막)/砂漠(사막)/漠漠(막막)/漠漠大海(막막대해)

摸 훈음 찾을 모 부수 손 扌(수) ▶▶▶ 손 扌(수) + 없을 莫(막) → 사막에서 바늘 찾기

손(扌)을 뻗쳐 아무것도 없는(莫) 것 가운데서 무엇인가를 찾아내는 모습에서 만들어진 글자다.

••••• 摸索(모색)/暗中摸索(암중모색)

慕 훈음 그리워할 모 부수 마음 心(심)

▶▶▶ 없을 莫(막) + 마음 心(심) → 곁에 없는, 떠난 사람 그리워하는 마음

멀리 떠나 지금 곁에 없는(莫)님을 그리워하는 애틋한 마음(忄)을 묘사한 글자다.

••••• 思慕(사모)/欽慕(흠모)/戀慕(연모)

募 훈음 모을/뽑을 모 부수 힘 力(력)

▶▶▶ 없을 莫(막) + 힘 力(력) → 무에서 유를 창조하려면 힘깨나 써야 한다

무(莫)에서 유를 창조하기 위해서는 애(力)를 써야 한다. 내 주위에 인재가 없다면 멀리서라도 모아서 데려와야 하고 뽑아서라도 써야 한다.

••••• 募兵(모병)/應募(응모)/募金(모금)/公募(공모)

模 훈음 법/본보기 모 부수 나무 木(목) ▶▶▶ 나무 木(목) + 없을 莫(막) → 나무로 본보기를 만듦

형태도 없던(莫) 데서 그릇이 똑같이 나오는 형틀/거푸집이 나무(木)로 만들어졌기에, 없을 莫(막)에 나무 木(목)을 더하여 똑같은 형태의 그릇이 나오는 나무틀에서 '법/법식/본보기' 등의 뜻으로 파생됐다.

••••• 模範(모범)/模寫(모사)/模倣(모방)/模型(모형)

幕 훈음 장막 막 부수 수건 巾(건)

▶▶▶ 없을 莫(막) + 수건 巾(건) → 수건으로 주위를 둘러쳐서 안이 밖에서 보이지 않게 함

우거진 수풀(艸(망))이 해(日)를 가려 없어지게 하듯(莫) 帳幕(장막)을 쳐 주위를 둘러싸 감추어 버릴 수 있으므로 천을 가리키는 수건 巾(건)이 의미요소로 없을 莫(막)은 발음 기호 겸 의미요소로 쓰였다.

••••• 帳幕(장막)/幕間(막간)/幕後(막후)

墓 훈음 무덤 묘 부수 흙 土(토) ▶▶▶ 없을 莫(막) + 흙 土(토) → 흙밖에 없는 무덤

사람이 죽어 들어가는 무덤을 나타내는 글자로 한줌 흙으로만 남게 되고 모든 것이 비어 있는 것이나 마찬가지이므로 '흙(土)밖에 없다(莫)' 하여 두 글자 모두 의미요소고 莫(막)은 저물 모로도 읽히므로 발음기호이다.

••••• 墳墓(분묘)/墓室(묘실)/墓碑(묘비)/墓地(묘지)/省墓(성묘)

氏 각시/성씨 씨

氏(씨) 昏(혼) 婚(혼) 宴(연) 民(민) 眠(면) 紙(지)

훈음 각시/성씨 씨 **부수** 제 부수

母系(모계)사회에서 父系(부계)사회로 변모되자 남자의 집안을 지칭할 필요에 따라 남자에게 사용된 글자였으나 갑골문을 보면 남자의 상징을 강조한 '사람'의 모습을 하고 있어 '남자'와 관련되었음을 알 수 있다.

●●●●● 氏族(씨족)/姓氏(성씨)/氏名(씨명)/無名氏(무명씨)

훈음 어두울 혼 **부수** 해 日(일)

▶▶▶ 성씨/각시 氏(씨) + 해 日(일) ➡ 혼례를 치루는 시간은 어둑할 때인 저녁임

해(日)가 지고 나서 어둑어둑할 때 신부 집에서 신랑(氏)을 맞이하는, 또는 반대로 신랑 집에서 신부(氏)를 맞이하는 풍습으로 인해 '어둡다'는 뜻을 갖게 된 글자로 두 글자 모두 의미요소이다.

●●●●● 黃昏(황혼)/昏迷(혼미)/昏睡狀態(혼수상태)/昏絕(혼절)

훈음 혼인할 혼 **부수** 계집 女(여) ▶▶▶ 계집 女(여) + 어두울 昏(혼) ➡ 혼인이란 여자를 데려오는 것을 말함

'젊은 여자가 외간 남자의 집에 간다는 것'은 그 집 사람이 될 때, 즉 혼례를 올리기 위해 가는 경우 외에는 없었다. 따라서 시집가는 여자(女)와 혼례(昏)를 올리는 모습의 글자가 어우러져 '혼인하다'의 뜻이 되었으며 어두울 昏(혼)이 의미 겸 발음임을 알 수 있다.

●●●●● 婚姻(혼인)/婚禮(혼례)/結婚(결혼)/婚事(혼사)/婚需(혼수)

훈음 잔치 연 **부수** 갓머리 宀(면)

▶▶▶ 집 宀(면) + 날 日(일) + 계집 女(여) ➡ 여자를 데려온 날 집에서 벌이는 잔치

잔칫날을 뜻하는 글자이므로 해 日(일)이 의미요소이고 安(안)은 발음기호이나 잔치 중에서 가장 큰 잔치는 역시 婚禮(혼례)를 말하므로 여자(女)를 데리고 오는 날(日)이 바로 그 집(宀)의 잔칫날이다.

●●●●● 宴會(연회)/饗宴(향연)/宴席(연석)

훈음 백성 민(민) **부수** 각시/성씨 氏(씨) ▶▶▶ 눈 目(목) + 송곳 – 한쪽 눈이 안 보이는 사람

포로로 잡아온 사람들을 영구히 종으로 삼기 위해 뾰족한 그 무엇으로 한쪽 눈을 찌르는 모습에서 '노예'라는 뜻을 가졌으나 점차로 '천민/평민/백성'으로 뜻이 변한 글자다.

●●●●● 平民(평민)/民族(민족)

훈음 잠잘 면 **부수** 눈 目(목) ▶▶▶ 눈 目(목) + 백성 民(민) ➡ 잠자는 것은 눈이 없는 것이나 마찬가지

자는 것은 눈을 감고 있는 것인데 백성 民(민)자가 포로의 눈을 찌르는 모습임으로 보이지 않게 된 눈(目)이라 하여 '감은 눈' 나아가 '잠자다, 눈 감다'로 의미 발전했다.

●●●●● 睡眠(수면)/冬眠(동면)/不眠症(불면증)

훈음 종이 지 **부수** 실 糸(사) ▶▶▶ 실 糸(사) + 각시 氏(씨) ➡ 실들이 모여(씨가 되어) 종이가 됨

종이를 뜻하기 위해 만들어진 글자로 종이가 발명되기 전에는 실로 짠 비단에 썼기에 '실 糸(사)'가 의미요소고 氏(씨)는 발음기호로 쓰였다.

●●●●● 白紙(백지)/紙面(지면)/新聞紙上(신문지상)

氏(씨)　　氐(저)　　底(저)　　低(저)　　抵(저)　　邸(저)

훈음 각시/성씨 씨 **부수** 제 부수

母系(모계)사회에서 父系(부계)사회로 변모되자 남자의 집안을 지칭할 필요에 따라 남자에게 사용된 글자였으나 갑골문을 보면 남자의 상징을 강조한 '사람'의 모습을 하고 있어 '남자'와 관련되었음을 알 수 있다.

••••• 氏族(씨족)/姓氏(성씨)/氏名(씨명)/無名氏(무명씨)

훈음 근본 저 **부수** 각시/성씨 氏(씨) ➡ 생식을 가능하게 하는 씨방(불알)의 표시

▶▶▶ 각시 氏(씨) + 한 一(일)

여러 다양한 해석이 있으나 '낮다, 근본, 도달하다'의 뜻을 갖는 글자로 단독 사용은 드물고 타 글자의 의미와 발음에 영향을 끼치고 있다.

훈음 밑 저 **부수** 집 广(엄) ▶▶▶ 집 广(엄) + 근본 氐(저) ➡ 집 안의 가장 낮은 곳

음식이나 물건들을 저장해 두던 집 안의 지하 저장고 같은 곳을 지칭하던 것으로 집 广(엄)이 의미요소이며 氐(저)는 발음 겸 의미요소이다.

••••• 底力(저력)/底邊(저변)/底意(저의)/基底(기저)/徹底(철저)/到底(도저)히/井底之蛙(정저지와)

훈음 낮을 저 **부수** 사람 亻(인) ▶▶▶ 사람 亻(인) + 근본 氐(저) ➡ 질이 가장 낮은 사람

키 작은 사람 또는 속이 좁은 사람을 나타낸 글자로 두 글자 모두 의미요소이며, 낮을 氐(저)가 발음과 의미요소를 겸하고 있다.

••••• 低俗(저속)/低質(저질)/低能(저능)/低價(저가)/低廉(저렴)

훈음 거스를 저 **부수** 손 扌(수) ▶▶▶ 손 扌(수) + 근본 氐(저) ➡ 근본을 지켜 내려고 발버둥치는 모습

손으로 떠밀고 거절하는 모습을 나타낸 글자로 손 扌(수)가 의미요소고, 氐(저)가 발음기호이다.

••••• 抵抗(저항)/抵觸(저촉)/抵當(저당)

훈음 집 저 **부수** 고을 邑(阝-우부방) ▶▶▶ 근본 氐(저) + 고을 邑(阝-우부방) ➡ 마을의 근본은 집이다

마을을 형성하는 집들이 고을의 뿌리 즉 근본이나 마찬가지라는 의미에서 만들어진 글자다.

••••• 邸宅(저택)/官邸(관저)

月 달 월

月(월)   明(명)   朗(랑)   望(망)   期(기)   朋(붕)

月

훈음 달 월   **부수** 제 부수

초승달을 본떠서 만든 글자 혹은 일그러져 있는 半月形(반월형) 모양을 단순 간결하게 그림으로 나타낸 그림 문자다. '달, 다달이'라는 뜻으로 사용된다.

••••• 每月(매월)/日月(일월)/月光(월광)/月給(월급)/歲月(세월)

明

훈음 밝을 명   **부수** 해 日(일)   ▶▶▶ 해 日(일) + 달 月(월) ➡ 가장 밝은 해와 달

창문(日-冏)으로 달(月)빛이 새어 들어와 방이 환하게 되었다는 설과 낮을 주관하는 광명체인 해(日)와 밤을 주관하는 달(月)을 그려 '밝다'를 묘사한 글자라고도 한다.

••••• 光明(광명)/解明(해명)/明白(명백)/明若觀火(명약관화)

朗

훈음 밝을 랑   **부수** 달 月(월)

▶▶▶ 좋을 良(량) + 달 月(월) ➡ 성벽 위로 난 길을 밝히는 보름달

휘영청 밝은 달을 나타내는 글자이므로 달 月(월)이 의미요소이며 良(량)이 발음요소임을 쉽게 알 수 있다. 良(양) 자체가 성벽 위로 난 길을 가리키므로 성 위로 높이 솟아오른 밝은 달의 모습을 더욱 또렷하게 해주므로 의미요소에도 기여했다고 볼 수 있다.

••••• 明朗(명랑)/朗讀(낭독)/朗朗(낭랑)/朗報(낭보)/朗誦(낭송)

望

훈음 바랄 망   **부수** 달 月(월)

▶▶▶ 없을 亡(망) + 달 월(月) + 정(壬) ➡ 고향을 그리워하는 모습

발꿈치(壬)를 들고 선 사람의 눈(臣)을 그린 글자로 높이 또는 멀리 '보다'라는 뜻을 가진 글자였다. 그러나 후대에 오면서 망(亡)을 발음기호로 하여 고향 쪽을 향해 크고 높게 떠오른 보름달을 보며 고향에 돌아갈 날을 손꼽아 기다리는 장면을 연출하여 '바라다/원망하다'로 발전했다.

••••• 希望(희망)/望鄕(망향)/望樓(망루)/望夫石(망부석)

※ 아홉째 천간 壬(임)과 壬(정)의 꼴은 똑같으나 壬(임)은 베틀의 모습이고, 壬(정)은 발꿈치를 들고 서 있는 또는 발돋움하여 혹은 받침대 위에 올라서서 기다리는 사람의 모습이다.

期

훈음 기약할 기   **부수** 달 月(월)

▶▶▶ 그 其(기) + 달 月(월) ➡ 첫 보름달이 뜨면 방앗간 뒤에서 만나자

첫 보름달(月)이 떠오르는 그(其) 달(月)에 방앗간 뒤에서 만나자 하여 생긴 글자로 '만나다'가 본뜻이고 달 月(월)이 의미 그 其(기)는 발음기호이다.

••••• 期約(기약)/期待(기대)/短期(단기)/滿期(만기)/時期(시기)/延期(연기)/期必(기필)코

朋

훈음 벗 붕   **부수** 달 月(월)

실이나 끈으로 꿰어 놓은 조개들의 상형으로 돈 꾸러미를 상징하는 모습이었으나 발음이 같다는 이유로 '벗, 친구'로 同音(동음) 假借(가차)된 것으로 달 月(월)과는 아무런 상관이 없다.

••••• 朋友(붕우)/朋友有信(붕우유신)

朝(조)　　潮(조)　　嘲(조)　　逆(역)　　朔(삭)　　溯(소)　　闕(궐)

朝
훈음 아침 조　부수 달 月(월)
▶▶▶ 풀 艸(초) + 해 日(일) + 달 月(월) ➡ 풀숲에 걸린 해와 하늘에 떠 있는 달
여전히 달(月)이 떠 있는 새벽에 해(日)가 떠오르는 상황을 묘사한 글자다. 풀 艸(초)를 위아래로 배치하여 해(日)가 나뭇가지 사이로 비치는 모습을, 그리고 달 月(월)을 남겨둠으로 여전히 서녘 하늘에 걸려 있는 새벽의 상황을 잘 묘사한 글자로써 여기서 '아침'이라는 뜻이 탄생하였다.
●●●●● 朝刊(조간)/朝夕(조석)/朝食(조식)/早朝割引(조조할인)

潮
훈음 조수 조　부수 물 氵(수)　▶▶▶ 물 氵(수) + 아침 朝(조) ➡ 뭍과 바다를 드나드는 해수
강물이 바다로 향해 또는 바닷물이 뭍으로 밀려드는 뜻을 나타내고자 한 글자이므로 물 氵(수)가 의미요소고 아침 朝(조)가 발음기호이다.
●●●●● 潮水(조수)/潮流(조류)/頹廢風潮(퇴폐풍조)/滿潮(만조)

嘲
훈음 비웃을 조　부수 입 口(구)
▶▶▶ 입 口(구) + 아침 朝(조) ➡ 아침부터 남의 집에 찾아가 큰 소리로 얘기함
'새벽같이 남의 집에 가서 큰 소리로 떠드는 모습'을 그려서 남을 우습게 여겨 비웃거나 깔보는 것을 나타낸 글자로, 두 글자 모두 의미요소이며 아침 朝(조)가 발음을 겸하고 있다.
●●●●● 嘲弄(조롱)/嘲笑(조소)/自嘲(자조)

逆
훈음 거스를 역　부수 갈 辶(착)
▶▶▶ 갈 辶(착) + 大(대)를 뒤집어 놓은 모양 – 사람이 반대편에서 오고 있는 모습
人(대)자를 거꾸로 그려 놓아서 사람이 반대편에서 이쪽으로 오는 모습을 그려 '거스르다, 거꾸로, 허물'등의 뜻을 갖게 되었다. 따라서 두 글자 모두 의미요소이다.
●●●●● 叛逆(반역)/拒逆(거역)/逆行(역행)/逆流(역류)

朔
훈음 초하루 삭　부수 달 月(월)　▶▶▶ 거꾸로 선사람 大(대) + 달 月(월) ➡ 보름달이 초승달로 바뀜
보름달이 서서히 줄어들어 다시 초승달로 바뀐 모습으로 그 달의 처음을 뜻하는 글자다. 두 글자 모두 의미요소이며 거꾸로 선사람 人(대)가 발음에도 영향을 미친 듯하다. 이쪽에서 보면 처음이고 저쪽에서 보면 마지막이므로 '처음'이라는 뜻도 가진다.
●●●●● 滿朔(만삭)/月朔(월삭)/朔風(삭풍)

溯
훈음 거슬러 올라갈 소　부수 갈 辶(착)　▶▶▶ 갈 辶(착) + 초하루 朔(삭) ➡ 달이 점점 기울어져 감
아래에서 위로 거슬러 올라간다는 뜻을 가진 글자로 두 글자 모두 의미요소고 초하루 朔(삭)이 발음기호 역할을 했다.
●●●●● 溯及(소급)

闕
훈음 대궐 궐　부수 문 門(문)　▶▶▶ 문 門(문) + 숨찰 欮(궐) ➡ 큰 대문이 달린 집
큰 대문이 달린 집, 즉 人闕(대궐)/宮闕(궁궐)을 뜻하는 글자이므로 큰 대문을 상징하는 문 門(문)이 의미요소로 쓰였고 또 한편으로는 숨찰(欮)정도로 큰 집(門)은 당연히 임금님이나 관리들이 사는 대궐이 아니겠는가?
●●●●● 大闕(대궐)/入闕(입궐)/補闕選擧(보궐선거)/闕席(궐석)

夕(석)　外(외)　夜(야)　液(액)　多(다)　名(명)　銘(명)　夢(몽)

夕
훈음 저녁 석　부수 제 부수
초승달을 본떠서 만든 글자로 일명 작은 달(月)이라고 하는 데서도 알 수 있듯이 달 月(월)도 마찬가지로 '달'을 의미하였으나 훗날 달 月(월)이 '달'을 저녁 夕(석)은 '저녁이나 밤'만을 의미하게 되었다.
***** 朝變夕改(조변석개)/秋夕(추석)/夕陽(석양)

外
훈음 바깥 외　부수 저녁 夕(석)　▶▶▶ 저녁 夕(석) + 점 卜(복) ➡ 귀신들이 피곤한 밤에 치는 점은 잘 틀린다
저녁(夕)에 점(卜)을 치면 귀신들도 피곤하여 잘 틀린다 하여 '벗어나다, 멀다'의 뜻이 파생된 글자로 두 글자 모두 의미요소이다.
***** 外國(외국)/外部(외부)/治外法權(치외법권)

夜
훈음 밤 야　부수 저녁 夕(석)　▶▶▶ 또 亦(역) + 저녁 夕(석) ➡ 어두컴컴한 겨드랑이
밤은 어둠을 의미하므로 사람의 음침하고 어두운 부분인 겨드랑이가 본뜻인 또 亦(역)과 희미한 달의 상형인 저녁 夕(석)을 합하여 '어두운 밤'이라는 글자가 탄생하였다. ※ 또 亦(역) = 人(대) + 점 丶(주) - 人(대)의 벌린 두 팔 아래 두 점을 찍어 겨드랑이임을 나타낸 글자로 이러한 글자를 指事字(지사자)라고 한다.
***** 晝夜(주야)/夜間(야간)/深夜(심야)

液
훈음 진 액　부수 물 氵(수)　▶▶▶ 물 氵(수) + 밤 夜(야) ➡ 겨드랑이의 땀은 끈적거린다.
물보다 진한 액체를 뜻하기 위한 글자로 물 氵(수)가 의미요소고 밤 夜(야)는 발음기호이다.
***** 液汁(액즙)/液體(액체)/溶液(용액)/血液(혈액)/粘液(점액)　※ 腋(액) - 겨드랑이 액

多
훈음 많을 다　부수 저녁 夕(석)　▶▶▶ 저녁 夕(석) + 저녁 夕(석) ➡ 고기를 잔뜩 포개 놓은 모습
고기(夕-肉)를 잔뜩 포개 놓은 모습에서 '많다'가 파생된 글자로, 저녁 夕(석)이 아니라 肉(육)달 月(월)의 약자임을 알 수 있다.
***** 多樣(다양)/多多益善(다다익선)/多忙(다망)/多情多感(다정다감)/多事多難(다사다난)/許多(허다)

名
훈음 이름 명　부수 입 口(구)　▶▶▶ 저녁 夕(석) + 입 口(구) ➡ 이름을 불러야 분간이 되는 밤
어두운 밤(夕)엔 이름을 불러(口)야 사람을 찾거나 구별할 수 있다 하여 '저녁(夕)에 누군가를 찾는 소리(口)'에서 '이름'이 파생된 글자로 두 글자 모두 의미요소이다.
***** 姓名(성명)/呼名(호명)/名聲(명성)/名稱(명칭)/作名(작명)

銘
훈음 새길 명　부수 쇠 金(금)　▶▶▶ 쇠 金(금) + 이름 名(명) ➡ 금속에 이름을 새김
청동기물에 글자를 새겨 기록을 남기는 풍습을 의미하는 글자로 '새기다'가 본뜻이다. 쇠 金(금)이 의미요소고 이름 名(명)은 발음기호이다.
***** 銘心(명심)/感銘(감명)/座右銘(좌우명)/銘旌(명정)

夢
훈음 꿈 몽　부수 저녁 夕(석)　▶▶▶ 풀 卝(초) + 눈 目(목) + 冖(人의 변형) + 저녁 夕(석) ➡ 자면서 눈알이 움직인다.
침상(爿)에 누워 있는 사람의 모습이 원래의 글자이고 후대에 저녁 夕(석)이 첨가되어 저녁에 침상에 누워서 자는 사람의 모습에서 '꿈'이라는 글자가 만들어졌다. 눈(目) 위의 풀 卝(초)를 눈썹의 상형으로 이야기하기도 하지만, 꿈을 꾸면서 움직이는 눈의 모습으로 보는 것이 더 타당하다.
***** 夢想(몽상)/解夢(해몽)/夢遊病(몽유병)

辰(신)　振(진)　震(진)　辱(욕)　農(농)　濃(농)　晨(신)　脣(순)

훈음 별 신　**부수** 제 부수

갑골문에서는 조갯살이 삐쳐 나온 모양을 그려서 '조개 모양'에서 만들어졌음을 알 수 있으나, 소전에 와서는 현재의 모습으로 바뀌어 조개 모양을 유추하기 힘들어졌으며, 生辰(생신)에서는 '때'로 干支(간지)의 하나로 보았다. 따라서 辰時(진시)는 07시~09시를 가리키며 일월성신에서는 '별'의 뜻이 있음도 알 수 있다.

●●●●● 生辰(생신)/甲辰(갑진)/日月星辰(일월성신)/誕辰(탄신)

훈음 떨칠 진　**부수** 손 扌(수)

▶▶▶ 손 扌(수) + 별 이름 辰(진) ➡ 조개에 물린 손을 털고 흔들어 조개를 떨어뜨리다

손을 내저으며 흔들어 대는 모습에서 '떨다, 떨치다, 흔들다' 등의 의미가 파생된 글자로, 손 扌(수)가 의미요소고 별 이름 辰(진)은 발음기호이다.

●●●●● 振動(진동)/振作(진작)/振幅(진폭)/振興(진흥)

훈음 벼락 진　**부수** 비 雨(우)

▶▶▶ 비 雨(우) + 지지 辰(진) ➡ 벼락은 보통 비 올 때 많이 친다

비가 오면서 벼락도 치는 상황을 나타내는 글자이므로 비 雨(우)가 의미요소고 별이름 辰(진)은 발음기호이다. 벼락을 신이 내리는 재앙이나 신의 경고로 보았으므로 '떨다, 흔들리다'라는 뜻으로 의미 확대됐다.

●●●●● 地震(지진)/震動(진동)/震怒(진노)/震天動地(진천동지)

훈음 욕되게 할 욕　**부수** 별 이름 辰(진)

▶▶▶ 별 이름 辰(진) + 마디 寸(촌) ➡ 벼 베기 철에 게으름은 욕을 부르는 행위

허신은 '게을러서 벼 베기와 같은 농사일에 때를 놓친 사람이 벌 받는' 것에서 욕봤다 하듯이 욕을 당하므로 '부끄럽다'의 뜻을 갖게 되었다고 해석했으나 그것보다는 농기구의 상형인 辰(진)과 그 농기구로 풀을 베는 손(寸)의 합자인 것이 더 확실하다. 그러나 '부끄럽다'는 의미의 말과 辱(욕)의 발음이 같아서 빌려 쓴 것으로 보는 학자도 있다.

●●●●● 侮辱(모욕)/屈辱(굴욕)/辱說(욕설)/榮辱(영욕)

훈음 농사 농　**부수** 별 辰(진)

▶▶▶ 굽을 曲(곡) + 날 辰(신) ➡ 두 손과 호미 등으로 밭을 일구는 장면

날 辰(신)의 명칭은 다양하나 커다란 껍질을 갖는 대합조개를 상징하는 글자로 농기구의 일종인 호미나 낫이 만들어지기 전 그 역할을 하던 도구였다. 농사 農(농)의 윗글자도 曲(곡)이 아니라 두 손(臼)과 밭(田)의 상형으로 두 손(臼)으로 농기구(辰)를 들고 밭(田)을 경작하는 모습에서 '농사 혹은 농사와 관련된 글자'가 되었다. 曲(곡)자의 갑골문은 수풀 林(림)자가 대부분으로 나무를 베어내고 밭을 일구는 모습으로 보여지기도 한다.

●●●●● 農業(농업)/農水産(농수산)/農民(농민)/營農(영농)

훈음 짙을 농 **부수** 물 氵(수)

▶▶▶ 물 氵(수) + 농사 農(농) ➡ 안개가 자욱하여 분간할 수 없는 상황

안개가 자욱하여 앞을 분간할 수 없는 상태를 나타낸 글자였으므로 물 氵(수)가 의미요소고 농사 農(농)은 발음기호이다. 후에 '짙다, 진하다' 등으로 의미 확대됐다.

●●●●● 濃厚(농후)/濃度(농도)/濃艶(농염)/濃縮(농축)/濃霧(농무)

훈음 새벽 신 **부수** 해 日(일)

▶▶▶ 해 일(日 - 두 손 臼(국)의 변형) + 뜻 辰(신) ➡ 아침 일찍 조개를 줍다

아침 일찍 일어나 조개(辰)를 줍는(臼) 모습에서 '새벽'이라는 글자가 만들어졌다는 설과 해와 별을 그려 아침 朝(조)와 마찬가지로 새벽 별이 남아 있을 때 뜨는 해를 그려 여전히 아침 일찍을 말하는 새벽을 나타냈다는 說(설) 등이 있다.

●●●●● 昏定晨省(혼정신성)/牝鷄司晨(빈계사신)

훈음 입술 순 **부수** 고기 肉(육) ▶▶▶ 별 辰(신) + 肉(육)달 月(월) ➡ 입술도 신체의 일부

대합조개가 살을 밖으로 내민 모습과 입 밖으로 내민 혀의 모습이 비슷하여 사람의 신체에 반드시 들어가는 肉(육)달 月(월)을 첨가하여 신체의 일부인 '혀'를 뜻하는 글자로 만든 경우로 두 글자 모두 의미요소고 별 辰(신)이 발음부호 역할을 했다.

●●●●● 脣音(순음)/脣亡齒寒(순망치한)/脣齒之國(순치지국)

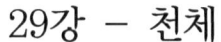

◙ 다음 글자의 훈과 음을 쓰시오.

( )天( ) – ( )宇( ) – ( )宙( ) – ( )日( ) – ( )月( ) – ( )星( ) –
( )辰( )

◙ 다음 글자를 소리 부분(聲符)과 뜻 부분(意符)으로 분해하시오.

1. 宇 = 소리 부분(聲符) [ ] + 뜻 부분(意符) [ ]

2. 宙 = 소리 부분(聲符) [ ] + 뜻 부분(意符) [ ]

3. 집의 처마를 가리키는 말에서 '집, 하늘'로 확대된 글자는?
   ① 天   ② 星   ③ 宇   ④ 辰

4. 음이 2가지로 쓰이는 글자는?
   ① 宇   ② 星   ③ 宙   ④ 辰

5. 원래 갑골문의 모습은 '밤하늘을 수놓는 무수한 별들'을 여러 개의 동그라미나 정사각형을 그
   린 것을 세 개로 정리한 晶(정)자였으나, 이 글자가 별 뿐만 아니라 모든 것의 밝고 빛나는
   것을 의미하게 되자 '별'의 의미만 가진 글자를 따로 만든 글자는?
   ① 辰   ② 月   ③ 日   ④ 星

◙ 다음 중 주어진 글자로 이루어지는 단어를 2개 이상 한자 또는 한글로 쓰시오.

6. 天 –   7. 宇 –

8. 宙 –   9. 日 –

10. 月 –   11. 星 –

12. 辰 –

◆ 다음 글자의 훈과 음을 쓰시오.

( )旦( ) – ( )早( ) – ( )朝( ) – ( )昇( ) – ( )旭( ) – ( )晝( ) –
( )映( ) – ( )曜( ) – ( )晴( ) – ( )景( ) – ( )晚( )

◆ 다음 글자를 분해하시오.

1. 曜 = [ ] + [ ] + [ ]   2. 早 = [ ] + [ ]

3. 旦 = [ ] + [ ]   4. 景 = [ ] + [ ]

5. 晝 = [ ] + [ ] + [ ]

6. 映 = [ ] + [ ]   7. 贈 = [ ] + [ ]

8. 貯 = [ ] + [ ]

◆ 다음 글자를 소리 부분(聲符)과 뜻 부분(意符)으로 분해하시오.

9. 昇 = 소리 부분(聲符) [ ]   + 뜻 부분(意符) [ ]

10. 晴 = 소리 부분(聲符) [ ]   + 뜻 부분(意符) [ ]

11. 景 = 소리 부분(聲符) [ ]   + 뜻 부분(意符) [ ]

12. 晚 = 소리 부분(聲符) [ ]   + 뜻 부분(意符) [ ]

13. 중국에서는 8이 대부분 완전이나 전체를 나타내는 숫자인데 그보다 하나 더 큰 숫자를 통해
해(日)가 이보다 더 밝을 수 없음을 나타낸 글자는?
① 旦   ② 景   ③ 旭   ④ 曜

14. '오늘날 산 중턱에 해가 걸렸다'는 말처럼 당시 흔치 않던 높은 건물의 등장으로 마치 해가
'높은 건물 위로 떠오르는 것처럼' 여겨져서 만들어진 글자는?
① 早   ② 晴   ③ 景   ④ 昇

◆ 다음 중 주어진 글자로 이루어지는 단어를 2개 이상 한자 또는 한글로 쓰시오.

15. 旦 -

16. 早 -

17. 朝 -

18. 昇 -

19. 旭 -

20. 晝 -

21. 映 -

22. 曜 -

23. 晴 -

24. 景 -

25. 晩 -

◆ 다음 글자의 훈과 음을 쓰시오.

(　)易(　) - (　)陽(　) - (　)揚(　) - (　)瘍(　) - (　)楊(　) - (　)場(　) - (　)腸(　) - (　)傷(　) - (　)暢(　) - (　)湯(　) - (　)蕩(　) - (　)賜(　)

◆ 다음 글자를 분해하시오.

1. 陽 = 　　 + 　　 + 　　

2. 腸 = 　　 + 　　

3. 場 = 　　 + 　　

4. 昜 = 　　 + 　　

5. 賜 = 　　 + 　　 + 　　

6. 易 = 　　 + 　　

7. 暢 = 　　 + 　　

8. 湯 = 　　 + 　　

◆ 다음 글자를 소리 부분(聲符)과 뜻 부분(意符)으로 분해하시오.

9. 陽 = 소리 부분(聲符) 　　 + 뜻 부분(意符) 　　

10. 揚 = 소리 부분(聲符) 　　 + 뜻 부분(意符) 　　

11. 瘍 = 소리 부분(聲符) 　　 + 뜻 부분(意符) 　　

12. 楊 = 소리 부분(聲符) 　　 + 뜻 부분(意符) 　　

13. 다음 중 "음"이 서로 다른 글자는?

① 陽　　　　　② 瘍　　　　　③ 腸　　　　　④ 楊

14. 종기는 피부나 살점에 솟아오른 병의 일종이므로 '솟아오르다'는 의미의 글자가 합쳐서 된 글자는?

① 暢　　　　② 揚　　　　③ 陽　　　　④ 瘍

15. "傷"자와 관계 깊은 것은?

① 瘍　　　　② 雲　　　　③ 羽　　　　④ 力

16. "賜"자와 비슷한 뜻을 가진 한자는?

① 吉　　　　② 授　　　　③ 因　　　　④ 余

◈ 다음 중 주어진 글자로 이루어지는 단어를 2개 이상 한자 또는 한글로 쓰시오.

17. 易 –　　　　　　　　　　18. 陽 –

19. 揚 –　　　　　　　　　　20. 瘍 –

21. 楊 –　　　　　　　　　　22. 場 –

23. 腸 –　　　　　　　　　　24. 傷 –

25. 暢 –　　　　　　　　　　26. 湯 –

27. 蕩 –　　　　　　　　　　28. 賜 –

◈ 다음 글자의 훈과 음을 쓰시오.

```
(   )旦(   ) – (   )恒(   ) – (   )是(   ) – (   )提(   ) – (   )題(   ) – (   )堤(   ) –
(   )易(   /   )
```

◈ 다음 글자를 분해하시오.

1. 提 = 　　　 + 　　　 + 　　　　　2. 諸 = 　　　 + 　　　

3. 是 = 　　　 + 　　　　　　　　　4. 堤 = 　　　 + 　　　

5. 다음 중 "음"이 서로 다른 글자는?

① 提　　　　② 題　　　　③ 是　　　　④ 堤

6. 음이 2가지로 쓰이는 글자는?

① 恒　　　　② 易　　　　③ 提　　　　④ 是

◆ 다음 중 주어진 글자로 이루어지는 단어를 2개 이상 한자 또는 한글로 쓰시오.

7. 旦 – [   ]   8. 恒 – [   ]

9. 是 – [   ]   10. 提 – [   ]

11. 題 – [   ]   12. 堤 – [   ]

13. 易 – [   ]

◆ 다음 글자의 훈과 음을 쓰시오.

( )旦( ) – ( )但( ) – ( )亶( ) – ( )壇( ) – ( )檀( )

◆ 다음 글자를 분해하시오.

1. 壇 = [   ] + [   ] + [   ]   2. 檀 = [   ] + [   ]

3. 亶 = [   ] + [   ]   4. 旦 = [   ] + [   ]

◆ 다음 글자를 소리 부분(聲符)과 뜻 부분(意符)으로 분해하시오.

5. 但 = 소리 부분(聲符) [   ] + 뜻 부분(意符) [   ]

6. 壇 = 소리 부분(聲符) [   ] + 뜻 부분(意符) [   ]

7. 檀 = 소리 부분(聲符) [   ] + 뜻 부분(意符) [   ]

8. 아침에 해가 지평선 혹은 수평선상에 떠오른 모습을 본떠서 만든 글자는?
① 亶   ② 旦   ③ 但   ④ 壇

◆ 다음 중 주어진 글자로 이루어지는 단어를 2개 이상 한자 또는 한글로 쓰시오.

9. 旦 – [   ]   10. 但 – [   ]

11. 亶 – [   ]   12. 壇 – [   ]

13. 檀 – [   ]

◆ 다음 글자의 훈과 음을 쓰시오.

( )旨( ) – ( )指( ) – ( )脂( ) – ( )㫖( )

◖ 다음 글자를 분해하시오.

1. 指 =  + ⬜ + ⬜   2. 脂 = ⬜ +

3. 旨 = ⬜ + ⬜   4. 皀 = ⬜ +

◖ 다음 글자를 소리 부분(聲符)과 뜻 부분(意符)으로 분해하시오.

5. 指 = 소리 부분(聲符) ⬜ + 뜻 부분(意符) ⬜

6. 脂 = 소리 부분(聲符) ⬜ + 뜻 부분(意符) ⬜

7. 음식 맛을 손가락으로 본다는 의미에서 '손가락'을 뜻하다가 '가리키다'라는 뜻이 된 글자는?
   ① 脂   ② 皀   ③ 指   ④ 旨

◖ 다음 중 주어진 글자로 이루어지는 단어를 2개 이상 한자 또는 한글로 쓰시오.

8. 指 –    9. 脂 – ⬜

◖ 다음 글자의 훈과 음을 쓰시오.

( )旺( ) – ( )昌( ) – ( )星( ) – ( )晶( ) – ( )智( )

◖ 다음 글자를 분해하시오.

1. 智 = + 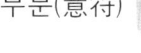 + ⬜   2. 星 = ⬜ + ⬜

3. 昌 =  + ⬜   4. 旺 = ⬜ + ⬜

◖ 다음 글자를 소리 부분(聲符)과 뜻 부분(意符)으로 분해하시오.

5. 旺 = 소리 부분(聲符)  + 뜻 부분(意符) ⬜

6. 智 = 소리 부분(聲符)  + 뜻 부분(意符)

7. 본래는 밤하늘을 수놓은 찬란한 별들을 상형한 글자지만 지금은 밝고 깨끗한 것을 뜻하는 글자는?
   ① 昌   ② 星   ③ 晶   ④ 旺

◆ 다음 중 주어진 글자로 이루어지는 단어를 2개 이상 한자 또는 한글로 쓰시오.

8. 旺 –

9. 昌 –

10. 星 –

11. 晶 –

12. 智 –

◆ 다음 글자의 훈과 음을 쓰시오.

( )暴(/) – ( )爆( ) – ( )瀑( ) – ( )泰( ) – ( )暑( )

◆ 다음 글자를 분해하시오.

1. 瀑 = [ ] + [ ] + [ ]

2. 暴 = [ ] + [ ]

3. 爆 = [ ] + [ ]

4. 泰 = [ ] + [ ]

◆ 다음 글자를 소리 부분(聲符)과 뜻 부분(意符)으로 분해하시오.

5. 爆 = 소리 부분(聲符) [ ] + 뜻 부분(意符) [ ]

6. 瀑 = 소리 부분(聲符) [ ] + 뜻 부분(意符) [ ]

7. 음이 2가지로 쓰이는 글자는?
① 爆 　　　　② 暴 　　　　③ 瀑 　　　　④ 泰

8. 전문가들은 '미끄러지다, 미끄럽다'가 원뜻이라고 추측했지만 뒷날 '대단히 뽐내다, 침착하다' 등으로 가차된 글자는?
① 爆 　　　　② 暑 　　　　③ 瀑 　　　　④ 泰

◆ 다음 중 주어진 글자로 이루어지는 단어를 2개 이상 한자 또는 한글로 쓰시오.

9. 暴 –

10. 爆 –

11. 瀑 –

12. 泰 –

13. 暑 –

◪ 다음 글자의 훈과 음을 쓰시오.

( )普( ) - ( )譜( ) - ( )昆( ) - ( )棍( ) - ( )混( )

◪ 다음 글자를 분해하시오.

1. 混 = ⬜ + ⬜ + ⬜   2. 昆 = ⬜ + ⬜

3. 棍 = ⬜ + ⬜   4. 譜 = ⬜ + ⬜

◪ 다음 글자를 소리 부분(聲符)과 뜻 부분(意符)으로 분해하시오.

5. 譜 = 소리 부분(聲符) ⬜ + 뜻 부분(意符) ⬜

6. 棍 = 소리 부분(聲符) ⬜ + 뜻 부분(意符) ⬜

7. 죄인을 형벌하는 몽둥이를 뜻하는 글자는?
   ① 昆   ② 混   ③ 棍   ④ 普

◪ 다음 중 주어진 글자로 이루어지는 단어를 2개 이상 한자 또는 한글로 쓰시오.

8. 普 - ⬜   9. 譜 - ⬜

10. 昆 - ⬜   11. 棍 - ⬜

12. 混 - ⬜

◪ 다음 글자의 훈과 음을 쓰시오.

( )白( ) - ( )百( ) - ( )伯( ) - ( )舶( ) - ( )迫( ) - ( )拍( ) -
( )泊( ) - ( )的( ) - ( )泉( ) - ( )習( )

◪ 다음 글자를 분해하시오.

1. 白 = ⬜ + ⬜   2. 百 = ⬜ + ⬜

3. 伯 = ⬜ + ⬜   4. 舶 = ⬜ + ⬜

5. 迫 = ⬜ + ⬜   6. 泊 = ⬜ + ⬜

◆ 다음 글자를 소리 부분(聲符)과 뜻 부분(意符)으로 분해하시오.

7. 百 = 소리 부분(聲符) [　　] + 뜻 부분(意符) [　　]

8. 伯 = 소리 부분(聲符) [　　] + 뜻 부분(意符) [　　]

9. 새는 스스로 날갯짓하여 나는 것을 습득한다는 글자는?
　　① 泉　　　　② 迫　　　　③ 的　　　　④ 習

10. 다음 중 "음"이 서로 <u>다른</u> 글자는?
　　① 舶　　　　② 泊　　　　③ 迫　　　　④ 伯

◆ 다음 중 주어진 글자로 이루어지는 단어를 2개 이상 한자 또는 한글로 쓰시오.

11. 白 - [　　　　　　　　] 　　12. 百 - [　　　　　　　　]

13. 伯 - [　　　　　　　　] 　　14. 舶 - [　　　　　　　　]

15. 迫 - [　　　　　　　　] 　　16. 拍 - [　　　　　　　　]

17. 泊 - [　　　　　　　　] 　　18. 的 - [　　　　　　　　]

19. 泉 - [　　　　　　　　] 　　20. 習 - [　　　　　　　　]

◆ 다음 글자의 훈과 음을 쓰시오.

( )暮( ) - ( )昏( ) - ( )暗( ) - ( )晚( ) - ( )冥( ) - ( )瞑( ) - ( )明( )

◆ 다음 글자를 분해하시오.

1. 暮 = [　　] + [　　] + [　　] 　　2. 昏 = [　　] + [　　]

3. 暗 = [　　] + [　　] 　　4. 晚 = [　　] + [　　]

5. 冥 = [　　] + [　　] + [　　] 　　6. 瞑 = [　　] + [　　]

◆ 다음 글자를 소리 부분(聲符)과 뜻 부분(意符)으로 분해하시오.

7. 晚 = 소리 부분(聲符) [　　] + 뜻 부분(意符) [　　]

8. 暝 = 소리 부분(聲符) ⬜ + 뜻 부분(意符) ⬜

9. 다음 중 "음"이 서로 <u>다른</u> 글자는?
① 盲   ② 瞑   ③ 冥   ④ 明

◆ 다음 중 주어진 글자로 이루어지는 단어를 2개 이상 한자 또는 한글로 쓰시오.

10. 暮 – ⬜   11. 昏 – ⬜

12. 暗 – ⬜   13. 晚 – ⬜

14. 冥 – ⬜   15. 暝 – ⬜

16. 明 – ⬜

◆ 다음 글자의 훈과 음을 쓰시오.

( )昔( ) – ( )昨( ) – ( )春( ) – ( )時( ) – ( )間( ) – ( )晝( ) –
( )暇( ) – ( )旬( ) – ( )殉( )

◆ 다음 글자를 분해하시오.

1. 殉 = ⬜ + ⬜ + ⬜   2. 昔 = ⬜ + ⬜

3. 旬 = ⬜ + ⬜   4. 昨 = ⬜ + ⬜

5. 暇 = ⬜ + ⬜ + ⬜   6. 時 = ⬜ + ⬜

7. 昨 = ⬜ + ⬜   8. 晝 = ⬜ + ⬜

◆ 다음 글자를 소리 부분(聲符)과 뜻 부분(意符)으로 분해하시오.

9. 暇 = 소리 부분(聲符) ⬜ + 뜻 부분(意符) ⬜

10. 殉 = 소리 부분(聲符) ⬜ + 뜻 부분(意符) ⬜

11. 다음 중 시간과 관련이 <u>없는</u> 글자는?
① 旬   ② 春   ③ 晝   ④ 明

◆ 다음 글자로 이루어지는 단어를 2개 이상 한자 또는 한글로 쓰시오.

12. 旬 -

13. 昔 -

14. 昨 -

15. 春 -

16. 時 -

17. 間 -

18. 晝 -

19. 暇 -

20. 殉 -

◆ 다음 글자의 훈과 음을 쓰시오.

(   )昔(   ) - (   )惜(   ) - (   )借(   ) - (   )藉(   ) - (   )籍(   )

◆ 다음 글자를 분해하시오.

1. 藉 = [   ] + [   ] + [   ]

2. 惜 = [   ] + [   ]

3. 籍 = [   ] + [   ] + [   ]

4. 借 = [   ] + [   ]

◆ 다음 글자를 소리 부분(聲符)과 뜻 부분(意符)으로 분해하시오.

5. 籍 = 소리 부분(聲符) [   ] + 뜻 부분(意符) [   ]

6. 惜 = 소리 부분(聲符) [   ] + 뜻 부분(意符) [   ]

7. 籍과 藉의 차이점은?

◆ 다음 글자로 이루어지는 단어를 2개 이상 한자 또는 한글로 쓰시오

8. 昔 -

9. 惜 -

10. 借 -

11. 籍 -

12. 藉 -

◪ 다음 글자의 훈과 음을 쓰시오.

( )叚( ) - ( )假( ) - ( )暇( )

◪ 다음 글자를 분해하시오.

1. 叚 = [ ] + [ ] + [ ]   2. 假 = [ ] + [ ]

3. 暇 = [ ] + [ ]

◪ 다음 글자를 소리 부분(聲符)과 뜻 부분(意符)으로 분해하시오.

4. 暇 = 소리 부분(聲符) [ ] + 뜻 부분(意符) [ ]

5. 假 = 소리 부분(聲符) [ ] + 뜻 부분(意符) [ ]

6. '휴가'를 얻었다에서 '휴가'가 바르게 쓰여진 글자는?
   ① 休暇   ② 休假   ③ 体暇   ④ 休嘉

◪ 다음 글자로 이루어지는 단어를 2개 이상 한자 또는 한글로 쓰시오.

7. 暇 - [ ]   8. 假 - [ ]

◪ 다음 글자의 훈과 음을 쓰시오.

( )茻( ) - ( )莫( ) - ( )暮( ) - ( )膜( ) - ( )寞( ) - ( )漠( ) -
( )幕( ) - ( )摸( ) - ( )募( ) - ( )模( ) - ( )謨( ) - ( )幕( ) -
( )慕( ) - ( )墓( )

◪ 다음 글자를 분해하시오.

1. 漠 = [ ] + [ ] + [ ]   2. 膜 = [ ] + [ ]

3. 暮 = [ ] + [ ]   4. 寞 = [ ] + [ ]

5. 莫 = [ ] + [ ] + [ ]   6. 模 = [ ] + [ ]

7. 謨 = [ ] + [ ]   8. 墓 = [ ] + [ ]

9. 幕 = [   ] + [   ]   10. 漠 = [   ] + [   ]

11. 慕 = [   ] + [   ]   12. 募 = [   ] + [   ]

◪ 다음 글자를 소리 부분(聲符)과 뜻 부분(意符)으로 분해하시오.

13. 膜 = 소리 부분(聲符) [   ]   +   뜻 부분(意符) [   ]

14. 漠 = 소리 부분(聲符) [   ]   +   뜻 부분(意符) [   ]

15. 다음 중 "음"이 서로 <u>다른</u> 글자는?
　　① 膜　　　　　② 謨　　　　　③ 模　　　　　④ 摸

16. 사람이 죽어 들어가는 무덤을 나타내는 글자로 한줌 흙으로만 남게 되고 모든 것이 비어 있
　　다는 뜻을 가진 글자는?
　　① 墓　　　　　② 幕　　　　　③ 慕　　　　　④ 漠

◪ 다음 중 주어진 글자로 이루어지는 단어를 2개 이상 한자 또는 한글로 쓰시오.

17. 艸 – [   ]   18. 莫 – [   ]

19. 暮 – [   ]   20. 膜 – [   ]

21. 寞 – [   ]   22. 漠 – [   ]

23. 幕 – [   ]   24. 摸 – [   ]

25. 募 – [   ]   26. 模 – [   ]

27. 謨 – [   ]   28. 幕 – [   ]

29. 慕 – [   ]   30. 墓 – [   ]

◆ 다음 글자의 훈과 음을 쓰시오.

( )氏( ) – ( )昏( ) – ( )婚( ) – ( )宴( ) – ( )民( ) – ( )眠( ) – ( )紙( )

◆ 다음 글자를 분해하시오.

1. 婚 = [ ] + [ ] + [ ]   2. 紙 = [ ] + [ ]

3. 昏 = [ ] + [ ]   4. 眠 = [ ] + [ ]

5. 宴 = [ ] + [ ] + [ ]   6. 民 = [ ] + [ ]

◆ 다음 글자를 소리 부분(聲符)과 뜻 부분(意符)으로 분해하시오.

7. 婚 = 소리 부분(聲符) [ ]   + 뜻 부분(意符) [ ]

8. 다음 중 결혼 잔치와 관련 없는 글자는?

    ① 氏   ② 紙   ③ 婚   ④ 宴

◆ 다음 중 주어진 글자로 이루어지는 단어를 2개 이상 한자 또는 한글로 쓰시오.

9. 昏 –

10. 婚 –

11. 宴 –

12. 民 –

13. 眠 –

14. 紙 –

◆ 다음 글자의 훈과 음을 쓰시오.

( )氏( ) – ( )氐( ) – ( )低( ) – ( )底( ) – ( )抵( )

◆ 다음 글자를 분해하시오.

1. 底 = ⬜ + ⬜ + ⬜   2. 低 = ⬜ + ⬜

3. 氐 = ⬜ + ⬜   4. 抵 = ⬜ + ⬜

◆ 다음 글자를 소리 부분(聲符)과 뜻 부분(意符)으로 분해하시오.

5. 底 = 소리 부분(聲符) ⬜ + 뜻 부분(意符) ⬜

6. 抵 = 소리 부분(聲符) ⬜ + 뜻 부분(意符) ⬜

7. 다음 중 "음"이 <u>다른</u> 글자는?
　① 氏　　　② 抵　　　③ 低　　　④ 底

◆ 다음 중 주어진 글자로 이루어지는 단어를 2개 이상 한자 또는 한글로 쓰시오.

8. 氏 –

9. 氐 –

10. 低 –

11. 底 –

12. 抵 –

32강 – 달 월(月)

◆ 다음 글자의 훈과 음을 쓰시오.

( )月( ) – ( )明( ) – ( )朗( ) – ( )望( ) – ( )期( ) – ( )朋( )

◆ 다음 글자를 분해하시오.

1. 望 = [　　] + [　　] + [　　]　　　2. 明 = [　　] + [　　]

3. 期 = [　　] + [　　]　　　　　　　4. 朗 = [　　] + [　　]

◆ 다음 글자를 소리 부분(聲符)과 뜻 부분(意符)으로 분해하시오.

5. 望 = 소리 부분(聲符) [　　] + 뜻 부분(意符) [　　]

6. 期 = 소리 부분(聲符) [　　] + 뜻 부분(意符) [　　]

7. 다음 중 "기다림"과 상관 있는 글자는?
　① 朗　　　　　　　　② 望
　③ 期　　　　　　　　④ 明

◆ 다음 중 주어진 글자로 이루어지는 단어를 2개 이상 한자 또는 한글로 쓰시오.

8. 明 – [　　]　　　　　9. 朗 – [　　]

10. 朋 – [　　]　　　　11. 望 – [　　]

12. 期 – [　　]

◆ 다음 글자의 훈과 음을 쓰시오.

( )朝( ) – ( )潮( ) – ( )嘲( ) – ( )朔( ) – ( )溯( ) – ( )逆( ) –
( )厥( ) – ( )闕( )

◇ 다음 글자를 분해하시오.

1. 溯 = ☐ + ☐ + ☐   2. 逆 = ☐ + ☐

3. 朔 = ☐ + ☐   4. 厥 = ☐ + ☐

5. 朝 = ☐ + ☐ + ☐   6. 嘲 = ☐ + ☐

7. 潮 = ☐ + ☐   8. 闕 = ☐ + ☐

◇ 다음 글자를 소리 부분(聲符)과 뜻 부분(意符)으로 분해하시오.

9. 潮 = 소리 부분(聲符) ☐ + 뜻 부분(意符) ☐

10. 嘲 = 소리 부분(聲符) ☐ + 뜻 부분(意符) ☐

11. 다음 중 "음"이 <u>다른</u> 글자는?
　① 搠　　　② 溯　　　③ 鎙　　　④ 朔

◇ 다음 중 주어진 글자로 이루어지는 단어를 2개 이상 한자 또는 한글로 쓰시오.

12. 朝 – ☐   13. 潮 – ☐

14. 嘲 – ☐   15. 朔 – ☐

16. 溯 – ☐   17. 逆 – ☐

18. 厥 – ☐   19. 闕 – ☐

◇ 다음 글자의 훈과 음을 쓰시오.

( )謠( ) – ( )搖( ) – ( )遙( ) – ( )然( ) – ( )祭( )

◇ 다음 글자를 분해하시오.

1. 遙 = ☐ + ☐ + ☐   2. 謠 = ☐ + ☐

3. 搖 = ☐ + ☐   4. 祭 = ☐ + ☐

5. 然 = ☐ + ☐

6. 다음 중 "음"이 <u>다른</u> 글자는?

① 謠　　　　　② 然　　　　　③ 搖　　　　　④ 遙

◆ 다음 중 주어진 글자로 이루어지는 단어를 2개 이상 한자 또는 한글로 쓰시오.

7. 謠 –

8. 搖 –

9. 遙 –

10. 然 –

11. 祭 –

◆ 다음 글자의 훈과 음을 쓰시오.

( )夕( ) – ( )外( ) – ( )夜( ) – ( )液( ) – ( )多( ) – ( )名( ) –
( )銘( ) – ( )酪( ) – ( )夢( )

◆ 다음 글자를 분해하시오.

1. 夜 = [ ] + [ ] + [ ] 2. 外 = [ ] + [ ]

3. 液 = [ ] + [ ] 4. 多 = [ ] + [ ]

5. 夢 = [ ] + [ ] + [ ] 6. 名 = [ ] + [ ]

7. 銘 = [ ] + [ ] 8. 酪 = [ ] + [ ]

◆ 다음 글자를 소리 부분(聲符)과 뜻 부분(意符)으로 분해하시오.

9. 銘 = 소리 부분(聲符) [ ] + 뜻 부분(意符) [ ]

10. 酪 = 소리 부분(聲符) [ ] + 뜻 부분(意符) [ ]

11. 다음 중 "음"이 <u>다른</u> 글자는?
   ① 名 ② 銘 ③ 夢 ④ 酪

12. 고기를 잔뜩 포개어 놓은 모습의 글자는?
   ① 外 ② 液 ③ 酪 ④ 多

◆ 다음 중 주어진 글자로 이루어지는 단어를 2개 이상 한자 또는 한글로 쓰시오.

13. 夕 – [ ] 14. 外 – [ ]

15. 夜 – [ ] 16. 液 – [ ]

17. 多 – [ ] 18. 名 – [ ]

19. 銘 – [ ] 20. 酪 – [ ]

21. 夢 – [ ]

◆ 다음 글자의 훈과 음을 쓰시오.

( )辰( ) – ( )晨( ) – ( )振( ) – ( )震( ) – ( )脣( ) – ( )農( ) –
( )濃( )

◆ 다음 글자를 분해하시오.

1. 濃 = 　　　　 + 　　　　 + 　　　　
2. 振 = 　　　　 + 　　　　
3. 農 = 　　　　 + 　　　　
4. 震 = 　　　　 + 　　　　
5. 脣 = 　　　　 + 　　　　
6. 晨 = 　　　　 + 　　　　

◆ 다음 글자를 소리 부분(聲符)과 뜻 부분(意符)으로 분해하시오.

7. 晨 = 소리 부분(聲符) 　　　　 + 뜻 부분(意符) 　　　　

8. 振 = 소리 부분(聲符) 　　　　 + 뜻 부분(意符) 　　　　

9. 震 = 소리 부분(聲符) 　　　　 + 뜻 부분(意符) 　　　　

10. 다음 중 "음"이 2개로 나는 글자는?
　　① 晨　　　　② 震　　　　③ 辰　　　　④ 農

11. 비가 내릴 때는 천둥 번개를 동반한다. 번개를 뜻하는 글자는?
　　① 濃　　　　② 振　　　　③ 震　　　　④ 脣

◆ 다음 중 주어진 글자로 이루어지는 단어를 2개 이상 한자 또는 한글로 쓰시오.

12. 辰 – 　　　　　　　　　　　　　　
13. 晨 – 　　　　　　　　　　　　　　
14. 振 – 　　　　　　　　　　　　　　
15. 震 – 　　　　　　　　　　　　　　
16. 脣 – 　　　　　　　　　　　　　　
17. 農 – 　　　　　　　　　　　　　　
18. 濃 –